MEIC STEVENS

Hunangofiant y Brawd Houdini

y Lolfa

CL

Argraffiad cyntaf: 2003
Ⓗ Hawlfraint Meic Stevens a'r Lolfa Cyf., 2003

Mae hawlfraint ar gynnwys y llyfr hwn ac mae'n anghyfreithlon llungopïo neu atgynhyrchu unrhyw ran ohono trwy unrhyw ddull ac at unrhyw bwrpas (ar wahân i adolygu) heb ganiatâd ysgrifenedig y cyhoeddwyr ymlaen llaw.

Llun y clawr: Roger Pugh Evans
Cynllun y clawr: Ceri Jones

Diolch i HTV, Gari Melville, Yr Archif Roc a Phop Cymraeg a Raymond Daniel am y lluniau. Diolch hefyd i Annes Gruffydd am ei gwaith gwerthfawr.

Rhif Llyfr Rhyngwladol: 0 86243 697 4

y lolfa

Cyhoeddwyd, argraffwyd a rhwymwyd yng Nghymru
gan Y Lolfa Cyf., Talybont, Ceredigion SY24 5AP
e-bost ylolfa@ylolfa.com
gwefan ylolfa.com
ffôn (01970) 832 304
ffacs 832 782

Dwi wastad wedi meddwl bod gofyn tynnu llawer o linynne i wneud adeiladwr goleudai mas o wneuthurwr harpsicordie!

'I'm gonna sit right down and write myself a letter, and make believe it came from you,' canai'r ferch gan anwesu'r nodau. Roedd hi'n bianydd dawnus – yn bianydd 'propor' – ac wedi llwyddo yn ei holl arholiade LRAM (y *Licentiate of the Royal Academy of Music*). Roedd y rhan fwya o'r teulu'n gerddorol hefyd, sy'n beth eitha cyffredin yng Nghymru. Roedd ei thad hi, William Henry Davies (roedd pawb yn ei alw'n 'Dada') – a fu gynt yn saer llonge yn y Llynges Frenhinol, ond a oedd bellach yn saer coed, olwynion a chychod – yn canu yn y côr lleol. Tanforwr oedd ei brawd, Walter, wrth ei alwedigaeth – ond arferai ganu acordion Soprani 'Hundred and twenty bass' roedd e wedi'i brynu'n yr Eidal ar un o'i grwydrade. Roedd Walter, ynghyd â'i acordion, newydd eu colli ar y môr mewn llong danfor o'r enw HMS *Tarpon*. Canai Hayden, y brawd arall, yr harmonica a'r llwye, ac fe fu'n rhan o'r un frwydr yn erbyn cad-lynges Almaenig a oedd yn dwyn cyrch ar Norwy ym 1940. Roedd Hayden yn lwcus i ddianc ar yr unig long danfor a oroesodd mas o naw – trawyd y gweddill gan fomiau tanddwr a'u suddo gan longe rhyfel yr Almaen, ac maen nhw'n gorwedd ar waelod y Skagerak, y culfor bas rhwng Denmarc a Norwy. Mae'r ardal bellach yn fedd milwrol swyddogol.

Canai Bet y piano a'r acordion i rai o'r bandie swing a ddifyrrai'r miloedd o filwyr a byddinwragedd a oedd yn lletya yn y cylch yn ystod y cyfnod hwnnw. Swing oedd cerddoriaeth boblogaidd y dydd, yn siacedi cinio ac yn bres i gyd. Yn enwedig felly sain cerddorfeydd mawrion fel Glenn Miller, The Dorsey Brothers, Ted Heath, Duke Ellington a Count Basie. Cerddoriaeth pobol ifanc oedd swing, a byd o wahaniaeth rhyngddi a Punk, Rap, Grunge, Heavy Metal neu Garage! Yn ystod y dydd, gweithiai Bet fel staff-nyrs yn Ysbyty Bach Penfro, ddeng milltir ar hugen bant yn ne'r sir, ac roedd digon i'w wneud a hithe'n adeg rhyfel.

Fel roedd hi'n estyn am Craven A, canodd y ffôn. Cwicstepiodd hithe ar draws y stafell i'w ateb. "Solva Two Seven Five, pwy sy'n galw, plîs?"

A dyna lais y Sister ar y pen arall yn dweud yn bwyllog bod isie iddi ddod i'r ysbyty gloi. Roedd cyrch awyr wedi bod yn ystod y nos ac roedd lle ar y diawl yno; roedden nhw'n galw ar yr holl staff meddygol oedd ar gael yn y cylch. "Bydda i 'na wap!" atebodd Bet – gan ddefnyddio idiom lleol sy'n golygu cloiach na chloi. Rhoddodd y ffôn i lawr, rhedeg i'r gegin i ddweud wrth ei rhieni am y newyddion drwg, ac wedyn yn groes i'r hewl i fynd ar ofyn Sid Gronow, y dyn pysgod lleol, am bàs – gan taw fe oedd un o'r ychydig bobol yn y pentre oedd yn gyrru fan.

Cyn pen dim, roedd hi'n sefyll yng ngorsaf Hwlffordd, yn drewi o bysgod, yng nghanol tyrfa fawr o bobol – y rhan fwya ohonyn nhw'n gwisgo lifre milwrol. Ymhen hir a hwyr, dyma drên yn cyrraedd a hwythau'n heidio i mewn iddi fel penwaig yn yr halen! Tynnodd y trên mas a'r sŵn y tu mewn yn fyddarol. Teimlodd Bet rywun yn procio'i chefen – dyn ifanc o'r Gwarchodlu Cymreig yr oedd hi'n ei nabod fel mab ei landlordes. Gwaeddai nerth esgyrn ei ben, ond prin oedd hi'n gallu clywed gair. Roedd e'n amlwg yn mynd gartre ar ei seibiant, ond allen nhw yn eu byw â chael sgwrs – roedd y trên dan ei sang o filwyr, morwyr ac awyrenwyr, â'u bagie, reiffls a'u cesys wedi'u pentyrru o'u cwmpas. Roedd rhai hyd yn oed yn cysgu ar y rheseli bagie yn yr adranne. Clywes i ddisgrifiad o'r trene amser rhyfel hyn gan y gitarydd Victor Parker o Tiger Bay yng Nghaerdydd, a fu'n chware yn y cyfnod hwnnw 'da Edmundo Ross a Felix Mendelssohn's Hawaiian Serenaders. Dwedodd e wrtha i fod y trene mor llawn nes bod pobol yn gallu pwyso yn erbyn ei gilydd yn y coridore a syrthio i gysgu. Doedd dim peryg iddyn nhw gwympo – roedd hi mor gyfyng nes eu bod nhw'n dal ei gilydd lan!

Rhoddodd Bet gynnig ar ddweud wrth y milwr am y cyrch awyr gan taw dyna'r unig beth oedd ar ei meddwl hi. Roedd hi ar bigau'r drain er ei bod hi'n gwbod bod gobaith bod y rhan fwya o'r bomie wedi cwympo i'r môr. Tynnodd y trên i mewn i orsaf Doc Penfro – diwedd y lein – a chwympodd pawb mas a llifo tuag at y mynediad gorlawn ac allan i'r hewl.

Bet yn ddeunaw oed

Bet a Gerald yn Amwythig, 1941

Roedd y tŷ lojin bron gyferbyn â'r orsaf – neu'n hytrach, dyna lle roedd e'n arfer â bod – doedd dim tŷ i gael yno nawr, dim ond uffern o dwll mawr a phentwr o rwbel gyda dynion tân a gweithwyr wrthi'n turio trwy'r sbwriel. Trodd Bet a gweld bod y gwarchodluwr dwylath wedi llewygu ar y llawr. Doedd dim tŷ, dim lojin, a dim cartre i fynd nôl iddo. Yn ddiweddarach, clywodd ddweud bod y tŷ wedi'i daro'n uniongyrchol a bod y trigolion, pob un o deulu'r gwarchodluwr, wedi'u chwythu'n yfflon. Daethpwyd o hyd i ffetws y plentyn roedd chwaer feichiog y milwr yn ei gario gan warden cyrch awyr, hanner canllath lan y stryd.

Cofnododd Bet ei henw yn yr ysbyty a mynd ati i weithio. Roedd y Sister oedd wedi siarad â hi dros y ffôn yn llygad ei lle: uffern o le, dyna'n gwmws beth oedd yno, a byd o wahaniaeth rhyngddo a thangnefedd a hedd Solfach, ei chartre a'i phiano. Doedd dim byd *pianissimo* am y fan hyn. Roedd digon o waith i'w wneud yn clytio'r cleifion, cysuro'r rheiny a oedd ar farw ac ymgeleddu'r meirwon yn y corffdy. Cysgodd Bet, wedi orie hir a gwaedlyd, yng ngwely'i ffrind yng nghartre'r nyrsys, a llefen nes cysgu yn y dre honno roedd y bomie wedi'i dryllio'n chwilfriw. Am y ferch druan honno yn y tŷ lojin roedd hi'n meddwl fwyaf. Galle Bet gydymdeimlo'n well na'r mwyafrif gan ei bod hithe'n feichiog.

Gweithiodd y doctoried, y nyrsys a'r nyrsys cynorthwyol yn wyllt am ddyddie bwy'i gilydd – wastad yn meddwl tybed pryd bydde'r stwc nesa o fomie'n cwympo. Beth allen nhw 'i wneud ynghylch y peth? Dim oll! Pa ots – doedd dim diben becso; roedden nhw yno, roedd gwaith 'da nhw i'w wneud, a, gyda thamed o lwc, falle na fydde fe ddim yn digwydd. Byw mewn gobaith oedd piau hi.

Roedd Bet wedi dyweddïo ag awyrennwr ifanc a gwrddodd hi sbel cyn hynny mewn dawns yn yr orsaf filwrol gerllaw. Gerald Wright oedd ei enw, ac roedd e'n hanu o Amwythig. Dyn radio oedd e – gynnwr ar y cychod awyr Sunderland mawr gwyn – awyrenne môr anferth a hardd, a oedd yn codi oddi ar afon Cleddau yn Neyland. Ambell waith, bydde Bet yn mynd lawr yno 'da'i ffrindie pan nad oedden nhw ar ddyletswydd a phan wyddai hi am faint o'r gloch y bydde Gerald yn hedfan, a bydde ynte'n codi ei law arnyn nhw wrth i'r aderyn mawr gwyn godi mewn cwmwl anferth o ewyn. Roedden nhw mewn cariad – ynte'n chwech ar hugen a hithe'n dair ar hugen oed. Roedd y cyhoeddiad priodas wedi'i alw ar dri o'r pedwar Sul blaenorol yn eglwys St Aidan yn Solfach – dim ond wthnos arall nes y bydden nhw'n briod. Roedden nhw'n hapus. Dwedodd Bet wrtha i unweth taw amser y rhyfel oedd cyfnod hapusa'i bywyd hi.

Cyn y rhyfel, roedd Gerry, fel roedd pawb yn ei alw fe, wedi bod yn gweithio i'r weinyddiaeth awyr yn Llunden. Rhingyll clerigol oedd e, a phan gychwynnodd y rhyfel, gwnaeth e 'run peth â llawer un arall, sef gwirfoddoli am hyfforddiant hedfan. Daeth e'n awyr-ringyll, yn ddyn radio yn y Sunderlands. Wedyn, symudwyd e at fomwyr Hampden. Roedd e'n dipyn o jiarff, yn gyrru Riley sports coupé melyn isel 'da throedlathe ac olwynion weiars.

Ond roedd ei awyren e newydd lanio'n glec rywle yng nghanolbarth Lloegr. Chwalwyd yr offer glanio, aeth yr awyren ar dân, a llosgwyd y criw i gyd yn ulw. Unig fab oedd Gerry, ac roedd pawb wedi'u llorio.

Roedd hi'n waeth fyth i Bet dan yr amgylchiade ac mor fuan ar ôl iddi golli ei brawd, Walter. Roedd Bet mewn helynt ac roedd yn rhaid iddi hi ddweud wrth ei rhieni ei bod hi'n disgwyl babi. Er mawr syndod iddi, fe gymeron nhw'r peth yn dda; doedden nhw ddim yn grac, neu, os oedden nhw, wnaethon nhw mo'i ddangos. Derbynion nhw realiti'r sefyllfa ac roedden nhw'n barod i ymdopi orau fyw fyth ag y gallen nhw. Roedden nhw'n ffurfiol iawn, yn gaeth ac yn grefyddol. Tad-cu Bet, Walter Davies yr hyna – crydd, yn wreiddiol o Lanfyrnach ym mynyddoedd y Preseli – oedd prif ddiacon y capel Methodistaidd yn Solfach yn y dyddie pan oedd y capeli'n rheoli popeth. Os oedd merch yn cael plentyn llwyn a pherth, fe fydde hi, fel arfer, yn cael ei diarddel o'r capel trwy orchymyn y diaconied a'r gweinidog. Ychydig iawn o ddewis fydde 'da hi, a, chan amlaf, fe fydde'n cael ei hala mas o'r ffordd i ryw fferm i fod yn forwyn fach rhyw

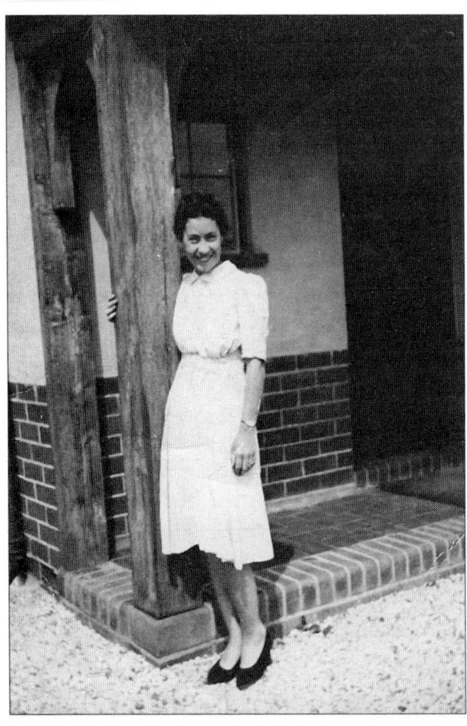

Bet yn Amwythig, 1940

Fy nhad, Gerald Wright yn bum mlwydd oed gyda'i dad yntau, Louis Wright

hen ŵr gweddw, ac, yn ôl pob tebyg, i rannu'i wely fe. Neu fe fydde'n rhaid iddi fynd ymhell bell lan y lein – i Gaerdydd neu i Lunden. Gwnaeth rhai merched y gwn i amdanyn nhw yr un peth â fy hen Anti Edith a gafodd ei threisio gan was fferm, sef eu lladd eu hunen.

Dwi'n credu taw marw Walter, ac wedyn Gerry, a dihangfa lwcus Hayden (mae e'n wyth a phedwar ugen nawr ac yn byw yn Newcastle, De Cymru Newydd, Awstralia) a wnaeth y teulu'n gryfach yn ystod y dyddie trist hynny. Roedd pethe fel hyn yn digwydd i bawb; roedd rhaid i bobol jyst bwrw iddi a gobeithio'r gore. Roedd tad Bet, William Henry, yn ddyn cryf a chall iawn a oedd wedi hwylio'r naw môr fel saer llonge ar Ironclads y Llynges Frenhinol trwy ryfel 1914–18, a chyn hynny ar y diwetha o'r cadlonge mawr dan hwylie. Roedd e'n realydd, yn stoic, a hi oedd ei unig ferch. Paffio oedd pethe Dada, fel y bydden ni'n ei alw, ac roedd ring baffio 'da fe yn un o'i weithdai yn Solfach Isaf lle bydde'n hyfforddi'i feibion a rhai o'r bechgyn eraill yn y gamp. Cafodd Bet, hyd yn oed, ei dysgu i ddyrnu'r *Dulcing*.

Aeth amser heibio a llusgodd y rhyfel yn ei flaen ac roedd bron pawb ynghlwm ag e rywfodd neu'i gilydd. Roedd y rhan fwya o'r bechgyn lleol wedi mynd bant a newyddion amdanyn nhw'n brin. Bellach, roedd y cylch yn llawn o ddynion ifainc dierth o lefydd pell – Lloegr ac America – i gyd yn aros i gael chware'u rhan yn y fenter fawr. Yn y cyfamser, wrth reswm, roedden nhw'n chwilio am fywyd cymdeithasol y tu fas i'r barics – rhywfaint o hwyl a falle rhamant. Priododd llawer o'r merched lleol a mynd bant i fagu teuluoedd 'da rhai o'r milwyr hyn, ac roedd hynny'n fraw diwylliannol i'r cylch, achos pan ddaeth y bechgyn lleol gartre, fe ddaethon nhw hefyd â gwragedd o lefydd eraill. Roedd hi'n dipyn o ergyd i iaith y pentre oedd yn uniaith Gymraeg, gant y cant, hyd ddechrau'r Ail Ryfel Byd.

Roedd popeth wedi'i ddogni hefyd – cwrw, bwyd, olew, petrol, a dillad, hyd yn oed – ond dôi pobol i ben ag e ac roedd y band yn dal i chware!

Wedyn, daeth cyrch awyr arall ar Ddoc Penfro ac Aberdaugleddau.

Unweth eto, roedd yr ysbytai'n orlawn o gleifion. Fe'i cafodd Bet ei hun, un diwrnod, yn nyrsio swyddog ifanc o'r Alban a fu yn y llynges fasnachol. Un o Greenock ar lannau Clyde oedd James Alexander Erskine, ac roedd e mewn gwesty, yn aros i ymuno â llong, pan gwympodd y bomie. Rhaid bod bom wedi ffrwydro ar y gwesty neu'n agos iawn, achos fe glywodd James e'n chwibanu wrth iddo gwympo trwy'r awyr. Beth bynnag, dilynodd y dril a gorwedd ar lawr â'i freichie'n gwarchod ei ben. Chwythodd y ffrwydrad wal gyfan mas o'r adeilad, ac fe'i cafodd ei hun yn hedfan trwy'r awyr yn dal i orwedd ar lawr y stafell wely, oedd wedi mynd yn aeroffoil! Glaniodd, yn dal ar y llawr, beth ffordd lan yr hewl, heb ei nafu, ond yn frith o deilchion gwydyr o'r ffenestri. Bet gafodd y gwaith o dynnu'r gwydyr mas o'i gorff – o'i gefen e fwya (roedd y rhan fwya o'i ddillad wedi'u chwythu i ebargofiant yn y ffrwydrad) – 'da phlicwyr. Ffordd ryfedd i gwrdd â'i darpar ŵr.

Cwympodd Erskine mewn cariad â'i nyrs – rhywbeth sy'n digwydd yn amal, medden nhw – a dilynodd hi i bobman ar ôl iddo gael ei ryddhau o'r ysbyty. Roedd e yn ei phen hi bob gafael, ac, yn y diwedd, ar ôl galwade ffôn a blode lu, cafodd gwrdd â'i rhieni hi yn Solfach. Dwedodd wrthyn nhw ei fod e moyn ei phriodi hi, felly fe benderfynon nhw ddweud wrtho am Gerry, y briodas wedi mynd i'r gwellt a'r plentyn heb ei eni. Doedd Bet ddim mewn cariad ag e – roedd hi'n dal i alaru am Gerald a Walter – ond roedd ei rhieni hi'n gweld Jim Erskine fel rhywun a alle eu hadfer o sefyllfa annifyr, a thruenus o bosib. Ar ben hynny, roedden nhw'n hoff iawn ohono fe; roedd e'n swyddog yn y llynges a hwythau'n deulu â chysylltiadau cryf â'r sefydliad hwnnw. Roedd popeth yn cyd-fynd; dyna'r dewis gore o bell ffordd – bendith bron.

Peiriannydd oedd James Erskine – dyn allweddol ar unrhyw long – ac roedd e wedi hwylio am beth amser ar y 'cychod San'. Roedden nhw'n cael eu galw felly am bod 'da nhw i gyd enwe fel *San Pedro*, *San Antonio* neu *San Alberto*. Roedd y llonge hyn yn cael eu hadeiladu ar frys yn America er mwyn cludo nwydde rhyfel ar draws yr Iwerydd. Doedden nhw ddim wedi'u rhybedu yn y dull arferol ond roedd y platie ochr wedi'u weldio ac roedd hyn yn cyflymu'r broses o'u hadeiladu. Doedd dim disgwyl iddyn nhw bara'n hir!

Yn fuan, daeth gorchymyn i Erskine ymuno â llong yr *M V Adellan*, oedd wrthi'n cael ei hatgyweirio yn y doc sych yng Nghasnewydd ar ôl cael ei tharo â thorpido ddwyweth. Penderfynodd y teulu y dyle Bet a Jim briodi cyn gynted â phosib. Ymunodd Jim â'r *Adellan* yn y doc sych ar y pymthegfed o Ionawr, a gadawodd Bet ei swydd yn yr ysbyty, teithio i Gasnewydd a bwco stafell yng ngwesty'r Tredegar Arms, gyferbyn â'r orsaf reilffordd. Ac fe briodon nhw rai dyddie'n ddiweddarach. Daeth tad Bet a'i brawd, Ivor, a oedd gartre o'r fyddin am gyfnod, i'r briodas, ynghyd â rhai o'r swyddogion o blith criw'r *Adellan*. Fe gafon nhw neithior fechan yn y gwesty ac aros yno y noson honno, cyn mynd ar y llong y diwrnod wedyn a chael aros yn rhan y prif beiriannydd. Arhosodd Bet ar y llong nes iddi hwylio am America, ac wedyn gartre'n ôl â hi i Solfach.

Ond cyn hynny, fe aeth hi i weld y teulu Wright yn Amwythig, heb fod yn bell ar y trên o Gasnewydd. Doedden nhw ddim yn blês iddi briodi mor fuan ar ôl marw'u mab, ac, yn ôl yr hyn ges i wbod wedyn, roedden nhw'n ame pwy oedd tad y plentyn roedd hi'n ei gario.

Hwyliodd yr *Adellan* fel rhan o gonfoi am Forffordd Sant Lawrens yng Ngogledd America – y lle mwyaf cyffredin i ddod o hyd i heidie o longe tanfor yr Almaen. Arhosodd Bet yn Harbour House i eni'r babi a oedd ar fin dod. Roedd hi wedi blino erbyn hyn ac roedd hi braidd yn ddryslyd: beth a alle ddigwydd nesa? Unrhyw beth! O leia doedd dim rhaid iddi fecso am gyfreithlondeb ei phlentyn, na'i dyfodol hi'i hun – a oedd bellach yn sicr, a hithe'n wraig i swyddog yn y llynges. Hynny yw, nes i deligram ddod un diwrnod yn dweud bod yr *Adellan* wedi'i tharo gan dorpido llong danfor a'i suddo gerllaw arfordir yr Ynys Las ar y deuddegfed o Chwefror. Goroesodd tri ar ddeg o blith y criw, ond doedd Jim Erskine ddim yn un ohonyn nhw. Roedd e yn stafell yr injan pan darodd y torpidos, a doedd dim gobaith 'da fe.

Priodas Mam yng ngwesty'r Tredegar Arms, Casnewydd, 1941. Ar y dde mae ei thad, WH Davies a'i brawd, Ivor

Wncwl Hayden – un o'r ychydig bobl oroesodd yr ymosodiadau ar y llongau tanfor yn Skagerak, lle bu farw ei frawd, Walter

Fi yn 1942

Bet wrth y piano yn niwedd yr '80au

Union fis i'r diwrnod, ar y deuddegfed o Fawrth, dechreuodd pylie geni Bet, a ganed ei phlentyn am bum munud wedi hanner nos ar y trydydd ar ddeg o Fawrth 1942, mewn hyrddwynt gradd wyth a storm o dyrfe. Doctor Saunders, y meddyg lleol, a'r nyrs ardal – a fydde cyn hir yn Mrs Saunders – a helpodd i eni'r plentyn, a phan oedd popeth ar ben, fe adawon nhw Bet druan i gysgu yn stafell ffrynt y tŷ yng ngheg y storm. Roedd hi wedi ymlâdd, ac aeth hi mas fel cannwyll yn diffodd. Pan ddihunodd, roedd hi'n dal yn dywyll. Roedd hi'n meddwl taw'r storm dyrfe oedd wedi'i dihuno hi, ond daeth rhyw deimlad rhyfedd drosti, fel petai rhywbeth yn bod. Cododd a mynd at grud y babi. "Iesu, dyw e ddim yn anadlu!" Dadlapiodd y siôl grosio, a gweld ei fod e'n las ac yn oer, a'i groen e'n dechre mynd yn ddu. Roedd e wedi marw! Dim curiad calon. A hithe'n nyrs, mi wyddai hi beth i'w wneud i'w ddadebru fe. Fe alle hi ddweud ar ei liw nad oedd e'n farw ers fawr o dro, felly fe hongiodd hi e â'i ben i lawr gerfydd ei draed a dechre'i bwno fe yn ei gefen cyn galeted ag oedd hi'n meiddio, gan weddïo'n uchel wrth wneud. Ymhen ysbaid, rhoddodd e grawc fach a pheswch – a co fe'n fyw eto! Yn ddiweddarach, pan oedd y ffwdan wedi tawelu, dyma'i mam hi, Blodwen – menyw syml, heb addysg, ond â meddwl athronyddol – yn dweud yn dawel, "Fe fu'r bachgen 'na farw y diwrnod ganed e, a'i godi o farw'n fyw; dyw'r byd hwn ddim digon da iddo fe"!

Dyma enwi'r bachgen yn Louis (ar ôl tad Gerald) Michael (dewis Bet) James (ar ôl y llystad marw).

Betty Davies a Gerald Wright oedd fy mam a fy nhad i.

* * *

Ymhen tipyn, aeth Bet yn ei hôl i Hwlffordd i nyrsio – i Ysbyty'r Sir, lle y gwnaeth hi lawer o waith llawdriniaethol. Fe ddalion ni i fyw 'da'r teulu yn Harbour House, ac roedden ni i gyd yn hapus iawn yno, medden nhw wrtha i.

Bydde fy mam a finne'n teithio llawer yn ystod y rhyfel – i Amwythig at y teulu Wright, ac at fy hen fodryb Marrianne yn Tufnell Park yng ngogledd Llunden. Ro'n i wrth fy modd 'da'r hen drene stêm. Roedd mam a fi yn Llunden ar ddiwrnod VE , pan ddaeth y rhyfel yn Ewrop i ben, ac aeth hi â fi i lawr i Buckingham Palace, i ymuno â'r dathliade y tu fas ar Pall Mall. Ces i dynnu fy llun yn Trafalgar Square, ac mae'r llun hwnnw gyda fi byth! Dwi ddim yn cofio hynny, ond mae rhyw frith go 'da fi o ddihuno yn nhŷ Anti Marrianne, a mam yn dod i mewn i'r stafell wely ac yn mynd â fi mas i'r stryd, a oedd dan ei sang o bobol, a phawb yn canu ac yn dawnso. Roedd coelcerth fawr yng nghanol yr hewl a phobol yn twlu celfi arni – cadeirie a bordydd ac yn y blaen. Llusgodd dynion biano mas o'r dafarn ar y gornel, ac roedd pobol yn canu ac yn dawnso o'i gwmpas.

Roedd popeth yn iawn hyd nes o'n i'n bedair oed, pan benderfynodd Bet briodi awyrennwr arall. Donald Stevens oedd ei enw, a daeth o ardal Forest Gate yn nwyrain Llunden. Roedd e yn yr RAF ym Mreudeth – maes awyr ar bwys Solfach – ac yn llywiwr yn y Coastal Command. Ar ôl y rhyfel, pan gafodd e 'i ddimobio, fe gafodd swydd 'da British Overseas Airways, ac fe ymfudon ni i Harrow yn Llunden, ar bwys maes awyr Northolt, lle roedd e'n hedfan ar y pryd. Mabwysiadodd fi a rhoi'i enw i fi. Yn ddiweddarach, fe gafodd e swydd rheolwr mewn ffatri frethyn ym Mhenfro, ac fe ddaethon ni'n ôl i dde Sir Benfro. Dwi ddim yn credu bod mam yn hapus yn Llunden 'da fe. Mae tref Penfro 'Islaw', fel rydyn ni 'Welshies' gogledd y sir yn ei alw fe. Tiriogaeth arglwyddi Normanaidd y mers yw de Penfro, ac mae'r bobol yno'n draddodiadol ddi-Gymraeg, a'u hacen nhw'n debyg i acen pobol gororе Cymru yn y Trallwng, Llanidloes, y Drenewydd neu yn Henffordd.

A dyma ddechrau cyfnod mwya anhapus fy mywyd i. Roedd 'da fi ofn y dyn 'ma trwy nhin a mas; roedd e'n oriog ac yn dreisgar iawn tuag ata i a mam, oedd dan y fawd reit i wala. Doedd hi'n ddim ganddo fe fy wado i 'da unrhyw beth oedd wrth law – bwcwl belt, llwy bren, sosban, coes cadair weithie – ac wedyn, fe fydde'n fy nghloi yn y cwt glo y tu fas i ddrws y cefen. Ro'n i'n orffwyll. Bydde fe'n gwneud i fi ddarllen llyfre pobol mewn oed pan o'n i'n ddim ond yn bedair neu bump oed; Dickens, R L Stevenson, Daniel Defoe, Shakespeare a Mark Twain. Wedyn, bydde'n fy nghroesholi i'n galed nes oedd e'n fodlon 'mod i wedi darllen y llyfre'n iawn. Bydde fe'n trial pwnio pethe fel "Little boys should be seen and not heard" i 'mhen i. Roedd e wedi clywed yr ystrydebe hyn ac oedd e wastad yn brygowthan am Mao Tse Tung. Ro'n i'n rhy ifanc i ddeall y rhan fwya ohono fe, a doedd dim llawer y galle mam ei wneud achos roedd arni hi 'i ofn e hefyd. Yr unig hoe fach y byddwn yn ei chael oedd pan o'n i'n mynd mas i chware, a byddwn i'n mynd bant am dro ar hyd y lonydd a'r caeau, ac yn aros mas cyn hired ag o'n i'n meiddio. Allwn i byth â godde gwynt y dyn ac roedd 'da fe'r traed mwya drewllyd wyntes i erioed! Cafodd mam ddau fab arall gydag e yn ystod y cyfnod roedden ni'n byw ym Mhenfro. Martin gynta, ac wedyn Irving.

Aeth hi mor wael arna i nes 'mod i'n ffaelu gwneud dim; roedd ofn arna i drwy'r amser ac roedd fy nerfe i'n rhacs! Ces i fy rhoi mewn dosbarth i blant â nam ar eu meddylie yn Ysgol Fechgyn East End, a 'na i gyd o'n i'n ei wneud drwy'r dydd oedd peintio a thynnu llunie, oedd yn fy nharo i i'r dim. Ond yn y diwedd, es i'n ddifrifol dost, a rywfodd daeth mam i gysylltiad â Dada. Roedd arni ofn y byddwn i'n marw. Roedd Stevens yn pallu gadael iddi alw'r meddyg, achos y bydde 'na holi, ac fe fydde fe, fwy na thebyg, wedi mynd i garchar – er mai dyna fydde wedi bod ore i bawb. Daeth Dada yno, a mynd â fi gartre i Solfach. Dwi'n cofio mam yn llefen y glaw. Âi Stevens ddim yn erbyn Dada – roedd arno fe 'i ofn e, ac ofn hefyd beth fydde'n digwydd petai'r heddlu'n cael eu dwyn i mewn.

Hales i'r rhan fwya o'r flwyddyn yn fy ngwely, a dôi Dr Saunders i 'ngweld i bob dydd. Roedd diffyg maeth difrifol arna i ac ro'n i wedi nychu'n gyfan gwbwl. Ar ben 'ny, roedd fy system nerfol i mewn cyflwr truenus. Yn raddol, fe welles i, a gadawodd Dr Saunders i fi sefyll fy ffug-arholiad 11+ yn fy ngwely! Ac fe basies i. Yn ddiweddarach – er bod y doctor yn bryderus braidd – ces i godi, ac aeth rhywun â fi i Ysgol Ramadeg

Tyddewi i sefyll yr 11+ go iawn. Ro'n i'n hwyr, a'r plant eraill i gyd wedi sefyll yr arholiad yn barod. Felly dacw fi, ar fy mhen fy hun bach yn y neuadd fawr, a'r prifathro'n iste wrth y ddesg yn y tu blaen. Des i i nabod y neuadd 'na'n dda iawn, a 'Jake' y prifathro hefyd.

Roedd Mam (hynny yw, fy mam-gu) a Dada wedi symud o Harbour House yn ystod yr amser ro'n i ym Mhenfro, a'r adeg honno, roedden nhw'n byw yn nhŷ fy hen fam-gu yn River Street – cilfach gul yn arwain oddi ar y stryd fawr yn Solfach Isaf. Bu farw fy hen fam-gu o henaint yn naw deg chwech oed, a dwi'n iste yn ei chadair hi fel dwi'n sgrifennu hwn. Hen gadair farddol yw hi, a enillodd hen ewyrth i mi mewn eisteddfod yng Nghaerdydd ym 1935. Pan aeth fy hen fam-gu, Anne (a gâi ei galw'n 'Mam Roza'), yn gaeth i'w gwely ac yn rhy fusgrell i ymdopi â'r ddwy res o risie i'r tŷ bach yn yr iard gefen, fe drodd Dada y gadair anrhydeddus yn gomôd. Doedd dim carthffosiaeth yn Solfach Isaf bryd hynny, ac roedden ni'n lwcus bod sinc a thap dŵr oer 'da ni yn y gegin – roedd rhaid i bobol eraill rannu tap ar y wal tu fas yn y gyli. Erbyn hyn roedd Dada wedi hanner ymddeol, a dim ond jobsys roedd e'n lico y bydde fe'n eu gwneud bellach – trwsio cychod neu wneud yr hen glwydydd fferm mawr pren hynny. Bydde fe'n gwneud gwaith mewn eglwysi a chapeli hefyd, a hynny gydag Wncwl Syd, ei fab, a oedd yn gofalu am y gwaith coed yn Eglwys Gadeiriol Tyddewi.

Roedd byw yn River Street yn eitha cyntefig. Yn Harbour House, roedd trydan 'da ni, a bathrwm go iawn. Yn River Street, dim ond lampe olew, a bydde Mam yn cwcan uwchben lle tân agored, gyda glo neu gyda 'culm' – cymysgfa o glai afon a llwch glo a fydde'n cadw'r tân i fynd trwy'r nos. Fydde'r tân byth yn diffodd oni bai bod Mam isie gwagio'r lludw. Roedd y tŷ 'na'n dwym bob amser. Roedd holl dai'r cwm wedi'u codi 'da cherrig wedi'u cloddio'n lleol a thywod môr, felly maen nhw'n wlyb ac yn llaith iawn – achos yr halen yn y tywod, mae'r walie'n chwysu byth a hefyd.

Treulies i ddyddie mwya cofiadwy a hapusa 'mhlentyndod yn River

Fy mam-gu, Blodwen Davies ('Mam') pan oedd hi'n forwyn ym Mathri yn bump ar hugain oed

Street Byddwn i'n mynd mas i ddal cimychied 'da Capten Bill Jenkins, capten *The Annie* – y llong hwylie ola i weithio mas o Solfach. Roedd cewyll cimychied 'da fe ar Garreg Dilys – rîff bach ar bwys ceg yr harbwr. Gyda fe yr es i ar y môr am y tro cynta. Ro'n i'n eitha bychan, ac es i'n sâl môr ar y daith gynta. Roedd digon o gychod rhwyfo yn yr harbwr, wrth gwrs – bryd hynny, roedd o leia un 'da phawb, ac mae traddodiad rhwyfo'n gryf yno o hyd. Yn 2002, enillodd tîm y merched y ras 'Heads of the river' ar afon Tafwys, ac mae bechgyn a merched Solfach yn mynd ar hyd y wlad benbwygilydd i ddigwyddiade rhwyfo. Dwi'n cofio'n iawn yr hen gychod hir pren hynny – *Laddie, Boy John, Shushima, Suzuki, Saucy Sue* a *Larry Gaines*. Erbyn hyn, maen nhw'n rhwyfo cychod hir plastig sy'n ysgafnach ac yn gyflymach o lawer.

Gwnaeth Dada fad bach, Pram, i fi – un estyllog, wedi'i wneud o lartsien gyda thansom ar y ddau ben, ac un bach ar y blaen. Ro'n i'n dwlu rhwyfo a physgota a byddwn i'n treulio llawer o amser mas yn y bae. Yn hwyr un prynhawn es i mas ar ôl yr ysgol i ddala mecryll yn y *Suzuki* gyda bachan hŷn na fi o'r enw Bici Bo. Derek oedd ei enw iawn e. Roedd awel o'r tir, a dyma ni, yn dilyn yr haig, yn rhwyfo'n bellach ac yn bellach o'r tir. Dim ond festie a chryse oedd amdanon ni, ac wrth i'r haul fachlud dyma ni'n dechre oeri. Roedd y gwynt wedi codi a'r môr yn eitha garw, ac i wneud pethe'n waeth roedd yn dechre nosi, a ninne'n ffaelu gweld ceg yr harbwr mwyach. Fe droion ni'n syth am y lan a dechre rhwyfo fel y diawl am tua phum milltir. Ro'n ni wedi palo, ond fe allen ni glywed y cesyg môr ym Mhorth y Bwch – cildraeth anghysbell ar bwys Solfach.

Erbyn hyn, roedd hi'n ddu fel bol buwch a bydde hi wedi bod yn wyrth petaen ni wedi gallu llwyddo i rwyfo dros frig y tonne heb ddryllio'r cwch a boddi. A dyna pryd dechreues i feddwl 'mod i'n clywed sŵn cwch modur. Roedd Bic yn gorwedd ar ei hyd ar waelod y cwch achos taw fy nhro i oedd hi i rwyfo, ac felly fi welodd y gole'n fflachio wrth i'r cwch achub gael ei godi gyda'r don ac wedyn mynd lawr i'r pant. Yorrie Thomas oedd yno – fe a dyn arall wedi dod mas i chwilio amdanon ni mewn cwch o Solfach.

Cael a chael oedd hi, a dyma nhw'n ein towio ni'n ôl i Gei Solfach, lle roedd tyrfa fach wedi ymgasglu ar y slip. Roedd Dada yn eu mysg nhw, ac felly fe wnes i esgus 'mod i'n anymwybodol. Tasen i wedi dringo mas o'r cwch 'na heb help neb, dwi'n gwbod yn nêt y byddwn i wedi cael cosfa'r ganrif! Felly, ces i 'ngharío i gar, a 'ngyrru gartre.

Ar ôl i Doctor Bridges, a oedd yn aros 'da ni ar y pryd, fwrw golwg arna i, ces i Bovril twym a fy rhoi yn y gwely. Roedden nhw wedi galw bad achub Tyddewi mas, ond roedd Yorrie Thomas wedi cael hyd i ni. Ffoniodd rhywun St Justinian jyst mewn pryd i'w hatal nhw rhag lansio.

Yn yr ysgol y diwrnod wedyn, roedden ni'n enwog – morwyr glew ar goll ar y môr, ar drugaredd y gwynt a'r glaw, ac a gafodd eu hachub dim ond o drwch blewyn o safn angau! Roedden ni'n lwcus ar y diawl!

Pennod 2

Y Blaen Traeth

(Yr Aber a'r Cwm)

Llain o dir anial oedd y blaen traeth, rhwng y marc penllanw a'r tai a wynebai'r môr yng ngheg cwm cul Solfach. Mae ochre'r cwm yn serth ac yn dew dan redyn, eithin, draenen ddu a grug. Trwyn hir o graig gyn-Gambriaidd o'r enw 'Y Gribyn' sy'n ffurfio'r ochr ddeheuol. Oddi tano, mae'r harbwr y mae afon Solfach yn llifo iddo. Y Moelfryn sydd ar ochr ogleddol y cwm, ac, fel y mae ei enw'n dweud, bryn moel yw e. Mae'r Moelfryn yn is na'r Gribyn ac mae'n arwain i wlad hud o gaeau, rhosydd a ffermydd sy'n gorwedd rhwng Bae San Ffraid a Môr Iwerddon tua'r gogledd. Mae Iwerddon tua hanner can milltir bant, ac yn nes nag Abertawe. Mae'r briffordd o Hwlffordd i Dyddewi yn mynd trwy'r cwm. Mae Solfach Isaf, sy'n torri i mewn i graig y Moelfryn, yn nadreddu lan bryn serth i Solfach Uchaf, sy'n edrych i lawr ar yr harbwr ac ar draws Bae San Ffraid i Ynys Sgomer a'r de.

Y blaen traeth oedd fy iard gefn i amser o'n i'n grwt bach – yno roedd fy maes chware a 'mharc antur i. Lle gwyllt anghyfannedd, yn berchen i neb, lle roedd y môr yn cwrdd â'r tir, lle roedd cytie sinc simsan yn clecian ac yn clatsian yn y gwynt, lle gorweddai sgerbyde sbeiliedig hen *Morris Eights* ac *Austin Sevens*, cabie lorris a *Jeep* Americanaidd wedi'i adael ar ôl yr Ail Ryfel Byd yn y prysgwydd, ynghanol cyrff cychod wedi torri, gyda'u hasenne a'u celie nhw'n pydru'n dawel. Y blaen traeth, hefyd, oedd buarth cywion ieir Mrs Lewis, Y Gwryd, a bydden nhw'n clwcian o gwmpas y drylliach, yn cachu, yn pigo ac yn dodwy ddyddie'u hoes mewn bocsys nythu o rigin sianti. Roedd haid o wydde 'na hefyd, yn perthyn i Ma' Raggett o'r Ship Inn lan yn y stryd fawr, dan arweiniad clagwydd mawr ffyrnig y bydden ni'n herio'n gilydd i'w bryfocio 'da ffyn nes iddo fe – a'i wddw wedi mestyn ac yn hisian fel injan stêm – redeg ar ein hole ni lan y stryd. Fe oedd gwir frenin y blaen traeth a'r gwydde oedd ei freninese.

Roedd ein tŷ ni tua decllath ar hugen o lan y môr. Drws nesa inni, roedd hen odyn galch a warws wedi mynd â'i ben iddo, a gafodd ei ailwampio wedi hynny gan Dada a dau o'i feibion, Syd ac Ivor, a'i droi'n dŷ ar gyfer y teulu Lewis. Helpes i i gymysgu'r sment! Mae'r tŷ'n sefyll o hyd a Felin Gôg yw ei enw fe.

Gwlad hud fotanegol oedd y blaen traeth, gyda'i holl flode gwyllt, ffrwythe, planhigion y gallech chi eu bwyta, a pherlysie meddygol a rhai ar gyfer coginio. Wedi'u mewnforio gan y Rhufeinwyr, roedd yno rai Alexanders (cegiden fenyw), falerian (yr oedd yr hen Geltiaid yn ei ffeirio gyda'r Phoeniciaid) sampier (bwyd Llychlynwyr), dynad, suran y waun, dail tafol, clustog fair, llygad llo mawr, dant y llew, carn yr ebol, llysiau'r cwlwm, cawnwellt a cheirios y gŵr drwg – ag enwi ond dyrnaid. Roedd pob mathe o adar hefyd: sigl-ei-gwt, adar duon a bronfreithod, hutanod y môr, pïod y môr, gylfinirod, gwylanod cefnddu a llwyd, pïod, robin goch, ehedyddion, jac-y-do, llwyd y berth, melyn yr eithin, gwenoliaid buan a gwenoliaid yn eu tymor.

Ond dyw y blaen traeth ddim yno bellach – mae'n gorwedd dan haen drwchus o asffalt y maes parcio. Dal yno mae ein hen dŷ ni, ond wedi'i droi'n dafarn, ac yn drap twristied. Mae'n hen barlwr ni a'n hystafell wydyr ni'n far, lle mae pobol ddierth yn byta bwyd cloi ac yn yfed neo-gwrw rhy ddrud. Mae'n drewi o hen gwrw, cyw iâr a chips, saim â gwynt hir hel a mwg ecsôst – mae'n dda nad oes gwynt ar garbon monocsid! Ond, ddiwedd yr haf, mae Harbour House yn mynd yn ei ôl wedi palo at drigolion Solfach, ac mae e'n lle da am sgwrs a jôc fach dawel, ac mae cerddoriaeth 'da nhw o hyd!

I fi'n grwt bach, roedd y blaen traeth yn lle grymus, ac mae'n chwith gen i weld y ceir drewllyd 'na wedi parcio ar ei ben e. Dwi'n dal i allu gwynto'r perlysie a'r blode, yr olew symp, cachu adar, tar, cywarch, gwymon, pysgod a phren yn pydru; yr afon, y traeth a'r môr. Dyma wynt bywyd, madredd a cholled, a mynd a dod llonge ar y llanwe.

Ambell waith, fe fydda i'n cymharu'r Harbour Inn â beth oedd e pan o'n i'n byw 'na. Dyna i chi wahaniaeth! Gwynt bara a sgons yn pobi, pice ar y maen, tartenni ffrwythe – mwyar duon, fale, cyrens cochion a duon – teisenne mins a theisenne melyn wedi'u gwneud 'da wye gwylanod tua'r cynta o Fai, gyda lliw oren llachar ac arlliw o flas pysgod. Gwynt pastai cwningen a chig hela o bob math, cranc, cimwch, cregyn gleision, cocos, gwichied, brithyll, eog, sewin a llyswennod. Roedd yno lond gwlad o bysgod tymhorol hefyd. Ar ddydd Sul, wrth gwrs, fe gaen ni gig eidion, cig oen neu borc gyda Yorkshire pudding a llysie ffres o'r ardd, cidnabîns, ffa llydain a thato newydd, i gyd wedi'u plannu a'u hel 'da'n dwylo ni'n hunen. Dyna i chi goginwraig oedd Mam! Ond, y tu hwnt i hynny i gyd – rhythm tawel y tŷ, siop y saer a'r awyrgylch o ryddhad roedd pawb yn ei deimlo ar ddiwedd y rhyfel – fe orweddai'r blaen traeth, yr harbwr, y bae, Iwerddon, Môr yr Iwerydd a gweddill y byd mawr.

Roedd ein drws ffrynt ni'n uchel, yn llydan a bwaog, gyda gole dan wydyr uwch ei ben e. Fe fydde'r cnocer siâp pen llew yn syllu'n ddrwgargoelus dros y lawnt ffrynt. Roedd 'na gwrt blaen bach graean, lle bydde Maldwyn Vaughne, y dyn llaeth, yn parcio'i ferlyn a thrap bob bore. Roedd hi'n werth gweld y merlyn yn trotian yn gloi lawr y rhiw serth, a chratie o boteli'n clecian yn uchel yn y trap, wedyn yn troi'r gornel fawr mewn un symudiad, ac yn sefyll yn stond wrth ein hiet ffrynt ni. Rheolaeth a chytgord i'w rhyfeddu rhwng dyn a cheffyl. Y tu mewn i'r iet, roedd lawnt fach 'da wal isel o'i chwmpas a phamed blode lle roedd rhosod cochion, dwndilis, narsisi a jiniffl ŵars yn tyfu. Yng nghanol hyn, roedd bàth adar ar blinth. Roedd y lawnt bob amser yn wyn gan lyged y dydd. Bydde pysgotwr lleol enwog, Kit Phillips o Abereiddi, yn arfer dweud os byddech chi'n gofyn, "Ydi hi'n bryd mynd i bysgota eto?" y bydde'r "pysgod 'na pan fydd dy droed di'n gallu gorchuddio pump o lyged y dydd". Fe allech chi bysgota trwy'r flwyddyn gron a barnu wrth ein lawnt ni!

Mae'r briffordd gul yn ymestyn o droed y rhiw, rhwng y tai a thowlodydd storio a waryse o'r cyfnod hwylio wedi'u hailwampio; wedyn, yn troi i'r dde dros bont gerrig fechan; wedyn, lan rhiw serth iawn i'r caeau a'r ffermydd y tu draw i Benrhiw, Clover Hill, Tregadwgan, Caermedris ac ymlaen i Hwlffordd, de Cymru, Lloegr, Ewrop a'r Dwyrain. Fe allwch chi fynd ar y môr o hyd os oes cwch cryf 'da chi, a thipyn o ruddin, a digon o amser hamdden! Ond os penderfynwch chi beidio â dringo'r rhiw 'na, a mynd yn eich blaen yn syth heibio'r hen Cambrian Hotel – lle bydde'r ddwy Miss Pierce (yr oedd un ohonyn nhw'n canu'r banjo) o Grangetown, Caerdydd, yn arfer cynnal llys (tybed sut y digwyddon nhw fod yn Solfach?) – byddwch chi'n mynd heibio i hen bwmp dŵr haearn wrth droed rhiw bach. 'Cornel Pwmp' yw enw y fan hynny. Ac fe ewch chi i gyli syth ond cul gyda bythynnod, gerddi a pherllanne o bobtu. 'Prengas' (Prendergast) yw'r fan hyn. Maen nhw'n dweud wrtha i fod yr enw'n deillio o enw hen deulu bonheddig o Wlad y Basg. Unweth eto, does 'da fi ddim clem sut y bu hi i hwnnw gyrraedd Solfach! Y dyddie hyn, twristied sy'n byw yn Prengas yn ystod yr haf, ac maen nhw'n rhentu'r bythynnod pert, trwsiadus. Mae'n fusnes mawr y dyddie hyn – fe allwch chi dalu mil o bunne yr wthnos i aros yn un o'r rheina! Yn y gaea, dim ond gwacter sydd 'na, ond am ddyrned o bobol leol, ac ysbrydion oes fwy egnïol a byw. Does dim cymuned yna'r dyddie hyn a phan fydd farw fy hen gyfaill ysgol, 'Dai'r Bom' – arglwydd faer Prengas – felly hefyd y bydd farw cyfnod.

Mae Dai damaid yn hŷn na fi, ond aethon ni i Ysgol Ramadeg Tyddewi yr un pryd ac fe lusgodd e fi i bob math o drybini! Roedd teulu Dai yn arfer ffermio'r Gribyn flynydde'n ôl ac roedd tad ei fam e, Letty, yn gapten llong o'r enw Protheroe. Jim Evans oedd tad Dai – gweithiwr hewl Solfach, a'i waith oedd torri a thocio'r cloddie, y lleinie a'r llwybre troed, a chadw'r cwlferi, y draenie a'r ffosydd yn glir. Roedd e'n jobyn mawr – digon o waith – a phan ymddeolodd Jim, Dai gymrodd ei le fe, nes iddo fe ymddeol hefyd – colled fawr. Mae gang o weithwyr dierth yn dod mewn fanie o bryd i'w gilydd nawr i wneud 'da pheirianne y gwaith y bydde un dyn yn ei wneud 'da bilwg a rhaw!

Nage terfysgwr yw 'Dai'r Bom' nac aelod o'r IRA. Doedd e ddim hyd yn oed yn byromaniac – heblaw ar Dachwedd y pumed, 'run peth â ni i gyd! Roedd 'da Dai ogwydd gwleidyddol iawn amser oedd e'n ifanc – fel heddychwr a aeth ar y Gorymdeithie Aldermaston cynnar dan arweiniad Bertrand Russell Michael Foot, a Pat Arrowsmith, ac fel aelod cyflawn o'r Ymgyrch Ddiarfogi Niwclear. Sosialydd tanbaid oedd Dai, yn bleidiwr selog i Aneurin Bevan a Michael Foot.

Does dim cathod na chŵn yn cysgu yn nryse'r tai nawr, dim hen gymeriade diddorol fel Hubert Rees a Willy John yn cerdded lawr y gilfach dan siglo fel morwyr. Dim grwpie lliwgar o ferched, yn gwisgo pinaffore llachar 'da phatryme blodeuog a hetie bach wedi'u crosio ar ben gwallt pleth hir, ac yn hel clecs yn dawel y tu allan i'r bythynnod. Na phlant yn chware pêl-droed ar yr hewl, yn gwisgo sgidie hoelion – dyna i chi beth oedd twrw! Cyn y rhyfel, fe alle Prengas roi dau dîm pêl-droed ar y maes – roedd fy mam a'i brodyr yn un ohonyn nhw, achos eu bod nhw i gyd, ac eithrio Walter, wedi'u geni yno, yn Grove House – er taw dim ond tua phum bwthyn ar hugen sydd yn Prengas. Ond y peth trista i gyd yw'r golled ryfedd ar ôl murmur pobol yn siarad Cymraeg, a sgrechien Cymraeg y mame yn atseinio ar draws y cwm arnon ni'r bois oedd wedi'n dala unweth eto yn dwgyd fale o berllan rhywun.

Os oeddech chi'n mynd i mewn i Harbour House trwy ddrws y ffrynt, heb i'r llew eich llarpio chi, fe fyddech chi'n sefyll ar lawr teils patrwm hufen a terracotta. O'ch blaen chi, fe fydde drws llithro 'da ffenest wydyr lliw, a stâr lydan 'da ffenest lydan arall ar y top. Roedd y gole fan hyn yn y cyntedd yn fendigedig – yn enwedig ar fachlud haul pan fydde adlewyrchiade cynnil glas, coch ac ambr yn sgeintio i mewn ar y llawr a'r parwydydd. I'r dde o'r stâr, roedd parlwr mawr a choridor â phanele derw yn arwain i'r gegin, yr iard gefn, a thrwy weithdy Dada i'r ardd â mur o'i chwmpas.

Arweiniai'r ietie pren uchel yn yr iard gefen i'r blaen traeth a hwn oedd fy nghastell i, fy mhencadlys gorchmynion i a fy sgwâr barics. Roedd 'da Dada fainc llif gron drom yno. Bydde fe'n torri coed ac yn sychu'i bren ei hun, wedyn yn ei dorri fe'n goed cadw, yn estyll ac yn y blaen. Doedd dim ots 'da fi sŵn dyrnu'r injian diesel, na'r mwg du o ecsôst y beipen stôf oedd yn stico mas o'r wal; sgrechen y llafn yn chwyrlïo ac yn rapo trwy'r boncyff oedd yn codi arswyd arna i, ac fe fyddwn i'n rhedeg ac yn cwato tu ôl i'r drws cefen fel pe bai llucheden ar fin fy nharo i. "Be sy'n bod arnot ti, Michael bach?" bydde Mam yn twt-twtian. "Pam nad ei di mas i whare?" A mas â fi 'da fy ffrind Anthony dros y Gamlyn, lle bydde'r ffermwyr a'r morwyr yn gamblo ar 'chware copr', tra bydden nhw'n aros am y llanw yr holl flynydde 'na'n ôl. Mynd i bysgota lan ar bwys y bont gerrig bydden ni gan fwya, ac fe fydden ni'n taflu bache 'da mwydod bach coch gwinglyd yn abwyd i'r trolife dan y bwâu, a rheiny'n nofio lawr i'r pwll brown dwfn lle gorweddai brithyll yn y cysgod.

Yr adeg ore i bysgota oedd ar ôl glaw mawr pan oedd yr afon yn rhedeg yn llawn llaca a'r môr yn yr harbwr yn troi'n frowngoch. Ond fe allen ni ddala pysgod pryd mynnen ni a ninne'n gwbod lle roedden nhw'n gorwedd. Roedd pysgota plu'n anodd am fod y glanne'n llawn draenen ddu, helyg, masarnwydd edlych ac ynn. Hawdd y galle perth draenen ddu droi crwt bach yn bincas a rhaid i chi bigo'r drain mas ar unweth neu gasglu a nafu fydde eu hanes nhw. Treuliodd Mam hydoedd yn pigo drain mas o 'nghorff i 'da nodwydd ddur sane. "Ti wedi bod yn llusgo'n y rwtsh 'to, y bachgen drwg â ti," medde hi, ond doedd hi ddim yn grac, ac roedd brithyll ffres 'da ni bob amser i swper.

'Llusgo yn y rwtsh' oedd un o'n hoff bethe ni. 'Jynglo' fydden ni'n ei alw fe; y 'Popgun Junglers' oedden ni – helwyr mân helfilod ym mhellafoedd gorllewin Cymru. Unweth, fe benderfynon ni ddod o hyd i darddiad afon Solfach, ond fe gafon ni'n curo'n ein hole ar ôl rhyw dair milltir gan gorsydd, llwyni a rhaeadre. Felly dyma benderfynu edrych ar fap. Gofynnes i i Dada am ei fod e'n gwbod popeth, a dwedodd e fod y tarddle rywle i'r gogledd-ddwyrain o bont Gignog. Doedd neb wedi clywed sôn am Gignog, ond fe gafon ni hyd iddo fe ar fap Ordnans. Roedd e filltiroedd bant! Felly, un bore braf, fe ddygon ni gyrch ar riw Solfach ar ein beics, ac ar ôl pedlo am filltiroedd trwy ddrysni o lonydd cefn gwlad dyma rai – yr anghredinwyr a'r gwangalon – yn troi'n eu hole. Cyrhaeddodd y gweddill ohonon ni Gignog ond fawr pellach, a chael ein gyrru'n ôl eto fu'n hanes ni – gan y *Matto Grosso*, ac amser. Roedd hi'n hwyr felly pan aethon ni yn ein hole i Solfach yn garpie, yn rhacs ac yn fratie, yn bigiade danadl poethion, yn frathiade clêr, yn llaca i gyd ac wedi palo. Doedden ni ddim wedi cael hyd i Raeadr Victoria, ond roedden ni wedi dala ryw ugen o frithyll braf a sewin neu ddau. Felly, am unweth, ches i ddim cosfa'r nosweth honno!

"Welsoch chi wiberod?" gofynnodd Dada pan ddes i gartre. "Do, fe laddodd Albert ddwy," medde fi. "Rhai mawr." "Da iawn," medde fe. Roedd 'da Dada chwilen yn ei ben am wiberod, a bydde fe'n eu hela a'u lladd nhw ar ei dro arferol ar fore Sul dros y Gribyn, tra o'n i'n gorfod mynd i'r capel. Fe fyddwn i'n meddwl yn amal tybed pam oedd e'n gwneud hynny, a pham oedd e'n casáu gwiberod gyment? I fi, dim ond nadredd o'n nhw, ac mae nadredd yn greaduried dirgel nad ych chi bron byth yn eu gweld. Des i wybod yn ddiweddarach: ar ôl i Dada a Mam briodi (fe gwrddon nhw mewn ffair Fihangel yn Nhyddewi), aethon nhw i fyw mewn lle gwyllt lan tu cefen i Roch Mill, lle o'r enw Kite Mountain. Hen fwthyn oedd e ar ben llwybr hir cul dan goed yn edrych dros ddyffryn Niwgwl. Ganed Wncwl Walter, eu plentyn cynta, yno. Un diwrnod, fe gropiodd e mas trwy'r drws a mynd ar goll yn y prysgwydd. Amser cafodd Dada hyd iddo fe, roedd e'n chware mewn llannerch heulog braf, a gwiberod yn bolaheulo o'i gwmpas e. Lladdodd Dada bob un ohonyn nhw 'da'i ffon gerdded. Wedyn fe wyddwn i pam bydde fe wastad yn dweud wrtha i am 'dorri ffon' cyn i fi fynd i lusgo lan y cwm. Ychydig o wiberod welwch chi'r dyddie hyn, ac mae rhai'n dweud fod a wnelo fe rywbeth â phlaladdwyr. Des ar draws gwiber un pnawn twym ar gors

Caerfarchell pan godes i ddalen o haearn rhychog wedi rhydu. Dyna lle roedd gwiber fenywaidd, newydd eni chwech neu saith o gywion. Cafodd fraw, ond nid cymaint a ges i. Fe agorodd ei safn led y pen, a sleifiodd y cywion nadredd fel lluched i mewn iddi. Wedyn, bant â hi mewn chwinciad, yn cario'i hepil gyda hi.

Y blaen traeth oedd ein maes chwaraeon ni hefyd; yno y bydden ni'n chware criced *tip an' run* yn erbyn un o'r hen gytie haearn crychog a'r stympie wedi'u tynnu mewn sialc ar y drws. Pêl-droed hefyd, gan ddefnyddio blaene dau gwch wedi'u tynnu lan dros y gaea fel pyst gôl. Bydden ni'n chware cuddio hefyd. Cyffwrdd y tri cynta, wedyn dala'r gweddill. Roedd y gêm yma'n amal yn mynd yn flêr pan oedd rhai o'r dalwyr damed yn rhy frwd, a hawdd y galle droi'n ornest reslo rhwng pawb, neu hyd yn oed yn frwydr 'da phymtheg neu ugen o fechgyn yn rhan ohoni. Yn y gêm yma, roedd un crwt yn cael ei enwebu i fod yn 'Fe', wedyn roedd e neu hi'n gorfod recriwtio tri arall trwy redeg ar eu hole nhw a'u cyffwrdd nhw. Roedd yn rhaid iddyn nhw ddala'r plant eraill bob yn un, nes oedd dim ond un ar ôl – y rhedwr mwya chwim ac anodd ei ddal fel arfer. Fe wnaech chi unrhyw beth i beidio â chael eich dala – cwato hyd yn oed. Yn ystod un gêm, aeth bachgen ar goll ac roedden ni'n ffaelu cael hyd iddo fe'n unman, felly aethon ni i moyn ei fam e. Roedd hi'n dechre nosi erbyn hynny, ac o'r diwedd daethon ni o hyd iddo fe'n cysgu'n sownd yn un o'r cytie ieir ar y blaen traeth.

Ambell waith, fe fydden ni'n chware pêl-droed lan a lawr canol y brif stryd; roedd hyn yn bosib achos doedd prin dim ceir y dyddie hynny. Dim ond dau neu dri char, bys, a falle tractor fydde'n mynd trwy'r pentre yn ystod yr hwyr ac ro'n ni'n gallu'u clywed nhw o bell wrth iddyn nhw newid i gêr isel ar y rhiw. Doedd neb fel 'se ots 'da nhw i ni wneud hyn, a fydden ni byth yn cael pryd o dafod oni bai bod rhywun yn torri ffenest.

Fe fydden ni'n troed-rolio hefyd lawr yr unig bafin, oedd yn mynd o'r siop gemist lawr i dŷ Anti Mattie y drws nesa i'r Ship Inn. Fe fydden ni'n gwisgo'r sgidie sglefrio dur trwm hynny wedi'u clampio ar ein bŵts ni 'da allwedd. Allech chi mo'u gwisgo nhw da 'daps', y sgidie canfas du y bydden ni i gyd yn eu gwisgo yn yr ha. Bydden ni'n edrych mlaen at yr adeg pan allen ni fwrw heibio'r bŵts hoelion trwm hynny roedd yn rhaid i ni'u gwisgo am y rhan fwya o'r flwyddyn. Ond, o wisgo'r sgidie sglefrio ar y bŵts, fe allen ni sglefrio lawr rhiw Solfach, gan godi cawodydd o wreichion o'r hewl.

Roedd llond gwlad o gymeriade yn y cwm, hyd yn oed ymhlith y cryts, ac roedd glasenwe 'da ni i gyd: Bici Bo, Panda, Jac Newt, Curlew, Choo Choo ac yn y blaen. 'Mousie' oedd f'enw i, yn deillio o Harbour House – 'Michael Mouse'. Roedd dau fachgen hŷn o'r enw Pantas a Pedro. Eu henwe go iawn nhw oedd, yn y drefn honno, John a Peter. Roedd 'na fachgen iau o lawer na fi oedd yn cael ei alw'n 'Dai Cachu-shit' – am ei fod e wastad yn rhegi!

Mae Solfach yn dal i fod yn lle tan gamp i blant dyfu lan – os gwnaethon ni hefyd! Doedd dim clwb ieuenctid nac unrhyw ddifyrrwch ffurfiol i'r plant, na hyd yn oed i'r bobol ifanc, ar wahân i'r Geidie. Bydden ni'n gwneud ein hwyl ein hunain ac yn bwrw iddi gydag afiaith. Roedd yr haf, wedi i'r ysgol gau, yn un nofiad hir yn yr harbwr neu'r cildraethe yn y bae y bydden ni'n eu cyrraedd yn ein cychod rhwyfo. Fe fydden ni'n pysgota llawer hefyd – am forleisied, crancod, cimychied, mecryll a draenogod y môr. Roedd e'n ddigwyddiad mawr amser oedd yr heigie o fecryll yn nofio i mewn i'r bae; dwi wedi croesi heigie filltir o led, pan fydd y dŵr yn fyw gyda channoedd ar filoedd o bysgod glas, du ac arian hardd yn byta'n orffwyll, yn llowcio heigie o silod mân ac, yn eu tro, yn cael eu hymlid gan forgwn gleision, sy'n fath o siarc.

Roedd y tywydd yn dwymach bryd hynny, a'r hafe i'w gweld yn para'n hirach. Fe welech chi baent yn codi'n swigod ar ddryse'r tai yn y cwm, a'r tar ar yr hewl yn toddi – welwch chi mo hynny'r dyddie hyn – falle'u bod nhw wedi dyfeisio paent dal gwres!

Yn amal, fe fydden ni'n mynd lawr i'r traeth yn Solfach pan oedd y môr ar drai, a nofio a bolaheulo ar y creigie fflat ar bwys ceg yr harbwr.

Bydde fy ffrindie ysgol i i gyd yno – yn ferched ac yn fechgyn 'da'i gilydd – 'da phop a brechdane a fflasgie o de a choffi. Fe fydden ni'n aros ar lan y môr nes i'r llanw droi ac yna bracso'n ôl ar draws yr harbwr i'r cei, a rhai'n nofio sha thre. Roedd hynny ache'n ôl – dyddie difyr, ond daeth tro ar fyd, ac arnon ninne. Fe fydde'r rhan fwya ohonon ni'n llwyddo yn ein harholiadau ysgol, ac yn gorfod mynd 'lan y lein' am addysg uwch neu i chwilio am waith – yng Nghaerdydd, Abertawe, Lloegr neu yn rhywle dierth arall.

Pennod 3

Ysbryd Solfach: Dyddiau bore oes

Stryd gefn fer a chul yw River Street, gyda phum bwthyn a dwy ardd ar lan yr afon. Mae River Street yn cysylltu'r Stryd Fawr yn Solfach Isaf â glan arall yr afon. Pan o'n i'n blentyn, roedd bompren – dwy styllen braff a chanllaw – yn arwain at ochr y Gribyn ac i'r Gamlyn, sef stribyn o dir diffaith, gyda llwybyr troed yn rhedeg ar hyd ei ymyl e, o dan y goedwig fasarn ar lethr isa'r Gribyn, at lan y môr. Roedd dau warws wedi mynd â'u pennau iddynt a chlwstwr o fythynnod pinc a gwyn ar yr ochr honno i'r afon, rhwng y bompren a'r bont gerrig wrth droed y rhiw sy'n arwain i Hwlffordd. Roedd dwy odyn galch segur hefyd, ac, uwch eu penne nhw, siop y gof, Johnny Jenkins, oedd ar ei anterth bryd hynny. Rwy'n cofio mynd gyda Dada i ddodi ymylon dur ar olwynion cert roedd e wedi'u gwneud – dyma nhw'n gosod yr ymylon yn fflat, a wedyn rhoi naddion coed a friwyd yr holl ffordd o'u cwmpas nhw mewn cylch, ac yna'u tanio nhw. Ar ôl i'r cylch o dân ddiffodd, roedd y dur wedi chwyddo digon iddyn nhw ollwng yr olwyn gert fawr drom yn ofalus i'w lle.

Fe fydden ni'n amal yn chware 'Forts' yn yr hen warysau: un gang wedi'i baricedio tu mewn gyda bwâu a saethe a chatapyltie, a'r lleill yn ymosod ac yn trial mynd 'o dan y gynau' gyda phen hwrdd, wedi'i wneud o fonyn coeden. Roedd y toi wedi cwympo mewn ers ache a'r estyll wedi'u tynnu i wneud coed tân, ac arweiniai grisie cerrig at y talcenni, at ddryse gwag yn uchel uwchben y llorie llawn rwbel. Roedd y trawstie pren trwchus yn wyrdd dan fwswg a chen ond yn eu lle o hyd ac fe fydden ni'n herio'n gilydd i gystadlaethe cerdded rhaff ac acte balansio peryglus eraill.

Roedd ein gardd ni gyferbyn, yn ymyl y bompren, ac roedd 'na risie'n arwain i lawr at y dŵr. Ar lan yr afon roedd wal gerrig, yn is na'r llinell ddŵr oedd at eich canol chi, roedd tylle dwfn lle roedd llyswennod afon mawr yn byw a lle bydde brithyll a sewiniaid yn cwato hefyd. Roedd Dada'n dwlu ar lond ei fola o lyswennod wedi'u pobi, ac fe fydden ni'n treulio orie yno'n pysgota gyda ffunen bysgota, yn gobeithio dala'i swper e. Y ffordd ore o ddal y llyswennod afon hynny oedd drwy ddala cwningen gynta, ei phlingo hi a thynnu'i pherfedd, yna clymu'r 'pwdins' – fel y bydden ni'n galw'r perfedd – lan yn y croen fel parsel, 'da'r ochr gig y tu fas a charreg y tu mewn fel balast. Roedd hi'n well os oeddech chi'n gadael y parsel ar hyd y lle am ddiwrnod neu ddau nes ei fod e'n dechrau drewi damed bach cyn ei ollwng i'r afon, yn bellach lan na thylle'r llyswennod, ar damed cryf o gortyn. Bydde'r llyswennod yn dod mas bron yn syth i fwydo ar yr abwyd gan gnoi yng nghroen y gwningen. Gan eu bod nhw'n pallu gollwng gafael, mater hawdd oedd eu tynnu nhw mas o'r afon wedyn! Dwedodd Dada wrtha i fod dannedd llyswennod yr un siâp â bachyn, a phan fydden nhw'n cnoi rhywbeth bod clicied eu gên nhw'n cloi. Rwy'n cofio unweth i gongren gnoi crwt yn yr harbwr, mewn dŵr bas ar ôl i'r llanw gilio. Mae'n rhaid ei bod hi'n sownd ar y lan a'r crwt wedi damsiel arni. Fe gafon nhw drafferth i'w thynnu hi a, phan wnaethon nhw, fe aeth hi â thalp mawr o goes y crwt gyda hi. Gyda llaw, cyn defnyddio'r tric dala llyswennod yma, mae'n syniad da torri cwpwl o wye pwdwr yn ymyl y tylle – mae llyswennod yn dwlu ar ogleuon, ac fe ddôn nhw mas yn gloiach fyth.

Roedden ni'n byw yn 2 River Street mewn hen fwthyn deulawr dau dalcen, gyda dwy stafell lan a lawr, taflod hanner ffordd lan y stâr a thwll dan stâr a fydde'n morio pan oedd hi'n benllanw. Fe gafodd y tŷ ei ailwampio'n ddiweddarach a'i droi yn ddau dŷ haf. Roedd yna dŷ hŷn fyth y tu ôl iddo fe, ac roedd ein tŷ ni wedi cael ei godi at hwnnw beth amser yn ôl. Bydde Dada'n defnyddio rhan wreiddiol yr hen dŷ fel gweithdy, ac roedd drws yn y gegin yn agor iddo.

Roedd drws arall yn arwain o'r gegin i'r iard gefen a'r tŷ bach, ac yna

Bet a'i brawd Syd tu fas i'r Grove Hotel yn Nhyddewi, 1963

Rhai o'r hen bysgotwyr o Brengas, Solfach ar y llong yn Aberdaugleddau. Mae rhai aelodau o 'nheulu yn y rhes gefn

mas yna bydde Dada wedi codi colomendy. Ar un adeg roedd ryw ddeuddeg colomen 'da fi, ond ei bod hi'n anodd dweud faint yn union achos eu bod nhw'n magu byth a hefyd. Bydden nhw'n hedfan o gwmpas drwy'r dydd ambell waith ac yn clwydo ar do'r tŷ. Hyfryd oedd clywed sŵn y colomennod; a fin nos, roedden nhw'n ddigon o ryfeddod. Doedd dim rhaid i fi wneud llawer iddyn nhw heblaw am roi bwyd mas a gwneud yn siŵr bod y colomendy'n lân. Dala'r rhan fwyaf ohonyn nhw ar ffermydd wnes i, ac roedd y ffermwyr yn falch o 'ngweld i'n dod achos mae colomennod yn bwyta lot o ŷd.

Roedd yna le tân cornel simnai anferth nad oedden ni'n ei ddefnyddio yn yr hen dŷ. Fe fyddwn i'n dringo i mewn iddo fe ac yn mynd lan y simnai ac allan i'r to, 'run peth â Tom yn *The Water Babies*. Ar un ochr roedd 'na boptai bara, carreg aelwyd yn y canol a silff garreg y gallech chi eistedd arni yr holl ffordd o gwmpas. Roedd y tŷ yma'n hen iawn, wedi'i godi yn yr unfed ganrif ar bymtheg. Rhaid ei fod e wedi sefyll ar ei ben ei hun i ddechre, achos dyna'r unig un yn y stryd.

Roedd yno fainc weithio hir gyda feis ac amrywiaeth o gelfi gwaith coed ac fe wnes i lawer o waith coed yno. Dysges i fesur, plaenio, ceingo, cafnu a llifio. Dim ond fel stafell amlbwrpas y bydde hi'n cael ei defnyddio, lle bydde anifeilied ac adar hela'n cael eu pluo a'u plingo, yn ogystal â'r jobyns brwnt eraill; fe fydden ni'n torri'r pricie ar gyfer coed tân yna hefyd.

Roedd Mam yn pallu gadael i gŵn ddod i'r tŷ yn River Street, er ein bod ni wedi'u cadw yn Harbour House: cocker spaniel, Labrador retriever o'r enw Spot, a milgi o'r enw Old Bill. Roedd y tri ohonyn nhw'n ddu, er bod seren wen 'da Old Bill ar ei frest a gallech chi 'i weld e yn y tywyllwch. Un da am gwrso cwningod oedd Old Bill ac roedd y lleill yn cael eu defnyddio fel cŵn dal adar. Roedd y cŵn yna wedi'u hyfforddi'n dda. Ambell waith, fe fydde f'wncwls i'n saethu cwningod o glwyd yr iard gefen gyda reiffl '22. Roedden nhw i gyd yn dda gyda'r dryll. Roedd y Gribyn yn berwi o gwningod, ac os byddech chi'n edrych yn ofalus, fe allech chi weld eu clustie wrth iddyn nhw bori ar y blagur eithin glas. Felly roedd yr eithin yn cael eu cadw'n isel a'u cerfio'n siapie crwn rhyfedd. Bydde'r gwningen yn neidio lan pan gâi hi ei saethu, a'r cŵn yn rhedeg bant lan y bryn ac yn dod â hi'n ôl at y glwyd i swper. Ond gwnaeth Mam reol dim cŵn pan symudon ni, a ninne'n glynu ati hi'n gaeth. Rhoddodd Wncwl Syd cocker spaniel du i fi unweth, ond roedd yn rhaid i fi fynd ag e'n ôl – roedd Mam yn pallu'n deg â gadael i gŵn ddod i Nymber 2. Ond roedd cath 'da fi, o'r enw Benjamin, yr oedd rhywun am ei boddi pan oedd hi'n gath fach. Dyna beth fydden nhw'n ei wneud gyda chŵn a chathod bach nad oedd neb eu moyn nhw – eu rhoi nhw mewn sach gyda charreg drom a'u lluchio nhw i'r môr. Ro'n i'n meddwl ei fod e'n greulon, ond roedd llond gwlad o bethe felly'n digwydd yr adeg honno – roedd pobol yn fwy di-lol ac yn nes at lawr gwlad na heddiw. Doedd dim ots gen i ddala, lladd, plingo a thynnu perfedd hanner dwsin o gwningod, er taw merched fel arfer fydde'n gwneud y math yna o waith ac yn lladd gwydde, hwyed a chywion ieir amser y Nadolig. Ond y dynion fydde'n lladd y lloi a'r moch. Fydde Dada ddim yn mynd mas i hela ryw lawer pan oedden ni'n byw yn River Street, a chrogai'r Purdy twelve-bore yn segur o drawst yn y gegin a'r cetris ar dop y seld.

Pan symudon ni i River Street fe etifeddon ni lodjer, sef Wncwl Harold Davies – ŵyr i Mam Roza, a mab i chwaer ieuenga Mam, sef Roza. Roedd Roza wedi marw o ganser rai blynydde cyn hynny, lan yn Llunden, lle roedd hi'n gweithio fel morwyn i deulu cefnog yn Berkeley Square. Bu farw'n eitha ifanc, ond roedd hi wedi mwynhau byw ac roedd steil mawr 'da hi – bydde hi'n gwisgo ffrogie Ra-Ra ac yn gwisgo fel Charleston flappergirl. Dwi wedi gweld llunie ohoni'n gwisgo ffrogie â ffrinjys sidan a satin, mwclis hir, clustdlyse, boa plu, hetie rhyfedd â phlu estrys, sane sidan a sgidie sodle uchel pigfain. Plentyn llwyn a pherth oedd Harold, a dwi'n credu taw dyna pam aeth hi, neu pam y cafodd hi ei hala bant 'da'i rhieni. Cael jobyn da oedd ei hanes hi, ac roedd hi'n llawer mwy bydol-ddoeth ac yn fwy trwsiadus na'i chyfoedion lleol a oedd wedi bod yn lodesi capel da ac wedi aros gartre. Ddwedodd neb erioed pwy oedd tad Harold – rhaid taw dyn lleol oedd e, ond fydde neb byth yn dweud gair o'u penne am y peth.

Bu'n rhaid i Harold ymladd yn rhyfel 1914–18 pan oedd e'n ddim ond dwy ar bymtheg, ond fe ddaeth e'n ei ôl – yn wahanol i'w gefnder, David Evans, a'i ddau wnwcwl, Johnny a Gwilym, a oedd hefyd ond yn fechgyn ugen, pedair ar bymtheg a deunaw oed. Fe'u lladdwyd nhw bob un ym mwd y Somme. Wrth lwc, fe ddaeth yr hen Harold gartre'n ddiogel, a bant ag e i bysgota ar longe Milffwrd run peth â'r rhan fwyaf o'i fêts e yn Solfach: roedden nhw'n forwyr da. Yn ddiweddarach, hwyliodd e dramor ar gychod llwythi a thanceri. Pan gychwynnodd yr Ail Ryfel Byd, roedd yn rhaid iddo fe fynd i'r fyddin eto, ac, yn fuan, fe'i cafodd ei hun ym Myddin Ymgyrchol Prydain, yn cael ei ymlid ar hyd a lled Ffrainc gan Panzers yr Almaen. Llwyddodd e a dau fachan arall o Solfach, Jack Evans a Benja Howells, i gyrraedd traeth Dunkirk, ac roedden nhw'n ddigon lwcus i gael eu symud ynghyd â rhai miloedd o filwyr eraill. Cyrhaeddodd Harold gartre'n saff, ac yn syth yn ôl ag e ar longe pysgota Milffwrd.

Ar ôl yr Ail Ryfel Byd roedd dirwasgiad, gyda channoedd ar filoedd yn chwilio am waith, crugyn o ffoaduried, pobol heb ddinasyddiaeth a charcharorion rhyfel gynt. Roedd y ffoaduried tramor hyn yn cael eu camddefnyddio am eu bod nhw'n fodlon gweithio'n galed am gyflog isel iawn, ac achosai hynny lawer o ddrwgdeimlad yn nocie Milffwrd, lle roedd y rhan fwyaf o'r ffoaduried yn Bwylied, ac wedi bod yn ymladd 'da unede lluoedd y Cynghreiried yn erbyn yr Almaenwyr a'r Japaneaid. Derbyniai'r dynion yma gyfloge is na chyfloge safonol y pysgotwyr lleol, ac felly roedd cyfloge'r pysgotwyr yn cael eu cadw'n isel hefyd. Wrth reswm, roedd cwmnïe'r llonge pysgota ar eu helw o'r sefyllfa sâl yma. Yn amal, bydde 'na ymosodiade ar y dynion anffodus hyn, nad oedd dim bai arnyn nhw eu bod nhw'n ffaelu mynd gartre i Wlad Pwyl am eu bod nhw wedi ymladd dros y Cynghreiried – bydden nhw fwy na thebyg wedi cael eu saethu gan y Comiwnyddion Rwsiaidd oedd yn llywodraethu Gwlad Pwyl ar y pryd.

Dwedodd Harold a Jack Evans stori wrtha i yn y Ship Inn unweth am rywbeth ddigwyddodd yr adeg honno pan oedden nhw'n pysgota am benfras yn ymyl Gwlad yr Iâ. Aeth un o'r Pwylied, taniwr ar y llong, yn rhwym. Rhoddodd y capten foddion gweithio trwy'r trwch iddo fe ond doedd dim yn tycio. Ymhen tipyn, roedd y cwyno, y griddfan a'r ochneidio uchel a ddôi o'i fync e'n dechre mynd trwy benne gweddill y criw oedd yn trial cysgu. Roedd y capten yn pallu glanio yn Reykjavik a'i hala fe i weld doctor, achos roedd y pysgota'n mynd yn dda ac roedd yn rhaid iddyn nhw aros gyda'r heigie. Fe fydde'n rhaid iddo fe ddiodde nes bod yr howldie'n llawn. Jack Evans gafodd yr ateb, ar ffurf hanner pwceded o sebon meddal, wedi'i gymysgu 'da photeled o Black Draft – moddion at bob clwy i forwyr, a rhywbeth tebyg i fersiwn anhygoel o gryf o Friar's Balsam. At hyn, fe roddodd e ddyrned o beli costig. Ar ôl iddo fe droi'r gymysgfa'n iawn, fe'i llwythodd mewn gwn irad a'i saethu lan tin y Pwyliad! "Gachodd e?" gofynnes i gyda pharch tawel. "Cachu?!" sgrechon nhw. "Roedden ni lan at ein glinie mewn ffycin cachu!!!" Roedd yn rhaid i'r capten lanio mewn porthladd yng Ngwlad yr Iâ, lle'r aeth y Pwyliad druan i'r ysbyty. Doedd neb fel tasen nhw'n gwbod oedd e wedi byw trwy'r brofedigaeth ai peidio. Bastards caled oedd y pysgotwyr hynny, wedi arfer â pheryg yn y cychod pysgota Beamtrawler stêm hynny. Bydden nhw'n pysgota o Fôr Iwerddon lan i Ynysoedd Ffaröe a Gwlad yr Iâ, ar hyd arfordir gorllewinol Norwy, i'r gogledd i Spitzbergen i Gefnfor yr Arctig a Bear Island; roedden nhw'n wydn!

Nid heb reswm oedd y cychod pysgota 'na'n cael eu galw'n 'wet boats', achos roedd y criwie'n oer ac yn wlyb ar hyd yr adeg; yn byw mewn dillad gwlyb ac yn cysgu mewn byncs gwlyb. Yr unig le twym ar y cychod 'na oedd y twll tanio lle roedd y boeler a'r ffwrnais, a doedd hwnnw ddim mor dwym â hynny! Ambell waith, bydde 'na gyment o iâ ar y rigin, y gwifre a'r rhanne uchaf nes bod yn rhaid iddyn nhw 'i naddu fe â bwyeill a morthwylion neu fe fydde'r llong yn moelyd. Ond roedd y môr yn berwi o bysgod ar ôl y rhyfel: doedd bron ddim pysgota wedi bod ers chwe blynedd, ac roedd pawb moyn eu rhan nhw o'r *bonanza*. Tasen nhw'n gadael llonydd i'r pysgod fel yna am, dyweder, pum mlynedd nawr, fe welen ni lanio dalfeydd go lew, a bydde pris pysgod yn mynd i lawr a'r safon yn codi. Mae hyd yn oed traethellau mawr Canada a Nova Scotia yn hesb o benfras y dyddie hyn. Wrth gwrs ei fod e'n waith peryglus, ond roedd yn well o lawer na bod yn sownd mewn ffos dan ddŵr, neu *wadhi* heb ddŵr, yn cael eich pledu'n yfflon gan ynne mawr yr Almaen!

Roedd y pysgotwyr yn cynnal y tafarne ym Milffwrd, docie Penfro a Neyland, yn ogystal â'r Ship a'r Cambo yn Solfach. Roedd fy hen wncwl i – Rhys Davies, brawd Mam – yn cadw'r Ship rhwng y ddau ryfel. Fe briododd e weddw'r Capten Davies o Solfach (dim perthynas); roedd hi wedi hwylio i bedwar ban byd ar longe'i gŵr, yn enwedig i'r Dwyrain Pell. Pan aeth Wncwl Rhys yn dost a marw'n sydyn, roedd si ar led ei fod e wedi marw o 'haint trofannol anhysbys', a'i fod e wedi'i ddala gan ei wraig! Roedd hyn yn dipyn o jôc gan y teulu. Wedyn, dyma'i frawd, Edgar, oedd yn fardd lleol adnabyddus, yn ei phriodi hi, ac fe fu ynte farw'n ifanc – o glefyd annirnad, heb ei ddiagnosio. Mae'n rhaid taw melltith Fu Manchu oedd arni hi! Bu Mrs Davies, a briododd dair gwaith, fyw i gyrraedd gwth o oedran, wedi gwerthu'r Ship Inn ac ymddeol ar yr arian. Ro'n i'n ei nabod hi'n dda iawn a byddwn i'n torri coed iddi hi a dyrnaid o hen fôr-wragedd eraill yn y cwm. Fe roien nhw ambell i hanner coron i fi bob hyn a hyn a byddwn yn eu cadw mewn clocsen fach bren ar y silff ben tân. Byddwn i hefyd yn dala ac yn gwerthu sewin a samwn am hanner coron y pwys, ac erbyn i ffeirie teithiol Gŵyl Fihangel ddod i'r cylch, ro'n i'n gallu mynd â llond poced o arian i'w fradu ar y stondine cnau coco a hwp-la wedi'u rigo a'r stondine tanio reiffls anonest. Enilles i bysgodyn aur unweth, a bu hwnnw fyw – mae'r rhan fwyaf o bysgod aur y ffair yn marw o fewn deuddydd neu dri, ond fe fu hwn fyw am flwyddyn neu ddwy, a galwodd Dada fe'n Samson. Aeth e ar goll i lawr twll y plwg un diwrnod pan o'n i'n newid ei ddŵr e.

Bydde Harold yn yfed bob nos 'da'i fêts oedd wedi byw trwy'r rhyfel. Hen lancie oedden nhw bron bob un, a'u hoff beth oedd slochian yfed. Prin bydde Harold yn y tŷ fyth; bydde'n dod gartre o'i waith yn Nhrecŵn, arfdy'r morlys ar bwys Abergwaun, yn byta cino anferth, yn newid i siaced smart, slacs a chrys glân, ac wedyn bant ag e i'r Ship neu'r Cambo, lle bydde'n chwarae cardie ac yn yfed drwy'r nos. Fydden ni byth bron yn ei weld e. Ambell waith, byddwn i'n ei glywed e'n dod 'nôl o'r dafarn; doedd dim parch 'da nhw at ddeddfe trwyddedu bryd hynny, felly fe alle hi fod unrhyw adeg yn orie mân y bore, yn enwedig dros y Sul. Byddwn i'n clywed drws y ffrynt yn ratlo, wedi 'ny'n agor â chlec, ac wedi 'ny rheg a sŵn Harold yn cwympo i'r cyntedd. Yna mwy o regfeydd dan ei wynt wrth iddo gropian lan stâr ar ei bedwar, cyn iddo ollwng rheg olaf wrth iddo drial mynd drwy ddrws ei stafell wely. O'r diwedd dyma ddiasbedain sbrings y gwely ac ynte'n llythrennol yn ei phlannu hi am y ciando! Mwy o fwmial, ac wedi 'ny chwyrnu dros y lle – roedd Harold gartre'n ddiogel eto! Byddwn i'n tynnu'r dillad gwely dros fy mhen, ro'n i'n chwerthin gyment.

Ro'n i'n cysgu mewn gwely bach yng nghornel stafell wely Mam a Dada uwchben y gegin. Roedd hi bob amser yn dwym yno achos bod y tân o dan y ffwrn wedi'i stwmo 'da glo cwlwm a fydde'n llosgi drwy'r nos. Ar fatres blu ar hen wely pres mawr uchel fydde'n disgleirio yng ngole'r lamp y bydde Mam a Dada'n cysgu. Roedd plancedi Whitney 'da nhw a chwilt cartre oedd yn y teulu ers ache – gyda dyddiad ac enw wedi'u brodio ar un gornel: 'Annie Morse, Felinganol, 1809'. Roedd lamp olew 'da nhw'll dau ar ford yr erchwyn: roedd gwydyr glas hardd a fydde'n tywynnu fel saffir anferth ar un Dada, ond dim ond un pres oedd gan Mam, ond bod honno hefyd yn sgleinio fel aur. Ar ochor Dada bydde 'na gopi o'r Beibl ac un neu dri o'i hoff lyfre – *Moby Dick* gan Herman Melville a *Sailing Alone Around the World* gan Joshua Slocumb – y bydde fe'n eu darllen am sbelen cyn diffodd y lampe a mynd i gysgu.

Un diwrnod, pan ddes i gartre o'r ysgol, roedden nhw'n llawn cyffro wrth fy nghyfarch i – wedi cael llythyr yn dweud bod tai newydd am gael eu codi yn Solfach Uchaf, ar stad oedd yn bod eisoes ar hewl Tyddewi, ac y bydde rhai o'r tai hyn yn fyngalos i bensiynwyr. Roedd un wedi'i glustnodi ar eu cyfer nhw. Tŷ newydd sbon danlli! Doedd Mam ddim yn gallu credu'r peth i ddechre, wedi 'ny aeth hi'n ofnus am y syniad – a hithe'n berson swil, carcus, roedd cyment o newid amgylchiade'n ddigon i godi ofn arni hi. Roedd ein tŷ ni'n fawr, yn dywyll ac yn damp, a pherswadiodd Dada hi y dylen ni achub ar y cyfle mawr yma. Bydde 'na stafell ymolch go iawn, trydan, gwres canolog o fath a dim stâr i'w dringo. Wedi'r cyfan roedd hi wedi cael llond bola o yfed Harold – ambell waith fe fydde fe'n chwydu yn ei gwsg neu'n gwlychu'r gwely a hithe'n gorfod glanhau ar ei ôl a golchi'i ddillad e. Menyw grefyddol a dirwestwraig oedd Mam. A fydde Dada ddim ond yn cymryd ambell i hanner os oedd e'n mynd i'r Cambo i chware dominos ar nos Sadwrn er ei fod e'n smoco'n eitha trwm – Ringers A.1 shag – sef baco shag tywyll, drewllyd, mewn hen bib oedd fel tase hi wastad yn smoco mas o ochr ei geg e hyd yn oed pan oedd e'n gweithio. Yn y diwedd, felly, dyma gytuno y bydden ni'n symud, ac roedden ni'n ffaelu mynd â Harold 'ta beth achos dim ond dwy stafell wely fach oedd 'na.

Byddwn i'n gweld isie'r Cwm, yr afon, y blaen traeth, y coed, y Gribyn, y porthladd a'r cymdogion cyfeillgar, heb sôn am fy mêts penwan i lan yn Prengas. Roedd Solfach Uchaf yn lle gwahanol, yn blaned wahanol! Ro'n i wedi bod mewn rhyfel yn erbyn gang Solfach Uchaf ers blynydde; rhyfel parhaus, 'da chysylltiade crefyddol – tamed bach fel Ulster neu'r Palesteinied! Bydde 'na fwy ohonyn nhw na fi, o ugen i un, ac roedd hi'n debygol y caen i fy lladd yn y frwydr gynta! Roedd hi'n well i fi roi min ar fy midog ac oelio fy mhistol – hen rifolfer 4.5 Webley o'r Rhyfel Byd Cynta. Roedd cetris 'da fi hefyd – rhai ar gyfer dryll pelets *four ten* wedi'u twco i ffito, mwy neu lai, ac roedd yn gwneud clec ofnadwy. Fi oedd yr unig grwt yn Solfach 'da gwn, a byddwn i'n ei gwato'n ddiogel!

Aeth Dada a fi ati fel lladd nadredd i wneud celfi newydd, gan fod y rhan fwya o'n celfi ni yn rhy fawr i'r tŷ bychan yma, a gormod o lawer 'da ni 'ta beth. Fe helpes i fe i wneud cwpwrdd, bwrdd cegin a stand ddillad, ond roedd yn rhaid i ni brynu gwelye gan fod ein rhai ni'n rhy fawr o lawer. Fe wnaethon ni lanhau ac adnewyddu rhai darne eraill, a gwneud yn siŵr nad oedd dim pryfed yn y pren trwy beintio'r holl gelfi 'da thoddied addas – rhyw stwff brown stecs. Roedden ni i gyd ar bigau'r drain: doedd 'run ohonon ni wedi byw mewn tŷ newydd sbon danlli o'r blaen.

Mae rhif 12 Bro Dawel yn fyngalo bach siâp L yn sownd wrth ddau dŷ mwy, ac roedd byngalo arall ar y pen pella hefyd. Roedd e'n hynod o fach i gymharu â'r hen dŷ mawr yn River Street – dwy stafell wely fach, stafell ymolch a chegin gefen bitw fach 'da sgyleri a chwpwrdd crasu. Eto, roedd y stafell fyw'n eitha mawr, 'da ffenestri hir oedd yn gollwng lot o ole – newid mawr o'n hen dŷ tywyll ni yn y cwm. Yn arwain i bob stafell roedd 'na gyntedd bach, ac roedd y lle tân yn y stafell fyw wedi'i deilsio'n net, a'r tân yn twymo boeler, yr Aga yng nghefen y gegin, a'r redietors. Roedd yr ardd – rhipyn hir, cul o dir yn uchel gan chwyn – yn dod i ben wrth glawdd coed Llanunwas y tu ôl i'r tai. Ar ben hynny, roedd 'da ni nythfa frain anferth – dwsine o nythod swnllyd yn uchel yn y coed llwyfen anferth. Bydde'r brain hyn yn iawn fel cloc larwm yn y bore.

Yn y bôn, dwy res o dai 'Wimpy' oedd Bro Dawel – tai o goncrit *pre-cast*, wedi'u codi ar hast i gartrefu pobol a fu'n byw yng nghytie gwag Awyrlu America ar ôl y rhyfel. Yn ddiweddarach, cafodd y cytie hyn eu defnyddio i gartrefu carcharorion rhyfel o'r Eidal. Priododd llawer o ddynion Solfach oedd wedi ymladd yn y rhyfel ferched o Loegr ac wedi dechre magu teuluoedd roedden nhw am ddod gartre 'da nhw. Doedd unman arall iddyn nhw, ar wahân i'r adeilade cyn-filwrol hyn. Roedd tipyn go lew o hen ffrindie Mam yn byw ar y stad yma, felly roedd crugyn o bobol iddi hi gael sgwrs â nhw. Roedd gweithdy Dada lawr ar y Cei ganddo o hyd, a bydde fe'n mynd yno bron bob dydd, i drwsio cychod, neu i dynnu sgwrs 'da'r pysgotwyr cimychied.

1955 oedd hi. Roedd Dada'n 74, Mam yn 70 a minne'n dair ar ddeg.

Roedd llawer mwy o blant lan fan hyn a llawer o deuluoedd eraill ar wahân i'r rhai ohonom a symudodd o'r cwm. Roedd rhai ym Maes Ewan yr ochor arall i hewl Tyddewi. Enw Bro Dawel yn wreiddiol oedd Western Avenue, ond penderfynodd cyngor y plwy eu bod nhw moyn enw Cymraeg, a dyma ryw aelod – menyw 'da synnwyr digrifwch o chwith – yn awgrymu Bro Dawel. Tawel o ddiawl! Roedd rhai o'r teuluoedd 'na fel tasen nhw mewn rhyfel byth a hefyd, doedd hi'n ddim 'da ni glywed ffrwgwd neu weld set radio, hwfer neu fwrdd coffi yn hedfan trwy ffenest. Fe alle hi fynd yn eitha swnllyd lan fan 'na, ac yn beryglus hefyd, ond meindio'n busnes bydden ni a mynd mlaen 'da'n bywyde.

Ro'n i'n gwneud yn dda yn Ysgol Ramadeg Tyddewi, lle ro'n i'n astudio Saesneg, Cymraeg, algebra, geometreg, rhifyddeg, hanes, daearyddiaeth, gwyddoniaeth gyffredinol, Lladin, ysgrythur, celf a gwaith coed. Byddwn i'n gwneud llawer o chwaraeon, ac yn aelod o dime gymnasteg a mabolgampe'r ysgol. Doedd dim tîm rygbi 'da ni: dim ond 96 o ddisgyblion oedd 'na, yn fechgyn a merched, ac allen ni ddim mwstro tîm pêl-droed a thîm rygbi. Roedd tîm criced tan gamp 'da ni, ac roedd tîm hoci'r merched yn eitha da hefyd! Roedd ambell i bladres o groten yn y tîm 'na! Daeth hi'n bryd i fi ddechre meddwl am beth o'n i'n mynd i wneud 'da 'mywyd; nage crwt o'n i bellach – *congrinero*! Doedd dim byd yn yr ardal, os nad o'ch chi moyn gweithio ar fferm, neu mewn siop neu swyddfa yn Hwlffordd. Wrth gwrs, gallwn i fod wedi mynd i'r fyddin, y llynges neu'r llu awyr, neu i'r llynges fasnachol, ond fyddwn i ddim wedi paso'r archwiliad meddygol ar gyfer run o'r rheiny oherwydd fy ngolwg byr aneglur. Ac ro'n i wedi osgoi gorfodaeth filwrol – *The call up*, fel roedd e'n cael ei alw – o fis neu ddau. O ran Mam a Dada, doedd y lluoedd ddim yn opsiwn 'ta beth. *Karma* ddrwg!

Roedd fy mam wedi bod yn byw yr holl amser hyn gyda Stevens yn East Ham, Llunden. Roedd hi'n brysur yn magu fy nau hanner brawd i, ac roedd hi newydd gael babi o'r enw Adrian Walter. Prin bydden ni'n cael gair 'da nhw – fydden nhw byth yn hala arian at Dada a Mam. Falle gelen ni garden Nadolig a charden pen-blwydd, ond dyna'r cwbwl. Yr holl adeg ro'n i yn Solfach gyda Mam a Dada, dim ond unweth y daethon nhw heibio. Fues i lan yn Llunden ym 1953, adeg coroni Elizabeth II, ond ces i amser ofnadwy achos Stevens. Roedd eu tŷ nhw'n lle uffernol o drist ac anhapus, er gwaetha'r teledu a'r *mod cons* (roedd swydd dda 'da fe yn y ddinas erbyn hynny, a swyddfa'n edrych mas dros St Paul's). Roedd yn amlwg bod fy mam a 'mrawd Martin yn anhapus iawn, ac ro'n i'n gwyniasu isie mynd 'nôl i Solfach pan o'n i yno.

Ro'n i'n un da am dynnu llun a pheintio erioed, ac yn dda hefyd 'da cherddoriaeth. Enilles i wobrau fel bachgen soprano mewn eisteddfode lleol a chael gwersi canu a cherddoriaeth 'da Mrs Beer, oedd yn organydd yn un o'r capeli yn Solfach. Roedd 'da fi ddiddordeb mawr mewn archaeoleg, a des i'n ffrindie 'da Dr Felix Oswald, arbenigwr o fri ar y cyfnod Rhufeinig. Roedd ei fab e'n guradur yn amgueddfa Birmingham lle mae 'Casgliad Oswald' yn cael ei gadw. Tybed sut y cyrhaeddodd e Solfach? Hefyd roedd 'da fi ddiddordeb mawr yn llenyddiaeth Lloegr, ac ro'n i'n barddoni. Bues i'n ddarllenwr mawr erioed, a'r unig beth da wnaeth Stevens i fi oedd dechre rhoi llyfre i fi.

Mae llencyndod yn adeg rhyfedd mewn oes; ro'n i wedi drysu'n amal, heb fod yn siŵr pa ffordd i fynd. O leia, ro'n i'n ymwybodol o'r byd mawr crwn y tu fas i fyd bach Solfach – ro'n i wedi bod yno sawl gwaith, run peth ag astronot! Ychydig iawn o addysg oedd 'da Mam, ar wahân i'r hyn gafodd hi yn Ysgol Sul Baptist, ac alle hi ddim rhoi fawr o help i fi, ac roedd Dada mewn oed nawr, ac er ei fod e'n ddyn gwybodus iawn, roedd e'n dod o'r hen oes. Roedd pethe'n newid yn glou. Fu Mam erioed yn yr ysgol – a hithe'n un o'r chwiorydd hŷn mewn teulu o ddeuddeg, roedd yn rhaid iddi helpu'i mam 'da'r babanod. Bydde Mam Roza, oedd yn fenyw anhygoel o ddiog, yn eistedd ar gadair trwy'r dydd yn edrych fel y Frenhines Victoria ar ei gorsedd – yn llythrennol yn troi'i bodiau ac yn danfon a gyrru pobol. Roedd hi'n deyrn, ac roedd ar bawb ei hofn hi. Edrychai fel gwrach os bu erioed, yn eistedd ger y tân mewn cegin fawr

25.

ST. DAVIDS GRAMMAR SCHOOL.

Term Ending December 1955.

Name of Pupil Michael Stephens.

FORM	NO. OF PUPILS	AGE OF PUPIL LAST Jan 56	AVERAGE AGE OF FORM	POSITION AT BEGINNING OF TERM	POSITION AT END OF TERM
IV	26.	Y/13 M9.	Y/13 M4	—	17th (1177)

SUBJECT	Term's work Max. :100	Term'l Exam Max. : 100	Position	REMARKS	Teacher's Initials
Eng. Gram & Comp.	62.	50	8.	Generally does good work.	J. a. c.
English Literature	83.	79	4.		
History	66.	83	6.	Very Good.	J.E.J.
Latin					
Welsh	70.	59.	8.	Good.	J.J.E.
French					
Arithmetic	26.	11.	24.	Poor work. Does not try.	J.D.
Algebra					
Geometry					
Scripture	70.	74	2.	Very good work.	M.J.
~~Chemistry~~ Science	47.	20.	21.	Not his best.	A.G.
Biology					
Geography	54.	46.	21.	Exam. result disappointing	C.M.R.
Needlework					
Cookery					
Woodwork	32/50	25/50	5.	Good	A.W.
Drawing	35/50.	31/50	4.		
Music	4	—	27.	M. makes no effort.	J.M.E.
Shorthand	54.	7.	2.	Poor exam. result.	J.R.
Typewriting					
Book keeping	55	34	8.	Poor exam. result	J.R.

No. of times School was open 144. No. of times absent 7.

Conduct Very Good. A. Griffiths Form Master ~~or Mistress~~

General Remarks Some of his work is good, but he must apply himself in arithmetic and science.

J. J. Evans. Headmaster.

Next Term begins 10th January 1956. Parent's Signature

Adroddiad ysgol 1955

dywyll, wedi'i gwisgo bob amser mewn dillad hir, duon, cath ddu ar ei glin, a siôl besli a chanddi batrwm rhyfeddol wedi'i thaenu dros ei hysgwydde, cadwyni o fwclis jet am ei gwddwg a chapyn du â phig dros ei gwallt pleth, hir. Doedd Mam Roza ddim yn perthyn i'r oes fodern yma – roedd hi'n deillio o gyfnod cynoesol tywyllach, oedd rywfodd yn goroesi yn y presennol ynddi hi.

Roedd Dada'n arafu, a dringo bob diwrnod lan y llwybyr serth o'r Cei yn dechre 'i flino fe. Dysgodd lawer i fi dros y blynydde, am seryddiaeth, morwriaeth, gwaith coed, adeiladu cychod, a'r môr – a llawer am adar ac anifeilied hefyd. Roedd fel gwyddoniadur. Gwyddai rywbeth am yr holl *-ologies*, ac roedd e'n hanesydd gwybodus. Roedd e'n gefnogwr paffio brwd hefyd ac wedi dysgu ei blant i gyd, gan gynnwys fy mam, i 'ddyrnu', mewn cylch a adeiladodd mewn gweithdy yn y cwm. Ond doedd e ddim moyn i fi fod yn saer coed – gallaswn fod wedi gwneud hynny fel cyw o frid – roedd e moyn i fi ddilyn gyrfa academaidd.

⋆ ⋆ ⋆

Mae cefnder 'da fi o'r enw Byron, mab Wncwl Ivor, ac roedden nhw'n byw draw ym Maes Ewan. Byddwn i'n treulio llawer o amser man'ny. Roedd ei fam e, Anti Gwenny, yn fenyw garedig iawn, oedd wastad yn rhoi brechdane triog melyn a disgleidie o de i ni. Roedd tair chwaer 'da Byron, a brawd iau. Daeth Rita, ei chwaer hyna, yn brifathrawes ysgol gynradd Solfach, ac yno y dysgodd hi ar hyd ei hoes o'r adeg y gadawodd hi Goleg Hyfforddi Abertawe hyd nes iddi ymddeol. Mae hi, Jean, Gail, Robert a Byron yn dal i fyw yn y cylch. Roedd yr un diddordebe 'da Byron a fi, er ei fod e rai blynydde yn hŷn na fi. Bydde fe'n gadael ysgol Tyddewi yn bymtheg oed, a mynd i weithio fel prentis gyda chwmni awyrenne o'r enw Air Work, lan yr hewl ym Maes Awyr Tyddewi. Roedd y cwmni yma'n hyfforddi peilotied ar gyfer yr awyrlu ac roedd 'da nhw ganolfan o'r enw HMS Goldcrest ym Mreudeth, lle roedd jetiau *Meteor* a *Vampire*, a rhyw gyment o gad-awyrenne bomio *Mosquito* o'r rhyfel. Bydde

Fi yn naw oed gyda Tad-cu Amwythig, Louis Wright

Fi a 'nghefnder Byron Davies (mab Wncwl Ivor) ar y bompren ger River Street, Solfach

Byron a fi'n gwneud llawer o awyrenne model – modele solet a rhai i'w hedfan. Roedden ni hefyd yn gywion adaregwyr.

Ffrind arall oedd Al Young, aeth yn sownd rywfodd yn Solfach ar ôl diwedd y rhyfel. Roedd 'na gryn dipyn o deuluoedd eraill yn yr un sefyllfa. I ddechre, roedden nhw'n byw yn y cytie milwrol gweigion, ac wedi 'ny fe symudon nhw i Western Avenue. Roedd tad Al yn y fyddin a'i fam yn fenyw o ddinas Cork yn Iwerddon. Sgowsyn o Lerpwl oedd y tad. Roedd Al yn hŷn na fi, ac fe gafodd e 'i alw i'r fyddin ac i ymuno â'r RAF ar gyfer ei wasanaeth cenedlaethol. Cyn conscripsiwn roedd Al yn gweithio gyda Byron a chwpwl o fois eraill o Solfach a Thyddewi yn Air Work. Weles i fawr ddim ohono am amser maith ar ôl iddo fe listio: fe gafodd e 'i ddrafftio i wahanol ganolfanne'r awyrlu yn Norfolk, ond roedd e wastad yn dod gartre ar wylie'r haf, ac fe fydden ni'n dal i nofio, mynd mewn bade a physgota fel arfer.

Roedd mwy o bobol o Loegr yn dod i mewn o dipyn i beth – dim ond dod ar eu gwylie bydde rhai ohonyn nhw – ac yn aros 'da phobol ro'n nhw'n eu nabod eisoes. Doedd 'na ddim lle i dwristied yn Solfach bryd hynny ac ychydig iawn o lety oedd iddyn nhw. Prynodd rhai fythynnod yng nghylch Solfach a Tyddewi – yn rhad bryd hynny. Fu Solfach erioed yn lle twristiedd fel Tyddewi, lle roedd yr Eglwys Gadeiriol yn atynfa, ond mae gwesty neu ddau wedi bod yno ers amser. Roedd y bobol ddaeth i Solfach ddechre'r pum dege yn ymddangos fel tasen nhw wedi cael addysg, a ninne'n eu gweld nhw'n ddiddorol oherwydd hynny. Roedd meibion a merched 'da rhai ohonyn nhw oedd 'run oed â ni, a bydden nhw'n piltran 'da ni ac yn ymuno yn hwyl yr ha. Roedd cychod 'da ni i gyd ac ambell waith fe fydden ni'n casglu broc môr a'i ddympio mewn bae bychan anghysbell lle bydden ni'n mynd mewn llynges o gychod ac yn nofio drwy'r dydd ac i gael barbeciw gyda'r hwyr. Y dyddie hynny, fe gaen ni bartïon traeth mawr, ac yn amal fe fydden ni'n aros ar y traeth drwy'r nos, yn yfed seidir a fflagenni o gwrw, yn canu ac yn dawnso. Fe fydden ni'n halio'r cychod ar y lan a'u hail-lansio nhw ar benllanw'r bore wedyn. Ambell waith, bydden ni'n rhwyfo'n ôl i Solfach gefen nos ac fe welech chi fflwresens yn y dŵr lle roedd y rhwyfe'n codi cryche. Nefoedd yn frith gan sêr, nosweithie gole leuad, a llond gwlad o hwyl.

Roedd 'na ddau grwt o Gwm Rhondda fydde'n dod i Solfach bob haf; roedden nhw'n perthyn i'r teulu Mills a bydden nhw'n dod â ffrind o'r enw Clive Williams 'da nhw. 'Moose' bydden ni'n ei alw fe. Yn bwysicach oll roedd Clive yn canu'r gitâr ac yn astudio peintio yng Ngholeg Celf Caerdydd. Roedd hen gitâr *flat-top* Gibson 'da fe, a doeddwn i rioed wedi gweld dim byd o'r fath!

Roedd Bici Bo wedi gwneud yn dda iawn yn yr ysgol: fe gafodd ei ddewis yn gapten ysgol hyd yn oed, er mawr syndod i bawb, cyn mynd i astudio Saesneg ym Mhrifysgol Abertawe. Roedd hefyd yn bencampwr paffio pwysau plu rhyng-golegol, a'i KO enwoca oedd pan loriodd Kingsley Amis, un o'i diwtoried e oedd yn trial bachu'i wejen e, yn nhafarn yr Uplands un nosweth! Roedd ffrind 'da Bici o Lansamlet ger Abertawe o'r enw Steve Glass, a bachan arall roedd perthnase 'da fe yn Solfach oedd Alan Roch. Fel Clive, roedd y ddau fachan hyn yn canu'r gitâr. Dysgodd Clive gord neu ddau i fi, a rhois gynnig ar eu meistroli nhw, er 'mod i'n ei chael hi'n anodd iawn dala'r tanne i lawr. Allech chi ddim disgrifio'r sŵn grwnan ofnadwy ddaeth mas o'r twll sain! Roedd y bois hyn yn hŷn o lawer na fi ac yn gallu mynd i'r tafarne. Bydden nhw'n meddiannu stafell gefen fach y Bay Hotel ar gopa brynie Solfach (y Royal George yw ei enw fe nawr). Slawer dydd, roedd y Bay yn dipyn o le siang-di-fang – yn ddelfrydol ar gyfer beth roedden ni'n ei alw'n 'sesh', ac roedd piano yno hefyd. Ond y gitare fydde'n dod â'r selogion i mewn bob nos. Roedd y stafell dan ei sang bob tro a minne'n gallu sleifio i mewn heb i neb fy ngweld i. Ymhen tipyn, bydde Clive yn gadael i fi fynd â'i gitâr e gartre yn ystod y dydd pan oedden nhw lawr ar y traeth, a byddwn i'n anghofio am y nofio ac yn aros gartre'n ymarfer – druan o Mam!

Roedd 'na raglen radio bob bore Sadwrn o'r enw *Saturday Skiffle Club*. Bydde llawer o'r grwpie sgiffl amatur yn gwneud sesiwn, yn ogystal ag artistied recordio fel Lonnie Donegan, Chas McDevitt a Nancy Whiskey, a Johnny Duncan a'i Blue Grass Boys. Roedd y gerddoriaeth roedden nhw'n ei chware wedi'i seilio ar ganeuon gwerin Americanaidd a chanu'r felan. Gitare, banjos, mandolîne a gitare bas cartre, cistie te, a styllod golchi 'run fath â hen fandie jwg yr 20au a'r 30au yn Mississippi a Louisiana, organe ceg, a hyd yn oed llwye a *kazoos*. Roedd pawb yn gallu deall y gerddoriaeth, a buan y bydde pobol yn dysgu geiriau'r caneuon mwya poblogaidd. Roedd llawer o'r rhai enwog yn cael eu chware hefyd: caneuon Hank Williams, Woody Guthrie a hyd yn oed hen ganeuon jazz fel St Louis Blues, a chaneuon Fats Waller a Louis Armstrong.

Roedd 'na lawer o offerynne yng nghroglofftydd pobol: banjos, mandolîne a gitare wedi hen fynd dros gof wedi i'r morwyr ddod â nhw o dramor. Yn aml câi'r rhain eu tyrchu mas. Roedd banjo 'da fi yn perthyn i'r hen Gapten Evans o'r Ffort a banjo mandolin gan forwr arall. Bydde llawer o forwyr o Freudeth yn dod i'r Bay ar ddiwrnodie cyflog, a bydde'r lle'n mynd yn wyllt ac yn debycach i ryw dwll o le yn The Gut yn Valletta, Malta nag i hen dafarn angof yng ngorllewin Cymru. Bydde 'na slochian *rum and black* a Worthington bitter, gamblo ar bontŵn a *blind brag* yn y bar, tra bydde'r stafell gefen fach dan ei sang a gitare'n mynd fel y diawl a phawb yn canu nerth eu penne. Bydde pobol oedd yn ffaelu mynd i mewn yn sefyll y tu fas i'r ffenest yn yr ardd a phobol yn estyn fflagenni iddyn nhw. Roedd y Bay yn diasbedain bob nos i gerddoriaeth sgiffl: Rock Island Line, Jessie James, *Railroad Bill*, Goodnight Irene a *Frankie and Johnny*, Buddy Holly, yr Everlys, Little Richard, Bill Haley and the Comets, Gene Vincent ac Elvis. Roedd roc an' rôl wedi cyrraedd y pentre bach tawel annisgwylgar, annisgwyl hwn yng ngorllewin Cymru. Ro'n i'n bedair ar ddeg ar y pryd, dyna fy mherfformiad cynta i, ac ro'n i'n barod i swingo.

Pennod 4

Gitâr

Roedd yn rhaid i fi gael gafael ar gitâr; 'na'r unig beth oedd ar fy meddwl. Roedd yn rhaid i fi gael un rywfodd neu'i gilydd. Roedd y gitâr bydde Lonnie Donegan yn ei chware yn un pert, ffantastig. Martin 00028 oedd e, model *auditorium* – yr un offeryn ag oedd Big Bill Broonzy yn ei chware unweth, a Lonnie Johnson hefyd.

Daethai Al Young â chwaraewr recordie Dansette gartre, a phan aeth e'n ôl i'r RAF ddiwedd yr ha fe roiodd e 'i fenthyg i fi. Fe allech chi chware'r hen sengle 78 neu'r rhai 45 feinyl newydd arno a rhoiodd Al fenthyg pentwr o albwms ac EPs i fi hefyd – sef recordie feinyl 45 oedd â phedwar trac arnyn nhw fel arfer. Roedd Al yn dwlu ar jazz ac roedd e'n aelod o rai o'r clybie jazz yn Llunden ar y pryd – Ken Collyer's Studio 51, Cy Lauries ar bwys y Windmill Theatre yn Piccadilly, a chlwb y National Jazz Federation yn 100 Oxford Street (sydd yno o hyd). Dechreuodd gasglu recordie gan rai o fandie jazz gwych New Orleans yn ogystal â recordiade bandie Prydeinig, gan gynnwys Collyer ei hun, The Crane River Band, Sandy Brown o'r Alban, Mick Mulligan, The Merseysippi Jazzmen, Humphrey Lyttelton, ac, wrth gwrs, Chris Barber. Roedd band Barber yn cynnwys grŵp sgiffl Lonnie Donegan, sef, yn y bôn, adran rythm y band ond gyda Barber ei hun yn lle Jim Bray ar y bas. Roedd Barber newydd recordio albwm o'r enw *New Orleans Joys*, gyda dau drac sgiffl – 'Rock Island Line' a 'John Henry', dwy gân waith Negro-Americanaidd. Daeth y recordiade hyn mor boblogaidd nes eu bod nhw'n cael eu rhyddhau fel sengle ac aethon nhw i frig y siartie canu pop gan ddod â mwy o sylw fyth i'r math yma o gerddoriaeth, ac yn arbennig i'r gitâr. Gadawodd Donegan fand Barber a ffurfio band 'da fformat dau gitâr, bas a drymie a hyn, fwy neu lai, fu'n gyfrifol am ddyfeisio'r *combo rock an' roll* a ddaeth yn gyffredin yn y chwe dege (fel y Beatles, Rolling Stones ac yn y blaen!). Dyma'r fformiwla offerynnol berffaith ar gyfer y sain fodern, a golygai hynny taw'r gitâr – ac yn enwedig y gitâr drydan – oedd yr offeryn pwysica o ran cerddoriaeth fodern. Aeth Donegan yn ei flaen i wneud crugyn o recordie hit, yn seiliedig ar ganu gwerin Americanaidd yn fwy na dim. Ac fe wnaeth e beth wmbredd o arian hefyd!

Roedd Lonnie Donegan, i radde helaeth, o draddodiad Variety Theatre a'r clwb jazz, run peth â llawer o gerddorion jazz y dydd, ac roedd llawer ohonyn nhw hefyd yn chware mewn bandie swing fel Joe Loss, Ronnie Aldrich a'r Squadronaires, a hyd yn oed cerddorfeydd symffoni fel yr LSO. Roedd yn rhaid bwydo pob ceg fach, a doedd neb yr ochor yma i'r Iwerydd yn mynd i ennill ei damed yn chwarae jazz! Ond roedd newid ar droed, a bŵm jazz traddodiadol ar y gorwel, wedi'i seilio ar gerddoriaeth ddawns. Roedd y clybie jazz yn llefydd grêt i fynd am bop ac roeddech chi'n siŵr o gwrdd â phobol ffein hefyd! Bydde pobol ifanc wyllt yn gwisgo dillad rhyfedd yn mynd i glybie jazz ac yn ffrîco mas wrth jeifo. Doedd gan brin ddim o'r clybie hyn drwydded i werthu diodydd, heblaw am goffi neu ddiodydd ysgafn. Arhosai rhai o glybie Llunden ar agor trwy'r nos a'u galw'n 'All Nighters'. Bydde'r band neu'r bandie'n chware cyfres o setie rhwng gwyll a gwawr, a phob nos Wener a nos Sadwrn fe fydde pobol ifanc yn bodio o bob cwr o Bryden i gael ymuno yn yr hwyl a'r sbri! O'r clybie jazz y datblygodd gŵyl jazz Beaulieu – sesh penwthnos flynyddol a drefnid gan yr Arglwydd Montague, oedd yn ddilynwr jazz selog. Yr ŵyl yma oedd y sylfaen ar gyfer pob gŵyl roc a oedd i ddod.

Cyflwynodd Al Young fi i Bill Broonzy, Josh White, Leadbelly, Jimmy Rushing, Ella Fitzgerald, Big Joe Williams a llawer o benseiri pwysig eraill cerddoriaeth fodern. Canwr Chris Barber ar y pryd oedd roces Wyddelig 'da llais isel, llawn enaid, o'r enw Ottilie Patterson. Roedd Humphrey Lyttelton yn chwaraewr utgorn gwych, a Cy Laurie yn glarinetydd ardderchog – ond hefyd yn ecsentrig a aeth bant i India i astudio Bwdïaeth. Wedyn, dyna i chi Sandy Brown – chwaraewr clarinét o'r Alban, yr oedd ei arddull wastad yn f'atgoffa i o'r jazzmen Creole mawr o New Orleans, Sidney Bechet. I'r puryddion roedd arddull cornet Ken Coyler yn destun edmygedd – yn dwyn i gof Joe 'King' Oliver a Bunk Johnson, oedd i gyd yn chware ym mhuteindai Storyville yn y dau ddege (yn New Orleans, wrth gwrs). Roedd 'da Collyer grŵp sgiffl llawer gwell o fewn ei fand, a hwnnw'n cynnwys Alexis Korner a Dick Bishop. Gwrthodai Collyer wneud unrhyw beth â chanu pop, ac felly roedd ei grŵp sgiffl e'n berwi o gerddoriaeth werin Negroaidd go iawn a mwd y Mississippi! Roedd geirie'n bwysig bellach. Mae ar bobol fel Bob Dylan ddyled fawr i'r traddodiad canu gwerin – a'r Beatles hefyd, a'r Stones, a'r holl griw.

Ond ro'n i'n styc yn Solfach heb docins, heb bishyn a heb olwynion – ac, yn waeth na dim, heb gitâr! Roedd yn rhaid i fi wneud rhywbeth – glou!

Bob bore Sadwrn roedd rhaglen ar y radio o'r enw *Saturday Skiffle Club*, gyda Brian Matthew yn cyflwyno, a byddwn i'n gwrando arni'n selog. Roedd Mam fel arfer yn y gegin yn gwneud y gwaith tŷ ar y pryd, felly roedd 'da fi'r stafell fyw, lle roedd y radio, i fi'n hunan. 'Na le byddwn i, fy 'nghlust i'n sownd yn y corn sain, a phad sgrifennu ar y ford lle byddwn i'n sgriblan geirie'r caneuon ro'n i heb eu clywed o'r blaen er mwyn cael bwrw cip arnyn nhw nes mlaen. Y llyfr nodiade 'ma fu'n sail i fy *repertoire* cynnar i, ac yn rhestr o gigs y Solva Skiffle Group, oedd hefyd yn cael ei alw'n The Satelites a The Neutrons! Cawsom ein gig fwya yn ystod yr egwyl yn y ddawns regata flynyddol yn Neuadd Goffa Solfach, nad yw'n digwydd nawr gwaetha'r modd (Duw a ŵyr pam ddim. Maen nhw wedi codi gyment yn y byd!). Ond bydda i'n dal i gael sesh 'da rhai o'r cerddorion lleol, Max Cole o Garew ac Al Jenkins o Dyddewi, pan fydda i'n mynd gartre – ac mae 'na dipyn o fynd yno o hyd!

Aeth Clive Williams, Steve Glass ac Alan Roch i gyd 'nôl i'r coleg, roedd dail yr hydre'n chwyrlïo yn y gwynt, a ninne'n tynnu'r cychod lan ar y traeth i'w trwsio nhw dros y gaea ac iddyn nhw gael hoe fach. Dyma'r tymor pêl-droed, pan fydde Solfach yn heddychlon ac yn dawel ar ôl holl hwyl yr ha, y sbri a'r misdimanars. Roedd fy ffrindie a fi i gyd 'nôl yn Ysgol Ramadeg Tyddewi a'r arholiade'n bygwth ym mis Mehefin! Ro'n i'n bedair ar ddeg oed ac roedd bywyd yn dechre mynd yn ddifrifol.

Bydde Mam a Dada yn cael y *News of the World* a'r *Sunday Pictorial* dros y Sul. Roedd dydd Sul – nid fy hoff ddiwrnod i hyd heddi – yn golygu 'dydd o orffwys', oedd yn golygu bod neb yn gwneud dim, dim gwaith, hynny yw. Hedd a thawelwch yn teyrnasu, a phob sefydliad masnachol wedi cau'n ddeddfol, hyd yn oed y siop bapure newydd roedd dyn o'r enw Mr Gould yn ei rhedeg. Fe allech chi brynu papure newydd trwy ffenest ffrynt tŷ Anti Mattie y drws nesa i'r Ship Inn (sy'n fwyty i'r Ship erbyn hyn). Yn y dyddie hynny, roedd y papure Sul yn eitha di-nod – dim bronne a thine, dim *G-strings*, sgandal na straeon lliwgar am lygredd, pornograffi a delio cyffurie. Slogan y *News of the World* oedd 'All human life is here'. Ac mae e'n dal 'run peth, heb newid, yn gwmws fel y natur ddynol! Ond mae e'n debycach nawr i 'ryw, cyffurie a roc a rôl, neu ddyddiadur gweinidog cabinet *transvestite*, deurywiol, alcoholig, caeth i gyffurie, secs-maniac, a'i hwrod orgasmaidd!' Ddarllenes i rioed y papure Sul, a dwi ddim yn eu darllen nhw nawr. Fyddwn i ddim yn gwastraffu 'ngheiniog brin. Yr unig bapur dwi'n ei gael yw *The Times*. A sdim rhaid dweud nad oes teledu 'da fi – 'run peth â cheir, dwi rioed wedi teimlo angen am un. Mae'n ddigon dweud 'mod i wedi nabod ambell newyddiadurwr yn fy nydd, ac maen nhw'n griw digon amheus, digydwybod a brith! Pan o'n i'n byw yn River Street, un o'm jobsys bach i oedd torri'r *Radio Times* yn ei hanner ar ôl tynnu'r stêpls, rhoi darn o linyn trwyddo fe, cwlwm riffio deche, a'i hongian wedyn ar hoelen yn y tŷ bach. Dwi wedi sychu 'nhin ar fwy na dyrned o wynebe enwog! I ryw radde, pan fydda i'n teimlo'n grefyddol, bydda i'n credu bod y wasg a'r teledu'n fersiwn gyfoes o *Mal Occio* – y llygad diafolaidd. Neu falle'n voyeuriaeth fas a chachgïaidd (fel y *Sun*, y *Mirror* a'r operâu sebon).

Ond roedd gwahanol gwmnïe cerddoriaeth yn hysbysebu gitare yn y papure Sul, ochr yn ochr â beics, sliperi, fflachod, condoms *Durex*, a thai gwydyr. Roedd mynd mawr ar y gitâr, ac roedd cannoedd o *entrepreneurs* yn neidio ar y drol. 'Dala mantais' maen nhw'n ei alw fe. Atebes i un o'r hysbysebion gan gwmni o'r enw Bells o Surbiton, Surrey. Er nad oedd arian 'da fi, ymhen hir a hwyr fe gyrhaeddodd catalog sglein du a gwyn, tene, yn llawn o lunie o gitare anhygoel – ro'n i uwchben fy nigon ac yn teimlo fel mynd lan ar y to 'da'r colomennod! Pethe rhad oedd y mwyafrif o'r gitare, wedi'u mewnforio o Sisili 'da enwe fel Catania Firenze ac Etna! Roedd 'na dudalenne pinc wedi'u teipio hefyd yn hybysebu gitare Hofner o'r Almaen. Roedd rhain yn well o lawer ac yn dipyn mwy modern na'r hen bethe Italiano – ond hefyd yn ddwyweth y pris! Ro'n i wedi dysgu mwy am gitare erbyn 'ny nag o'n i'n ei wybod am ryw! Ac os oedd yr offerynne Eidalaidd yn freninese, roedd yr Hofner Almeinig yn ymerodres!

Ro'n i'n teimlo'n gwmws fel Harri Morgan heb long. Yn aml iawn, fe welwn i lunie mewn cylchgrone o gitarwyr enwog fel Bert Weedon neu Tommy Steele yn chware'r gitare Hofner. Doedd dim gobaith i fi gael Hofner, felly fe ddewises i gitâr Eidalaidd o'r enw Catania. Tref yn Sisili yw Catania, ac roedd y gitâr yn bymtheg gini – ffortiwn i fi ar y pryd. Byddwn i'n hala hydoedd yn llygadu'r llun hwn yn flysiog, fel y bydde rhai o'r bois yn dishgwl ar gylchgrawn porcyn. Dwi'n siŵr bod Mam yn credu 'mod i'n mynd yn benwan!

Doedd dim diben meddwl am Mam a Dada fel cronfa arian; hen bensiynwyr oedden nhw. Doedd dim llawer o arian 'da nhw, a fydden nhw ddim wedi deall yr hurtrwydd gitâr oedd yn meddiannu fy meddwl i! Rhaid bod ffordd o ennill pymtheg punt yn hel tato ar y ffermydd o gwmpas Tyddewi, ond fydde hynny ddim yn digwydd tan yr ha wedyn. Doedd dim gwaith tymhorol i'w gael ar y tir yng nghyffinie Solfach yn y gaea.

Bydde'n saith mis tan fy mhen-blwydd i, pan fydde fy mam-gu a 'nhad-cu yn Amwythig fel arfer yn prynu rhywbeth i fi. Ond roedd y cynllun mawr yn dechre ffurfio, a rhaid bod y duwie wedi teimlo'r wefr! Roedd yn rhaid i fi gael gitâr – ro'n i'n teimlo fel gast yn cwna, ac roedd e'n brofiad poenus iawn. Fy unig ffynhonnell o arian oedd yr archeb bost bum swllt fydde'n dod bob wthnos mewn rholyn o gomics – *The Dandy*, *Beano*, *Sun* a *Comet* – gan fy mam-gu a 'nhad-cu yn Amwythig. Dyma'r tro cynta i fi feddwl am ddêl fusnes! Fe fyddwn i'n sgrifennu at fy mam-gu bob wthnos i ddiolch, ac ro'n i hefyd yn dweud sut roedden ni a sut ro'n i'n dod mlaen yn yr ysgol. Ddechreues i'n gynnil fach sôn am gitare a cherddoriaeth, a dwedes i wrthyn nhw 'mod i moyn dysgu cerddoriaeth a 'mod i wedi dysgu rhai cordie a chaneuon eisoes; ond taw'r unig broblem oedd nad oedd 'da fi offeryn i'w chware nhw. Yn ddiweddarach, anfones i'r catalog atyn nhw, gyda llun y Catania wedi'i danlinellu'n gynnil mewn inc coch, ac wrth ei ymyl, y geirie: 'Dyma'r un licen i chware'. Dwedodd y llythyr nesa o Amwythig y bydde'n rhaid i fi roi ffrwyn ar fy mrwdfrydedd a chelco 'mhum syllte nes oedd pymtheg punt 'da fi. Do'n i ddim yn Einstein, ond fe allwn i weithio mas y bydde'r broses 'na yn cymryd mwy na phymtheg mis i fi. Allwn i byth ag aros gyment â hynny – fe fyddwn i'n torri 'mola neu'n dwgyd o fanc neu rywbeth! Sgrifennes i 'nôl 'da'r awgrym y gallen nhw roi benthyg yr arian i fi gael y gitâr, os oedden nhw'n gallu fforddo, ac na fydde angen iddyn nhw hala rhagor o archebion post pum swllt i fi. Tipyn o fenter – tybed a fydde hi'n gweithio? Peth od sut mae meddwl crwt yn gweithio. Doeddwn i rioed wedi gofyn iddyn nhw am ddim byd o'r blaen, ac ro'n i'n teimlo'n annifyr – ro'n i wedi ymroi i broses nad o'n i'n ei deall yn iawn a doedd 'da fi ddim rheolaeth drosti, ac ro'n i ar goll! Yr wthnos wedyn, fe gyrhaeddodd y rholyn arferol o gomics fore dydd Sadwrn, ond y tu mewn roedd llythyr yn llawysgrifen fy nhad-cu – peth anarferol iawn! Darlith ges i am werth arian, pa mor galed oedd e i'w ennill, a sut oedd yn rhaid parchu'ch bara beunyddiol, ac am bethe oedd a wnelo nhw â'r byd cyllidebol, h.y. arian. Wedyn, ar ddiwedd y llythyr, aeth ati i 'nghanmol i am wneud yn dda yn yr ysgol ac am fod isie dysgu cerddoriaeth. Ro'n i'n gwybod ei fod e'n canu'r piano, ond dwedodd iddo ynte fod yn gerddor a'i fod e wedi canu'r ffidil yng Ngherddorfa Ffilharmonig Lerpwl. Roedd y llythyr yn cloi trwy ddweud y bydden nhw'n falch o gael prynu'r gitâr fel anrheg ben-blwydd gynnar i mi, ac, ar ben hynny, na fydde'n rhaid i mi golli 'mhum swllt bob wthnos gan taw crwt ar 'y nhyfiant o'n i, a bydde angen incwm rheolaidd arna i. Waw! Dwedodd ei fod e wedi hala archeb at Bells yn Surrey am y gitâr Catonia, ac y dyle hi gyrraedd cyn hir.

Ro'n i'n syfrdan; do'n i rioed wedi bod mor hapus! Ro'n i'n ecstatig, yn dawnso fel derfish o gwmpas y gegin, ac yn chwifio'r llythyr yn wyneb Mam druan. O'r diwedd, fe ddarllenodd hi'r llythyr a dweud, "On'd ŷn nhw'n bobol dda yn dishgwl ar dy ôl di fel 'na?" Rhaid eu bod nhw'n meddwl 'run peth amdani hi a Dada. Bant â fi lan yr hewl dan ddawnso i ddweud y newydd da wrth Byron. "Dwi'n cael gitâr –mae e'n dod yn y post!" Roedd y cyfnod aros yn wewyr, a Mam yn dweud wrtha i o hyd am ddod bant o'r ffenest a gadael llonydd i'r cyrtens. Ro'n i'n mynd trwy'i phen hi; roedd y cyffro'n *ormod*!

Bydde parseli mawr fel arfer yn dod ar y lorri GWR o orsaf Hwlffordd; dyna sut roedd fy meic i – anrheg arall o Amwythig – wedi cyrraedd – beic sports Raleigh gwyrdd llachar yn sefyll yng nghefen y lorri yng nghanol y bocsys a'r sache cardbord brown. Fi fydde'r cynta oddi ar y bys ysgol bob pnawn, ac i ffwrdd â fi ar wib am ddrws Nymbyr Twelf a churo fel peth gwyllt. "Dim byd heddi, Michael bach," dywedai Mam. "Dere i gael dy de nawr." Wedyn, tua wthnos ar ôl i fi gael y llythyr o Amwythig, ro'n i'n rhedeg fel arfer at ddrws y ffrynt, fy mag ysgol i'n hedfan tu ôl i fi, pan agorodd y drws a dyna lle roedd Mam yn sefyll 'da gwên fawr ar ei hwyneb hi a bocs cardbord hir brown yn ei breichie. "Hwn yw e?" medde hi. Cymres i e yn fyr fy ngwynt. Ata i roedd e wedi'i gyfeirio: 'Mr L M J Stevens, 12 Bro Dawel, Solva, Pembs'. Es i ag e i'r gegin a'i ddodi fe ar y ford, estyn siswrn o'r drâr a'i dorri ar agor ar frys. Roedd hi fel Nadolig! A dyna lle roedd y gitâr yn gorwedd, yn loyw ac yn frown ac yn hardd, pwrffilio du a gwyn o gwmpas y twll sain a'r ymylon, a giard plectrwm plastig gwyn. Tynnes i e mas; roedd cefn ac ochre mahogani gole dag e wedi'u llinio'n hyfryd a sgleiniog. Es i â hi i fy stafell wely a dechre 'i thiwnio hi. A dyna ddechre carwriaeth, taith gerddorol hir, lawn antur, ac adege hyfryd sydd wedi para hyd heddi. A minne wrthi'n sgrifennu hwn, dwi'n dishgwl ar yr offeryn hudolus rhyfedd yma sy'n gelfyddyd i fi ac yn ffrind ac yn gydymaith heb ei ail.

Chwaraeais i'r gitâr 'na yn ddi-baid. Roedd Mam a Dada'n amyneddgar iawn 'da fi, ac roedd rhyche ar fy mysedd ar ôl y tanne dur, ac ro'n nhw'n nafu ac, ambell waith, yn gwaedu. Ond ro'n i'n ffaelu'i dodi hi lawr. Roedd llyfr dysgu wedi dod 'da'r gitâr: *First steps*: *Play guitar in a week*! Do'n i'n deall dim arno fe – dwli oedd e i fi, a dim ond symbole'r cordie uwchben y gerddoriaeth oedd yn debyg i rywbeth, ac roedd rhai o'r rheiny hyd yn oed yn amhosib. Byddwn i'n gwrando llawer ar Radio Luxembourg, ac er bod y derbyniad yn wael iawn yng ngorllewin Cymru a'r gerddoriaeth yn mynd a dod fel llanw a thrai trwy gymyle'r statig, rywfodd roedden ni'n cael y neges, a'r neges oedd 'Heartbreak Hotel' gan Elvis, a 'Tutti Frutti' gan Little Richard, ac wrth gwrs Jerry Lee Lewis a Bill Haley and the Comets, yng nghanol y pop *schmaltz* masnachol cachu sy'n dal i ddod mas o orsafoedd radio Llunden. Doeddwn i rioed wedi clywed dim byd tebyg i 'Heartbreak Hotel'. Y crotesi ar y bys ysgol glywes i yn ei chanu hi gynta; roedden nhw'n ffans mawr o Presley, ac un ohonyn nhw oedd Jean, fy nghyfnither, sy'n dal i fod ac a fydd hyd byth, yn dwlu'n lân ar Elvis!

Doedd rhyw ddim yn beth mawr i fi, a doedd 'da fi ddim diddordeb hyd yn oed; y sain oedd yn fy nghynhyrfu i – yn enwedig sain y gitâr drydan. Dyna oedd yn mynd â bryd y crotesi hwythe, ond roedd 'na atyniad rhywiol iddyn nhw hefyd, ac roedden nhw wrth eu boddau'n dawnso – yn jeifo. Fydde'r rhan fwya o fechgyn oedd yn ffrindie i fi ddim yn dawnso dros eu crogi; peth sisi oedd e, a doedd e ddim yn *cool* o gwbwl. Perswadies i Jean i ddysgu i mi sut i jeifo, gyda help ei ffrindie hi,

Marian Cox, Pearl Davies a Nesta Phillips. Bydden ni'n ymarfer mewn cae a byddwn i'n canu caneuon roc 'da 'ngitâr tra oedden nhw'n jeifo yn y gwair.

Bydde dawnsfeydd yn Neuadd y Dre, Tyddewi, bob nos Wener yn ystod yr haf. Tony Walsh fydde'n chware yno fel arfer – chwaraewr sacs alto lleol 'da set o ddrymie acordion a phiano. Bu Tony Walsh farw'n ddiweddar tra o'n i'n sgrifennu'r llyfr yma, wedi byw i gyrraedd ei naw dege. Un o'i feibion yw Ian Walsh oedd yn chware pêl-droed dros Gymru, sydd hefyd yn dad-cu i Simon Davies. Roedd brodyr 'da fe oedd cystal bob tamed, ac a dweud y gwir roedd eitha lot o fechgyn yng nghyffinie Tyddewi a Solfach fydde wedi gallu mynd yn chwaraewyr pêl-droed proffesiynol. Cafodd Alan Jenkins, un o'r chwaraewyr banjo a gitâr 'sesh' gore yn Nhyddewi, gynnig treial ar gyfer Abertawe, ond roedd ei dad e'n pallu gadael iddo fe fynd. Fydde hynny ddim yn digwydd y dyddie hyn, gan fod pobol yn fwy eangfrydig. Does dim dwyweth y bydde sgowtied y gynghrair wedi synnu tasen nhw wedi'i mentro hi i'r Gorllewin Gwyllt slawer dydd. Ond roedd penrhyn Tyddewi yn anghysbell a doedd braidd neb yn mynd yno – wyddai Lloegr a'r rhan fwyaf o weddill Cymru ddim amdano fe, a diolch i Dduw am hynny o ran cadw diwylliant Cymreig cefn gwlad.

Roedd y dawnsfeydd 'na yn Neuadd y Dre yn bethe eitha ffurfiol. Yno y bydde fy mam, Bet, yn mynd i chware i rai o'r bandie swing lleol fel Joffre Swales, 'The Master', o Hwlffordd (a fu farw yng ngwanwyn 2003) ac wrth gwrs Jack Holt, oedd yn bostmon. Bydde dwy ddawns yn Hwlffordd ar nos Sadwrn. Roedd cerddorfa swing ddeuddeg darn gyflawn 'da Joffre Swales yn y Masonic Hall, a hon oedd y grandia o'r ddwy gig. Câi'r Drill Hall bleser cwmni'r morwyr o orsaf Cangen Awyrlu Brawdy, a band dawns yr Harlequins, oedd yn fand llai, mwy *jazzy*, 'da menyw ar y piano. I'r Drill y bydde'r holl jeifyrs twym fel fy nghyfnither, Jean, yn mynd, a phriodi morwyr oedd hanes pob un ohonyn nhw. Roedd rhieni Jean, Uncle Ivor ac Anti Gwenny, yn eitha caeth ac roedden nhw â'u llach arni hi'n mynd mas i ddawnsfeydd hwyr yn y dre. Felly bydde hi'n dweud wrth ei thad taw gyda fi roedd hi'n mynd, i gwato'r jeifo a'r lapswchan 'da'i sboner ar y bys hwyr gartre. Roedd y bys 'na'n nyth lladron, yn bolio gan forwyr meddw'n chwydu ac yn canu nerth esgyrn eu penne ac yn gwneud eu gore i wneud dryge lan sgerti'r rocesi lleol. Ond roedd dawnsfeydd Tyddewi yn blwyfol fel arfer, a dim ond bechgyn a rocesi lleol fydde'n mynd yno, a'r bechgyn hŷn yn eu hugeinie cynnar yn chwilio am rocesi i'w priodi. Dyna sut y bydde hi slawer dydd: priodi fydde hanes y rhan fwya o'r rheiny oedd yn cwrdd yn y dawnsfeydd 'na ac yn dechre canlyn, ac roedd y rocesi lleol oedd yn canlyn morwyr yn diflannu lan y lein a dim golwg ohonyn nhw byth wedyn. Tybed lle maen nhw i gyd nawr?

Dyna be ddigwyddodd i'r rocesi y byddwn i'n jeifo 'da nhw yn yr hops hefyd. Roces wallt du *petite* oedd Maud Mathias, oedd yn yr un dosbarth â fi, ac roedden ni wrth ein bodde'n dawnso 'da'n gilydd – yn meddiannu un o gorneli'r llawr dawnso nesa at y bandstand. Ro'n i rili'n ei ffansïo hi, fel mae crwt yn dwlu, ac am wn i y bydden ni'n jeifo drwy'r nos nes bydden ni'n chwysu chwartie. Ond roedd partneried jeifo eraill 'da fi hefyd, yn cynnwys Maureen Brodus o Dyddewi – roedd y gwersi jeifo cudd yn werth chweil! Roedd y rhan fwya o'r bechgyn yn dawnso i fachu roces, ac roedd mwy o ddiddordeb 'da nhw yn beth oedd yn mynd mlaen lan y gyli ar ôl y ddawns. Yn sgil rhai o'r carwriaethe hyn fe ddaeth 'na 'blant llwyn a pherth' oedd gofyn eu cyfreithloni nhw cyn i'r dryllie pelets ddod mas. I fi, proses ddysgu o fath gwahanol oedd hi – i glywed y gerddoriaeth ro'n i yno.

Roedd y mwyafrif o'r bandie'n chware cerddoriaeth o fath Glen Miller, ac er bod Joffre Swales yn arwain yr unig gerddorfa ddawns go iawn yn y cylch, *combos* o bedwar i chwech o gerddorion oedd y gweddill. Roedden nhw'n gweithio'n dda yn yr hops lleol, ac roedden nhw wedi bachu ar rai o'r caneuon roc cynnar, yn enwedig caneuon Bill Haley y bydden nhw'n eu chware fel darne offerynnol. Roedd dau ganwr 'da Geoff Swales fel y bandie mawr enwog megis un Joe Loss ac ati. Roedd geirie fel, 'Take your partners for a general excuse me foxtrot', bob amser yn hala'r bechgyn i chwerthin, a hwythe'n sefyllian mewn grwpie o gwmpas y llawr dawnso yn trial magu plwc i ofyn i un o'r rocesi roedden nhw'n eu ffansïo am ddawns.

Dwi'n cofio mynd unweth 'da chwpwl o ffrindie i ddawns yn Abergwaun a fawr o neb yno. Band Swales oedd yn perfformio, a gofynnes i iddo fe chware *pasadoble* – dawns Sbaenaidd ddramatig iawn. Wyddwn i ddim eu bod nhw newydd orffen ymarfer yr alaw yna a bod Joffre wrth ei fodd 'da'r canlyniad. Wrth gwrs, wydde neb sut i ddawnso'r *pasodoble* – hyd yn oed fi. Ar ôl y ddawns, llamodd Joffre oddi ar y llwyfan yn dishgwl yn grac a rhoi pryd o dafod o'i hochor hi i fi: "Who the fuck do you think you are? Are you taking the piss or what?" Ro'n i'n meddwl ei fod e'n mynd i roi crasfa i fi! Mae dynion crac mewn siwtiau ffurfiol yn dal i hala ofn arna i hyd heddiw! Wyddwn i ddim ar y pryd ei fod e yn y Royal Marines yn ystod y rhyfel – fel dyn band, diolch i Dduw! Sgrifennodd e lyfyr diddorol iawn am ei brofiade yn y Marines, dan yr enw addas *We blew and they were shattered*. Darllenwch e.

Yn y cyfamser, y gitâr oedd fy ffefryn o hyd. Byddwn i'n ymarfer drwy'r amser ac yn dysgu mwy o ganeuon oddi ar y radio a recordie ac o lyfre caneuon. Penderfynes i ffurfio grŵp sgiffl. Roedd diddordeb 'da nifer go lew o'r bechgyn lleol – pethe newydd oedd yn mynd â'u bryd nhw bob amser. Ond, gwaetha'r modd, fi oedd yr unig berson 'da gitâr yn y cylch, felly fe wnaeth fy nghefnder, Byron, a fi *bushbass* o hen gist de a thorri dau dwll 'F' yn ei du blaen e, fel gitâr fas go iawn, ac wedyn ei beinto fe'n ddu a gwyn, 'da 'The Satelites' wedi'i beintio ar y tu blaen. Coes brwsh oedd y gwddw, wedi'i gosod mewn hicyn ar dop bocs, a 'na i gyd oedd rhaid i chi'i wneud i gael node oedd llacio'r llinyn. Offeryn cerdd syml iawn oedd e, ond ar ôl tipyn go lew o ymarfer, fe ddechreuon ni gael sain bandie jwg eitha da. Roedd y grŵp yn cynnwys gitâr, *bushbass* a bwrdd sgwrio, ac unrhywun arall oedd ar gael yn chware'r gitâr neu'r banjo. Roedd mandolin banjo 'da fi hefyd, wedi'i fenthyg gan longwr oedd wedi ymddeol, ac roedd yr offeryn bach hwnnw wedi 'teithio'r byd a llefydd eraill lawer'. Halodd Byron a fi hylltod o amser yn arbrofi 'da gwahanol fathe o linyn ar gyfer y bas cist de. Roedd twein clymu potie cimychied yn dda, ond y gore oedd weiren gloi, oedd yn cael ei defnyddio i gloi nyts a bolltie ar awyrenne. Roedd digonedd o weiren gloi ar gael yn Air Work, jyst lan yr hewl. Rhoddai'r weiren hon sain uchel a chlir i'r bas. Roedd Byron yn dipyn o Leonardo da Vinci – a fe hefyd oedd yn chware'r offeryn cartre yma, tra oedd Al Young yn chware bwrdd sgwrio metal gyda dau ddyrned o wniaduron metal – y rhan fwya ohonyn nhw wedi'u dwgyd o focsys gwnïo'r menwod lleol. Dyma oedd 'The Solva Skifflers' neu 'The Satelites'.

Tua'r adeg honno fe ymunodd Bill, brawd Al, â'r RAF hefyd a phan ddaeth e gartre ar lîf fe ddaeth e â gitâr soddgrwth Sunburst mawr 'da chysylltiad trydan arno fe. Prynodd Byron gitâr mewn siop yn Hwlffordd – un well na f'un i, gyda'i thanne dur, pwrffil cefn pennog a phont sefydlog. Roedd pethe'n dechre poethi gyda'r band. Un broblem oedd cael hyd i le ymarfer, ac ac y cychwyn fe fydden ni'n chware yng nghegin Mam yn rhif 12, nes i hynny fynd yn rhy swnllyd o lawer i'r hen bobol oedd yn lico gwrando ar y radio yn y stafell nesa fin nos. Felly fe ddechreuon ni ymarfer mewn lloches fysys sinc gwyrdd ar hewl Tyddewi. Yn ddiweddarach, fe ffindon ni hen gwt ffowls, yn rhedyn ac eiddew i gyd, ar Ben Graig yn dishgwl dros borthladd Solfach, a dyma ni'n ei lanhau e damed bach a thorri llwybyr trwy'r brwgaetsh. Honno fu'n stafell ymarfer ni, 'da un o'r golygfeydd gore ym Mhryden. Bydde'r bobol yn hwylio heibio odanon ni yn eu cychod hwylio a'u cychod modur, ac yn cael hwyrgan dros y Sul 'da The Satelites yn chware'n *repertoire* ni o ganu'r felan a chaneuon gwaith Negro-Americanaidd, a hyn i gyd yn tarddu o brysgwydd pêr Pen Graig. Bydden ni'n mynd â bwyd a diodydd ysgafn gyda ni ac yn aros yno am orie. Y sesiyne 'na oedd ein partïon bach cerddorol ni.

Erbyn hyn roedd tri gitarydd 'da ni, ac, yn yr haf, bydde tri arall: Clive, Alan a Steve. Roedd ein sain ni'n tyfu ac yn mynd yn fwy soffistigedig. Ac yn ystod haf 1956, fe gyrhaeddodd Clive a Steve ar eu gwylie gydag amp cartre. Roedden ni wedi dod cystal nes cael gwahoddiad i chware yn ystod yr egwyl yn y ddawns Regata flynyddol, a rhaid taw dyna fy gig gynta i! Dwi'n credu i ni gael deg swllt ar hugen hyd yn oed!

Aeth y sesiyne bob nos yn y Bay Hotel o nerth i nerth, a bydde pobol yn trafaelu milltiroedd i fod yno. Yn ogystal, roedd mwy nag un pishyn fach deidi oedd ar eu gwylie, siŵr o fod. Doedd menwod lleol bron byth i'w gweld mewn tafarne y dyddie hynny– ac, yn sicr, nid rocesi. Tua'r adeg honno, daeth morwr ifanc i'r Bay. 'Paddy' ro'n nhw'n ei alw fe. Roedd e yn y Llynges Frenhinol ym Mreudeth. Roedd gitâr Hofner President trydan 'da fe, ac amp bach wedi'i wneud yn fasnachol. Bydde fe'n dod lan i dŷ Mam fin nos a ninne'n ymarfer 'da'n gilydd yn y gegin. Dysgodd e rywfaint o ddilyniant cordie mwy cymhleth i fi ac roedd hynny'n gaffaeliad mawr.

Yr haf hwnnw y penderfynes i y byddwn i'n astudio celfyddyd gain. Peintio. Ro'n i'n mynd i fod yn artist ac yn athro celf – wel, 'na beth oedd y bwriad ta beth 'ny. Roedd Clive Williams eisoes yn astudio yng Ngholeg Celf Caerdydd, ac fe roiodd e wybodaeth a chalondid i fi, yn wahanol i bawb arall; doedd neb arall yn y cylch wyddai ddim oll am gelfyddyd gain, a doedd neb o Ysgol Ramadeg Tyddewi erioed wedi mynd i goleg celf, hyd y gwyddwn i, cyn 'ny. Ro'n i'n benderfynol o fynd i ysgol gelf. Roedd yr holl syniad yn gyment o symbyliad i fi â'r gitâr, os nad mwy. Dwedodd Clive wrtha i taw Ysgol Gelf y Slade yn Llunden oedd un o'r gore yn y byd, felly hales i am eu prosbectws nhw. Hales i am brosbectws Coleg Caerdydd hefyd. Ond roedd meddwl am anfon cais i'r Slade yn codi gormod o ofn arna i – roedd y myfyrwyr gore ym Mhryden yn mynd yno, medden nhw, ac fe wyddwn i nad o'n i ddim shwt gliper â hynny – felly penderfynes i wneud cais am le yng Nghaerdydd. Roedd y Coleg Brenhinol yn ddewis arall, ond roedd hwnnw i'w weld yn obaith rhy wan, ac yn rhy grand o lawer hefyd ro'n i'n meddwl, fel o'n i wiriona!

Tua'r adeg yma, ar yr unfed ar bymtheg o Ionawr yn ystod gaea 1957, y digwyddodd un o'r pethe mwya ysgytiol yn fy mywyd i. Des i gartre o'r ysgol ar y bys tua phedwar o'r gloch fel arfer, ac fel ro'n i'n cerdded yr ugen llath rhwng yr hewl a'n drws ffrynt ni, fe redodd bachgen ifanc ata i. "Mike," medde fe. "Mae rhywbeth yn bod ar dy dada di. Mae e'n dost." Rhedes at ddrws y ffrynt, nage drws y gegin rownd y cefen fel ro'n i'n arfer ei wneud. Cyn i fi allu cnoco, agorodd Wncwl Syd y drws, â golwg y fall ar ei wyneb, oedd mor rhadlon fel arfer. "Dere mewn gloi," medde fe. "Mae Dada wedi cal trawiad." Roedd fy mhen i'n gofyn, "Beth yw trawiad?" Doeddwn i rioed wedi clywed sôn am 'drawiad' nac am 'strôc'.

Es i mewn i'r stafell fyw, a dyna lle roedd Mam fel na weles i hi rioed o'r blaen; roedd hi mewn trallod, y piler hyfryd 'na o diriondeb, symylrwydd, daioni, gwirionedd a nerth nawr yn fenyw druenus, yn ei dagre. 'Na le roedd hi yn ei chwman mewn cadair freichie, ac roedd hi fel 'se hi wedi crebachu. Roedd hi yn ei dillad dwetydd, gyda'i hat ddu 'da rhuban piws – ei hoff liw hi – achos ei bod hi wedi bod yn Nhyddewi'r diwrnod hwnnw i weld tylwyth. Prin y bydde hi'n mynd mas o gwbwl – roedd y rhan fwya o'r bwyd ac ati'n cael ei ddanfon mewn fanie groser y dyddie 'ny. Mae'n debyg ei bod hi wedi mynd ar y bys yn eitha cynnar yn y bore a gadael Dada, fydde fel arfer yn mynd i'w weithdy ar y cei, 'da digon o arian i dalu'r dyn siwrin fydde'n galw unweth yr wthnos. Mam fydde'n rheoli arian y cartre bob amser – fydde Dada byth yn cyffwrdd ag ef. Yn amlwg, roedd e wedi danto'n iste o gwmpas y tŷ, ac wedi mynd mas i wneud rhywfaint o waith yn yr ardd. Roedd llond gwlad o gerrig a darne o waith maen yn sownd yn y ddaear ar ôl cytie'r milwyr, ac roedd e wedi cael gwaedlif ar ei ymennydd wrth iddo drial codi craig saith deg neu wyth deg pwys mas o'r ddaear.

Amser daeth Mam gartre ag Wncwl Syd i'w chanlyn, fe alle hi weld Dada trwy'r ffenest, yn iste yn ei gadair. Cnocodd y ffenest, ond dim ateb. Cnoco wedyn, ac fe gododd e – yn amlwg 'da thrafferth – ac agor y drws.

Roedd y llyfyr siwrin a'r newid yn ei law e. Wedyn, fe bangodd e, a pheth da bod Syd 'na. Dyma alw Doctor Gillam, a rhoi Dada yn ei wely. Gwaedlif anferth ar yr ymennydd oedd e, medde'r doctor; dyle fe fod wedi marw'n syth, ond roedd e'n ddyn cry iawn ac ystyried ei fod e'n 76 oed, a gallwn i dystio i hynny!

Gorweddodd e ar farw am wyth awr a deugen, a Mam yn trial bwydo cymysgedd o ddŵr twym a mêl iddo fe gyda llwy de arian. Dyma brofiad gwaetha f'oes i; a'r cwbwl y gallwn ei wneud oedd sefyll wrth ymyl y gwely yn ei wylio fe'n marw. Roedd e'n gwneud sŵn rhyfedd, tebyg i chwyrnu eitha uchel, wrth i hylif fyrlymu yn ei frest e, ac roedd i'w glywed trwy'r tŷ i gyd. Es i 'ngwely ar yr ail noson a gadael Mam yn y stafell fyw 'da nghefnder, Gerald, mab Syd, oedd wedi dod draw i roi help llaw. Pan ddihunes i'n gynnar y bore wedyn roedd y tŷ'n ddistaw, y sŵn ofnadwy 'na wedi mynd, a dim ond sŵn Mam yn galaru. Codes, a mynd i'r stafell fyw. "Ma fe wedi mynd," medde Gerald, yn dishgwl i fyw fy llyged i. Anghofia i fyth mo'r funud 'na; mae'n dod â dagre i fy llyged i a minne'n sgrifennu hwn.

Ymgeleddon ni fe'r bore hwnnw. Mesures i fe 'da llathen fesur saer. Sgrifennwyd y mesuriade ar bwt o bapur, a ches i'n hala ar y bys i Keyston Hill, naw milltir i lawr yr hewl, at Wncwl Jim Davies – brawd iau Dada, oedd hefyd yn saer – i wneud 'i arch e. Roedd siop saer 'dag Wncwl Jim yng nghefen ei dŷ – cwt sinc, sy'n sefyll hyd heddi – ac aeth Percy, mab Wncwl Jim a chyfyrder i mi, a finne yno 'da'n gilydd i ddewis coed i wneud arch Dada. Dringes i lan i ddistie'r to a ffindo'r estyll llwyfen roedd Percy'n eu hargymell, ac wedyn, ar ôl i ni ffindo'r holl bren addas, fe aethon ni ati i lifio, a shafio plaen a sbôcs – jobyn syml, da, ac roedd gweithio'r coed fel 'se fe'n troi fy meddwl i oddi ar ddigwyddiade enbyd y dyddie cynt. Ddwyawr yn ddiweddarach, ro'n i ar fy mhen fy hun yn y gweithdy yn cwpla'r bocs 'da gwahanol radde o bapur swnd. O'r diwedd roedd e'n barod i'w gyboli â gwêr. Ar ôl te, fe ddalies i'r bys ola gartre yn cario llythyr oddi wrth Wncwl Jim i Mam; roedd hi'n ffaelu'i ddarllen e achos y dagre yn ei llyged.

Cafodd Dada 'i gladdu yn y fynwent y tu ôl i Gapel Penuel ar bwys Roch Gate, dafliad carreg o'r bwthyn sy nawr wedi mynd â'i ben iddo ar ochor hewl Tyddewi, lle ganed e a'i frodyr a'i chwiorydd. Bellach mae Mam a Bet hefyd yn gorwedd yn yr un bedd ac mae enwe Walter a Stuart bach ei frawd, fu farw'n ddeunaw mis oed yn ystod epidemig diptheria yn Solfach, hefyd wedi'u naddu ar yr un garreg.

Pan ddaeth canlyniade'r arholiade mas, ro'n i wedi paso mewn saith pwnc, ac felly fe benderfynes i aros yn yr ysgol am flwyddyn arall gan 'mod i'n rhy ifanc i wneud cais am Goleg Celf Caerdydd, ac y bydde rhaid i fi aros nes 'mod i'n un ar bymtheg. Felly 'nôl â fi i'r ysgol i astudio celf Lefel A (pensaernïaeth gothig a chaligraffi gan fwya), ac un neu ddau o byncie eraill doedd 'da fi ddim diddordeb ynddyn nhw. Mitsio fyddwn i, a dweud y gwir, achos mod i'n gweld celf mor hawdd, ond roedd yn rhaid i fi fod yn garcus gan fod J J Evans, y prifathro, yn ddisgyblwr llym iawn, ac felly hefyd y rhan fwya o'r staff – yn enwedig Miss C M Rees, yr athrawes ddaearyddiaeth, oedd wedi dysgu fy mam a Hayden a Walter. Bydde hi'n sôn amdanyn nhw fel ei *star pupils*. Roedd 'da ni, y plant, berthynas cas-cariad â'r athrawon yn Ysgol Ramadeg Tyddewi. Dim ond tua chant namyn tri ohonon ni oedd 'na a dwsin ohonyn nhw, y staff. Ambell waith, fe alle hi fynd fel brwydr ar redeg neu fel rhyfel gerila, a ninne'n dyfeisio castie dychrynllyd i'w chwarae arnyn nhw!

Bryd hynny roedd 'na fynd mawr ar lyfre *St Trinian's* gan Ronald Searle, ac roedden ni'n cael llawer o ysbrydoliaeth o ddarllen am y giwed o ddisgyblion dosbarth pump a dosbarth chwech oedd yn hala hydoedd yn tynnu coes y staff academaidd ac yn eu dychryn nhw. Roedd hon yn gêm barhaus, ddidostur. Aneurin Griffiths, yr athro gwyddoniaeth, pŵr-dab, oedd yn diodde'r rhan fwya o'r camfihafio a'r dryge; roedd e'n llythrennol yn iste ar gasgen bowdwr, a'i labordy fe'n wynfyd i byromaniac. Yn freuddwyd i ni, ac yn hunllef i Mr Griffiths. Bydde fe'n digalonni gyment ambell waith nes mynd i'r stafell fach lle roedd y cemegion yn cael eu storio, a llefen, ond doedd dim trugaredd.

Un tro, roedd y disgyblion chweched dosbarth yn cynhyrchu nwyon gan ddefnyddio offer Kipps. Dyma nhw'n dwyn perswâd ar blentyn iau i dynnu coes Aneurin, a phan aeth e i'r storfa i foichen, fe gloion nhw fe yno, rhedeg tiwb o'r offer oedd yn prysur bwmpo mas nwy hydrogen sylffid a'i ddodi fe yn nhwll clo drws y storfa. Canodd y gloch ar ddiwedd y wers, a mas â phawb i'r cwrt chware gan adael Mr Griffiths i farw yn y storfa. Trwy lwc, fe wyntodd y prifathro'r nwy pan oedd e'n mynd ar ei rownd a rhyddhau Mr Griffiths. Roedd stad y diawl arno fe, ac fe ddrewai o wye pwdwr! Chafodd neb eu dal, a neb eu cosbi, ond roedd hwn yn gast hynod o beryglus ac anghyfrifol, ac aeth pethe'n dawel am sbelen go hir wedi 'ny. Droeon eraill, bydde rholer y cae criced yn ymddangos ar do'r bloc tai bach, a neb yn gallu clandro sut roedd e wedi cael ei halio lan, na phwy oedd wedi'i wneud e. Er mawr difyrrwch i'r plant bydde'n rhaid iddyn nhw alw'r frigâd dân leol i'w gael e lawr.

Un bore, fe gyrhaeddon ni ar y bys o Solfach wedi derbyn rhybudd gan rywun yn y chweched fod rhywbeth mawr wedi digwydd yn ystod y nos, a beth welson ni ond bedd go iawn yng nghanol y lawnt o flaen yr ysgol. Roedd y lawnt yma hefyd yn cael ei defnyddio fel cwrt tennis yn ystod tymor yr haf. Carreg fedd wen oedd hi, a chwrbyn hirsgwar o gwmpas gwely o ro lle roedd wrn a'i lond o gennin Pedr. Dwi'n ffaelu cofio oedd hi'n Ddygwyl Dewi ai peidio, ond roedd dyrned o athrawon, gan gynnwys y prifathro, a dau o'r plismyn lleol yn sefyll ar lan y bedd yn sgwrsio'n ddwys. Roedd helynt y diawl y tro 'ma: cafodd rhai disgyblion eu croesholi gan y prifathro a'r heddlu, ac fe gafon ni'n bygwth 'da llys yn y gwasanaeth y bore hwnnw 'sen ni'n pallu dweud enwe'r pechaduried.

Parodd y stŵr am wthnos gyfan cyn tawelu. Bedd yr athro gwaith coed a chwaraeon, Alun Mathias – bendith Duw arno – oedd e, ond roedd e'n fyw ac iach y diwrnod hwnnw, ac yn dal i fod felly hyd heddi! Roedd arysgrif ar y garreg fedd yn cynnwys y beddargraff: 'In memory of "Bull", who died year dot, waylaid by the great leveller.' Ddaliwyd erioed mo'r dihirod, er bod y rhan fwya o'r ysgol yn gwbod pwy oedden nhw, ac aeth rhai o'r claddwyr hyn yn eu blaenau i fod yn athrawon, yn athrawon prifysgol ac un ohonyn nhw'n llawfeddyg.

Dwi'n dal i synnu at y drafferth y bydden ni'n mynd iddo i bryfocio'r athrawon. Ond, ar y pryd, ro'n i bron â thorri 'mola isie gadael, a 'na i gyd o'n i'n aros amdano fe oedd fy mhen-blwydd yn un ar bymtheg oed, a chael mynd i'r Coleg Celf. Ro'n i eisoes wedi sefyll yr arholiad mynediad ac wedi fy nerbyn gan Goleg Celf Caerdydd, ond ro'n i'n ffaelu mynd tan fis Medi 1958. Ro'n i'n dal i wneud mabolgampe a chware peth pêl-droed, ac, a dweud y gwir, fe wnes i barhau 'da'r rhedeg pellter hir a'r taflu gwaywffon nes 'mod i bron yn bedair ar bymtheg. Chwaraeais bêl-droed am y tro ola i dîm HTV mewn gêm yn erbyn y BBC pan o'n i'n un ar bymtheg ar hugen, a ches i 'nharo mor frwnt ro'n i'n ffaelu cerdded yn iawn am fis. Dyna pryd rhoies i'r ffidil yn y to! Yr un boi gicodd fi yn fy mhen-glin i'm rhwystro rhag sgorio a loriodd yr actor John Ogwen hefyd, ac fe dorrodd e fraich mab stiward clwb y BBC. Nage dyn capel oedd e, gwboi! Dwi'n credu iddo fe gael ei fwrw gan damed bach o *karma* parod yn y diwedd, gan mai torri'i goes oedd ei hanes e!

Roedd llond gwlad o gymeriade yn yr ysgol 'na, a thipyn o ffans roc a rôl hefyd. Roedd 'da Dai Harries a'i chwaer, Rowena, gasgliad bach ond da o recordie gan Fats Domino, Little Richard, Bill Haley ac Elvis. Roedd 'da'u rhieni nhw – oedd hefyd yn bobol gerddorol – radiogram ffein, oedd yn dishgwl fel celficyn neu ryw fath o gabinet coctels. Bydden ni'n mynd lawr i dŷ Dai ac yn iste o gwmpas am orie yn gwrando ar y recordie dro ar ôl tro. Dwi'n cofio mynd i Hwlffordd 'dag ef, John Lloyd a Dai Lines – a briododd Rowena Harries yn ddiweddarach – i weld *Rock around the Clock* ym mhictiwrs y County. Roedden ni wedi darllen y straeon yn y papur ac wedi'u clywed nhw ar y radio, ac yn gwbod felly bod ffans roc a Teddy Boys yn malurio sinemâu mewn dinasoedd mawrion. Roedd 'na ambell i 'Ted' o gwmpas Hwlffordd a Milffwrd ar y pryd, ond dim digon i falurio pictiwrs. Roedden ni'n teimlo'n eitha ewn ac yn gwisgo cryse duon a theis 'Slim Jim' dan ein lifre ysgol. 'Teds' sympathetig oedden ni, yn ffaelu fforddo siacedi drêp a sgidie *Brothel creeper.* Yr agosa ro'n ni'n gallu mynd at sgidie felly oedd Eaton Clubmen, sef sgidie swêd brown neu ddu â gwadne crêp trwchus. Fe allech chi 'u prynu nhw o gatalog Littlewoods am ddeuswllt yr wthnos. Roedd ein blasers ysgol du dwbl-brest â'u llabedi llydan yn eitha tebyg i siacedi drêp, os o'ch chi'n 'anghofio' gwnio emblem archesgob Tyddewi, bathodyn yr ysgol, ar boced y frest. Roedd toriade gwallt 'tin hwyaden' yn hawdd ond i chi beidio â chael eich dala – y cyfan oedd angen i chi 'i wneud oedd gadael iddo fe dyfu'n eitha hir, ei sgubo fe'n ôl dros eich pen a'i stico fe lawr 'da uffern o dalp o Brylcream. Ac roedd hi'n hawdd culhau jîns.

Roedd llawer o helynt am steils gwallt a thrwseri y dyddie hynny, a bu'n rhaid i gapten gorsaf llynges Breudeth wahardd y llongwyr rhag gwisgo trwseri â godre llai na dwy fodfedd ar bymtheg. Gwallgo! Wrth gwrs, roedd 'na siop deiliwr yn yr orsaf, ac roedd 'da'r rhan fwya o'r *matelots* iau siwtie wedi'u gwneud yn hyfryd mewn cynllunie a deunyddie modern 'da godre deuddeg modfedd, a rhai deg modfedd hyd yn oed, oedd yn ffito'n dynn. Bydden nhw'n mynd i ddawns yn eu lifre gan gario'u siwtie mewn bag ac yn newid yn nhŷ rhywun neu mewn tŷ bach mewn tafarn. Bydden nhw hefyd yn smyglo'r *Pussers rum* gyda nhw. Bydde'r wetyrs a'r PO ar y grog yn gorfod cael gwared ar beth oedd yn weddill o'r rym ar ôl i'r morwyr i gyd gael eu 'tot'. Roedd beth oedd ar ôl yn cael ei arllwys lawr y sinc, ond bydden nhw'n datgysylltu'r peipie dŵr ac yn dal y rym mewn llestr gudd. Dwi wedi clywed hefyd y bydde'r staff ar rai o longe'r llynges yn datgysylltu peipie'r tŷ bach 'brenhinol' pan fydde'r frenhines neu rywun o'i theulu yn dod ar y llong, ac yn dala'r talpie o gachu pan oedd hi'n ei ddefnyddio fe. A dweud y gwir, dwi wedi *gweld* un ym mar y CPO's ym Mreudeth; roedd e wedi'i farnesio a'i osod 'da phlac arian yn dweud beth oedd e a pha long a'i daliodd!

A mynd 'nôl at y siwtie 'Ted', dyma fi o'r diwedd yn 'annog' fy noddwyr yn Amwythig i brynu siaced Edwardaidd biws fendigedig 'da choler a chyffs melfed du i fi. Ro'n i wastad yn tapro trwser ar hen beiriant gwnïo troedlath Mam – sydd 'da fi o hyd, yn dal i weithio'n iawn, er ei fod e'n antîc!

Ar ôl haf gwych arall yn Solfach – a dreulies i'n tynnu tato ar ffermydd y cylch, ac yn nofio, yn pysgota, yn mynd mas yn y cwch, ac yn chware yn y Bay Hotel – roedd hi'n bryd i fi gychwyn ar y daith fawr nesa. Nid i ddod o hyd i darddle afon Solfach, nac i nyth cudyll glas ar benrhyn Tyddewi, nac wye mulfrain ac y Green Scar, ond cyrch pwysicach o lawer, fydde'n dylanwadu ar weddill fy mywyd i – i Goleg Celf Caerdydd. Ar yr unfed ar bymtheg o fis Medi, 1958, dyma fi'n pacio 'nghês ac yn ei chychwyn hi am y bys i Hwlffordd, ac am drên Llunden.

Pennod 5

Celf a Jazz

Amser teithio eto, neu deithio trwy amser falle! Safwn yn y safle bysys ym Maes Ewan, a hen gês mawr wedi'i fenthyg 'da fy mam absennol wrth f'ochor, yn cydio'n dynn yn y Catania yn ei chês brethyn brown. Ro'n i newydd werthu f'anwylyd i ffrind i Bet er mwyn talu 'nghoste teithio gan nad oedd gan Mam na hithe arian i'w roi i fi. Roedd Bet newydd godi'i chwt i ddianc rhag ei gŵr creulon yn Llunden gyda'i thri bachgen bach. Elwyn Griffiths brynodd y gitâr am y swm tywysogedd o bum punt (lot o docins y dyddie hynny), ac roedd e cystal â benthyg yr offeryn yn ôl i fi nes y gallwn i fforddo prynu un arall. Rhaid ei fod e'n gwbod sut o'n i'n teimlo am gitârs; bachan caredig ac ystyriol. Fe gaen i fy grant ar ôl cofrestru ac fe allwn i fforddo prynu un arall (roedd dipyn o ôl traul ar y Catania erbyn hyn).

Daeth y bys Western Welsh coch rownd y gornel dan sgerbydu mynd a dyma fi arno fe gan godi llaw i ganu'n iach ar fy nghyfnither Jean y jeifar, Elvis, a Bet, fy mam – oedd wedi dod i fy hebrwng i, chware teg iddi. Roedd hi'n fore heulog braf o hydref, a than fy ngwynt sibrydes ffarwél drist i Solfach ac i 'machgendod wrth i'r bys bowlio lawr y rhiw uwchben yr harbwr. Roedd hi'n benllanw, a'r haul llachar yn pefrio ar y môr gwyrdd hardd. Golygfa hyfryd a heddychlon dwi wastad yn gweld colled fawr ar ei hôl. Arhosodd y bys gyferbyn â'r Ship Hotel yn Solfach Isaf, a daeth Mr Willie Thomas arno ac iste wrth f'ymyl i. Ro'n i'n ei nabod e'n iawn – roedd e'n un o ffrindie Dada. A dweud y gwir, roedd Dada wedi bod yn gweithio'n eitha diweddar ar dŷ newydd o'r enw Creiglan roedd 'William Henry' wedi'i godi. Fe oedd berchen y rhan fwya o'r caeau yn y pentre. Panteg oedd enw'i fferm ac roedd hi reit yng nghanol Solfach Uchaf, ac roedd 'da fe fuches fach o dda godro Ffrisian, a'r ceffyl a chart ola yn y pentre. Dada oedd wedi gwneud y cart a dwi'n ei gofio fe'n iawn. Merch Mr Thomas, Linda, oedd y forwyn laeth a'r fenyw laeth. Gwnâi hi ei rownd ar gefn beic 'da buddeie bach yn hongian o'r cyrn. Curai'r drws a ninne'n dod â jwg mawr mas, a hithe'n ei lenwi o'r buddai bach; dim poteli. Gofynnodd Mr Thomas i fi ble o'n i'n mynd a phan ddwedes i wrtho fe, mi longyfarchodd e fi'n dwym, turio yn ei boced, a rhoi pum swllt i fi am lwc ac i fy helpu fi ar fy ffordd.

Roedd hi'n waith awr teithio'r deuddeng milltir i Hwlffordd y dyddie hynny, lawr hewl hir, droellog a serth iawn. Pan gyrhaeddon ni orsaf Hwlffordd, y lle hwnnw sy'n llawn atgofion, roedd y trên mewn pryd. Hen locomotif stêm mawr o fath Castle oedd e, yn tynnu tendar glo a cherbyde trwm yn lifre brown a hufen y Great Western Railway. Roedd adranne ar wahân 'da'r cerbyde hyn, 'da seddi felôr plysh, rheseli bagie rhwyd, a ffenestri hir oedd yn llithro lan a lawr, a strap leder drwchus i'w rheoli nhw wedi'i bachu ar stydsen bres. Roedd llunie wedi'u fframio o lefydd gwylie fel New Quay, Cernyw, Brighton, Clacton, Bournemouth, Blackpool a Penzance ar y parwydydd, a dryche mawr hirgrwn. Roedd llenni rholer dros y ffenestri a goleuade trydan mewn bracede addurnol.

Roedd hi'n daith bum awr i Gaerdydd bryd hynny, a dolydd gleision Sir Benfro a Shir Gâr yn rholio heibio i'r ffenestri, a brynie Preseli yn disgleirio ar y gorwel tua'r gogledd. Ar ôl paso Caerfyrddin – lle gallech chi newid os oeddech chi am fynd i Aberystwyth neu i ogledd Cymru – doedd y wlad ddim mor wyrdd, ac roeddech chi'n cyrraedd maes glo de Cymru. Roedd Llanelli'n gwbwl ddiwydiannol ar y pryd – 'sosban' yn gorwedd o dan gwmwl anferth o fwrllwch a mwg – ac felly hefyd Abertawe a Chastell-nedd a Phort Talbot, oedd yn fochedd, ac unrhyw awyr oedd yn weddill yn drewi o dân, carbon a swlffwr o'r ffwrneisi chwyth a'r trawsnewidwyr Bessemer. Roedd mentyll anferth o fwg a stêm yn codi i'r awyr lwyd 'da chawodydd o wreichion a fflamau. Wedyn, ymlaen trwy frynie a phantie gwyrddion Bro Morgannwg, Pen-y-bont ar Ogwr, y

Barri a dinas borthladd wasgarog Caerdydd.

Pan ddes i a 'nghês tolciog a 'ngitâr i lawr oddi ar y trên, fe ges i groeso brwd gan Rhys, brawd fy mam, oedd yn gweithio fel drafftsmon yn un o swyddfeydd y Cyngor yng Nghaerdydd. Roedd e'n byw yn Heol Gabriel – oddi ar y Philog, ar bwys comin yr Eglwys Newydd – lle byddwn i'n lletya dros dro 'da fe a'i deulu nes i fi gael hyd i lety. Anti Nancy McNair oedd gwraig Wncwl Rhys – Albanes oedd yn gogyddes dda iawn, ac felly ro'n i'n edrych ymlaen at aros gyda nhw.

Y diwrnod wedyn, es i ar fys 23 i'r Coleg Celf yn yr 'Old Friary' i gofrestru fel myfyriwr. Hen adeilad brics coch o oes Fictoria oedd e, ac efallai iddo fod yn ysgol rywbryd yn y gorffennol. Roedd e mewn iard â ffens haearn addurnol o'i chwmpas, a sied feics, dau dŷ bach tu allan ac estyniad modern tri llawr yn y cefen. Wrth ymyl yr adeilad yma, yng nghanol coed tal a llawer o brysgwydd, roedd pileri a bwâu Gothig wedi mynd â'u pennau iddyn nhw – olion mynachlog o'r Oesoedd Canol. Mynachlog Sistersaidd, dwi'n credu. Chwalwyd y fynachlog ers blynydde bellach i wneud lle i dŵr uchel adeilad Pearl Assurance. Diflannodd hen adeilad yr Ysgol Gelf hefyd yn enw cynnydd rai blynydde'n ôl. Mae'n rhyfedd sut mae adeilade fel 'sen nhw'n marw ac yn cael eu claddu 'run peth â phobol. Yn ymyl y fan lle roedd hi, mae'r Ganolfan Ddinesig, llysoedd y gyfraith, Swyddfa'r Heddlu, Neuadd y Ddinas, yr Amgueddfa Genedlaethol, y Deml Heddwch a'r Swyddfa Gymreig, 'da'r Brifysgol y tu cefn iddi.

Gyferbyn â'r Ysgol Gelf bryd 'ny, roedd caffeteria British Home Stores, oedd yn gyfleus am de deg a chinio rhad o fîns ar dôst neu chips a grefi. Dyna'r cwbwl y gallwn ei fforddo ar grant o bum punt yr wthnos, gyda thair punt yn mynd ar eu hunion i dalu am lety. Roedd yn rhaid i fi gael fy neunyddie peintio a thynnu lluniau a 'nghoste teithio mas o'r ddwy bunt oedd ar ôl, a doedd dim llawer yn weddill wedyn ar gyfer difyrrwch. Bydde 'ngitâr newydd i amser maith yn dod, a bydde'n rhaid i Elwyn Griffiths aros sbel i weld dychwelyd y Catania! Ond ro'n i'n cael llety a phob pryd bwyd yn nhŷ Wncwl Rhys ac Anti Nancy, a brecwast a swper twym. Roedden nhw'n byw mewn tŷ newydd cysurus ar stad newydd ei chodi yn arwain oddi ar gomin yr Eglwys Newydd ac roedd mab 'da nhw o'r enw David, oedd yn grwt bach ar y pryd.

Roedd Caerdydd i'w weld yn anferth. Roedd yr adeilede mor dal, ac yn gymysgfa o bensaernïaeth hen a newydd, ac roedd e'n amlwg yn lle prysur, yn enwedig Queen Street, High Street, St Mary's Street a'r Hayes yn y canol – do'n i rioed wedi gweld cyment o siope, tafarne, caffes, tai bwyta, sinemâu a siope barbwr yn fy myw, heb sôn am y traffig a'r torfeydd o bobol. Ro'n i'n gyfarwydd â'r West End a Soho yn Llunden, ond roedd Caerdydd yn wahanol, yn agosach, yn fwy agos-atoch-chi, â'i thraed ar y ddaear, ac yn fwy di-lol. Ro'n i'n teimlo'n hollol gartrefol ac fe wyddwn i rywfodd y byddwn i'n cael fy nerbyn yno. Roedd y bobol yn siarad mewn acen ryfedd o wahanol, nad o'n i rioed wedi'i chlywed o'r blaen. Doedd hi ddim yn swnio'n Gymreig i Gymro bach o'r Gorllewin Gwyllt, ond mae Saeson, medden nhw, yn gallu clywed y Cymreigrwydd ynddi'n syth. Fe allwn i glywed peth o 'Scouser' Lerpwl ynddi ac ro'n i wastad yn meddwl bod y bobol eu hunen yn debyg iawn hefyd – am eu bod nhw'n gymysgfa o Gymry, Saeson, Gwyddelod ac Albanwyr 'da thamed bach o weddill y byd wedi'i dwlu i mewn ar ben hynny mae'n debyg. Mae cyffelybiaethe cryf rhwng Lerpwl a Chaerdydd, ac mae a wnelo hynny â morio a'r docie.

Ro'n i'n gwyniasu isie cael hyd i Bute Street, porth y byd; ro'n i moyn bod yn rhai o'r llefydd 'na ro'n i wedi clywed fy nheulu o forwyr yn sôn amdanyn nhw pan o'n i'n grwt yn gwrando trwy'r cracie yn llawr bedrwm ein hen dŷ ni yn Solfach.

Un peth hynod am Gaerdydd nad o'n i rioed wedi'i weld o'r blaen oedd y trolibysys. Bysys deulawr oedd y rhain, â motors trydan yn eu gyrru nhw. Roedd 'na rwydwaith o gêbls trydan uwchben yn rhannu'r ddinas, a gallech chi fynd i unman bron ar drolibws. Roedden nhw'n dawel iawn a heb fod yn achosi dim llygredd. Roedd dwy fraich fetal hir yn sownd wrth golyn ar y to – dargludyddion trydan – oedd yn bachu yn y cêbls pŵer. Taith lefn iawn oedd taith trolibws a bron heb unrhyw sŵn, ond am ambell waith pan fydde sgytied yn twlu'r echelydd terfynol oddi ar y cêbls uwchben. Bydde'r casglwyr tocynne – yn ddynion a menwod, a phob un yn gwisgo lifre a bagie ysgwydd lleder oedd yn hongian yn isel fel saethwyr mewn ffilmie cowbois – yn gorfod tynnu polyn ugen troedfedd o dan lawr y bys i ailgysylltu'r breichie oedd yn hir iawn ac, am wn i, yn drwm. Roedd hyn wastad yn dipyn o ddrama, ac ambell waith yn ddoniol iawn. Roedd hi'n werth gweld casglwraig tocynne bum troedfedd yn ymrafael â pholyn ugen troedfedd yng nghanol Queen Street yn yr awr frys!

Ro'n i'n sefyll yn y Kingsway yn gwylio hyn yn digwydd, pan sylwes i ar hen dafarn o'r enw The Rose and Crown. Penderfynes i alw i mewn i weld sut beth oedd tafarn yng Nghaerdydd. Stafell hir gul oedd hi 'da nenfwd uchel a bar mahogani odano oedd yn mestyn bron ar hyd y stafell. Gyferbyn â'r bar, yn erbyn y pared, roedd mainc hir, gul 'da chydig o stolion pren a byrdde Britannia haearn bwrw â thopie mahogani. Ar y bar, roedd sawl pwmp cwrw 'da breichie pres wedi'u haddurno â phlatie enamel Brains A.1. Dark, Brains S.A. a Brains Bitter. Gofynnes i am beint o Bulmers' Woodpecker Cider gan taw dyna beth o'n i'n ei yfed y dyddie hynny. Eisteddes i wrth y bwrdd 'da dau hen ŵr. Rhedodd enwau Bute Street, James Street, The Custom House a Mountstuart Square trwy 'mhen i wrth i fi yfed y seidir, ac, ymhen tipyn, gofynnes i un o'r dynion lle roedd Bute Street. Fe roion nhw fi ar ben y ffordd a gofyn o le o'n i'n dod a beth o'n i'n ei wneud yng Nghaerdydd. Dwedes i taw myfyriwr o'n i, a 'mod i moyn gweld y docie. "Dyw pobol ddim yn mynd lawr 'na lawer," medde un o'r dynion wrtha i, "oni bai bod busnes 'da nhw yno neu'u bod nhw'n gweithio 'na. Lle garw yw e. Well i ti fod 'o gwmpas dy bethe' os ei di lawr 'na." Felly, dyma fi'n gorffen fy seidir a'i chychwyn hi lawr yr Hayes heibio i Eglwys St John tuag at y docie!

Mae'r Hayes yn heol brysur y dyddie hyn, ond bryd hynny roedd hi'n bictiwr, 'da gwerthwyr stryd a stondine ffrwythe, llysie a blode. Ym mhob man, roedd negeswyr ifanc ar gefne'u beics ag enwe'u cyflogwyr – yn gigyddion neu'n groseri – yn addurno platie metal ynghlwm wrth y croesfar, a basgedi dur o flaen y cyrn. Heibio i'r Hayes Island Snack Bar, oedd yn fy atgoffa o Baris, gyda phobol yn yfed coffi a the wrth fyrdde dan y coed tal; heibio i siop fawr Howells ac ymhellach lawr, David Morgan, heibio'r Duke of Wellington a'r King's Cross, wedyn i Hayes Bridge Road, porth y docie, 'da'i siope pônio, tai ciando wedi mynd â'u pennau iddyn, caffis, tai byta cyrri, siope barbwr Groegaidd Gypraidd, The Salutation, Fishguard Arms, Glastonbury Arms a The Golden Cross. Wedyn, dan bont reilffordd y Great Western a thrwy Newtown, ardal y docwyr Gwyddelig, lawr Herbert Street ar y chwith, â'r Queens Head ychydig game bant ar y gornel gyferbyn â'r Custom House Hotel (sydd bellach wedi'i chwalu; tybed lle mae'r holl hŵrs yn mynd nawr?!).

A dyna Bute Street, dros bont groca yn porthi'r gamlas; a dim byd tebyg i beth o'n i wedi'i weld 'da llygad fy nychymyg. Rhyw fath o stryd, ond gyda hewl lydan hir 'da chlawdd gwenithfaen garw ar y chwith a rhesi o adeilade tri, pedwar neu bum llawr, yn cynnwys siope, tafarne a lletye a does wbod yn y byd beth arall. Ar y dde, roedd y pafin fel 'se fe'n mynd mlaen am byth. Ro'n i'n ffaelu gweld ei ben e, ac felly brasgames i chwipyn tua'r de, yn trial edrych fel 'sen i'n gwbod ble o'n i'n mynd, ac yn meindio 'musnes. Roedd hi'n hanner awr wedi pump erbyn hynny a machlud hyfryd yn goleuo awyr y gorllewin. Dechreues i feddwl am Dyddewi lle gweles i rai o'r machludoedd mwya trawiadol. Yn fy mlaen heibio i farre swnllyd a siope 'dag anifeilied byw yn y ffenestri – cywion ieir, geifr a chwningod. Roedd yr awyrgylch yn hollol wahanol – yn fwy fel gwlad dramor gyda'r bobol wedi'u gwisgo mewn dillad morio, siwtie tanwyr, saris, gwisgoedd Arabaidd a dillad lliwgar Affrica ac India'r Gorllewin. Roedd pobol o bobman yma. Plant bach tywyll eu croen ac eraill yn wyn yn chware'n swnllyd yn yr hewl, yn rhedeg lan y pafin a mewn a mas o'r gylis ochor. Weles i rioed shwt beth, shwt ferw!

Roedd yr haul yn machlud yn gloi, felly mlaen â fi tuag at ben y pier. Cerddes i lawr y pafin ar ochor dde Bute Street am ryw hanner milltir, a phella o'n i'n mynd, mwya'n y byd oedd y stryd yn prysuro – mwy a mwy o forwyr a docwyr a chymeriade wedi gwisgo'n rhyfedd. Es i heibio i West Bute Street, stryd gulach yn torri oddi ar y ffordd fawr ar ongl, a James Street ar y dde bron gyferbyn â chlwydi'r doc ar bwys y Mountstuart Hotel – tafarn anferth o oes Fictoria ar bwys swyddfeydd y Shipping Federation.

Nawr, roedd pen y pier o fewn golwg, a ffair a ffwndwr un o borthladdoedd mwya'r byd. Roedd arfordir Dyfnaint i'w weld yn y pellter niwlog ar draws Môr Hafren, yn ymestyn cyn belled â gorwelion y dwyrain a'r gorllewin, ac roedd y môr yn frith o longe o bob math yn chwifio baneri pob cenedl. Dacw angorfa'r stemars Campbell, y fferis oedd yn mynd a dod rhwng Caerdydd a phorthladdoedd Weston ac Ilfracombe yn Nyfnaint, a dacw un o'r stemars â phobol yn mynd arni. Roedd gorsaf drolibysys hefyd ar ben y pier, yn edrych fel rowndabowt â'r cêbls uwchben yn gwneud gwe uwchlaw lle bydde'r bysys yn troi. A thua'r dwyrain, ymestynnai ardal anferth docie Caerdydd, gyda dwsine o graenie enfawr yn yr awyr a rhesi ar resi o gychod nwydde o bob maint yn cael eu cynnal a'u cadw ganddyn nhw.

Ro'n i'n syfrdan, ond wrth fy modd. Roedd hi'n ffein anadlu awyr y môr, teimlo gwynt y de yn fy ngwyneb, yn cario crïe mil o adar y môr. Mae gwynt neilltuol i ddocie bob amser: gwynt mwg, stêm, olew, tar, mwg diesel, pysgod a sawr sbeisys, bacwn ac wye'n coginio, cyrri *Madras*, *chop suey*, chwys a'r môr.

Ymhen tipyn, troies i'w chychwyn hi'n ôl lan Bute Street. Erbyn hyn, roedd hi'n hanner awr wedi saith ac yn dechre nosi, ac roedd yn rhaid i fi fynd 'nôl i fy llety yn yr Eglwys Newydd. Ar Bute Street, roedd y barre wedi mynd yn swnllyd ac roedd lot mwy o bobol ar hyd y lle, a finne'n dechre becso braidd, wedi clywed storïe oedd yn ddigon i godi gwallt eich pen chi am fisdimanars a thrais tra o'n i'n clustfeinio ar sgyrsie gartre yn River Street. Felly fe rois i draed dani a'i chychwyn hi am ddiogelwch cymharol canol y ddinas.

Pan weles i'r Custom House Hotel ar y chwith, fe wyddwn i 'mod i bron mas o Bute Street. Ro'n i wedi clywed Wncwl Harold a rhai o'i ffrindie'n sôn yn frwd am y dafarn yma, ac fel y des i at y drws, fe synnes i glywed chwarae sŵn jazz ar gitâr drydan. I mewn â fi! O gwmpas y bar mawr, roedd morwyr a docwyr a thipyn go lew o fenwod wedi'u gwisgo fel puteinied, 'da gormod o bersawr a cholur. Roedd lot o sŵn yno, rhwng y sgwrsio uchel a'r chwerthin. Dyn croendywyll mawr 'da mwstásh a hat drilbi dolciog oedd y gitarydd, ac fe eisteddai mewn cornel wrth y drws yng nghanol twr o forwyr, docwyr, a rhai o'r boneddigese peintiedig, yn 'jolihoitian', fel y dwedai Mam, ac yn yfed o'i hochor hi hefyd.

Fues i rioed mewn shwt le o'r blaen. Prynes i hanner o gwrw ac aros am ryw awr yn llyncu'r gerddoriaeth a'r awyrgylch. Roedd y bachan hyn o gwmpas ei bethe ar y gitâr – y gore glywes i rioed yn chware'n fyw. Hen Gibson *L5* oedd 'da fe – gitâr soddgrwth o'r dyddie cyn y rhyfel – ac roedd amp Zenith bach 'dag e. Gallwn weld ei fod e'n gitarydd proffesiynol, a des i wbod taw Victor Parker oedd ei enw fe. Roedd ei berfformio mor hamddenol a chynnil nes y bydde fe'n sgwrsio 'da phobol a chracio jôcs hyd yn oed tra oedd e'n chware, a'r bobol yn ymateb fel y dylen nhw – yn gweiddi am ganeuon ac yn cynnig diodydd iddo . Bydde rhai pobol yn gweiddi cyfarchion wrth gerdded trwy'r drws ac ynte'n gweiddi'n ôl arnyn nhw.

Roedd fy noson gynta i yng Nghaerdydd yn rhyfeddol; nid yn unig o'n i wedi gweld Bute Street, ond ro'n i wedi taro ar y byd anhygoel yma ar ben hynny! Grêt!

Yn y man, roedd yn rhaid i mi fynd, a cherddes i i ben ucha'r dre trwy'r gwyll, heibio i siope'r ddinas, a dala'r bys 23 sha thre o'r Kingsway. Rhoiodd Auntie Nancy bryd o dafod i fi am fod yn hwyr i swper, oedd yn dal yn y ffwrn (roedd e wastad yn gino wedi'i gwcan yn ffein o gig, llysie a grefi). Gofynnon nhw i fi lle bues i, a dwedes 'mod i wedi bod am dro yn tynnu braslunie. Doedd dim ffôn 'da'r rhan fwya o bobol y dyddie hynny, felly roedd e'n esgus da. Do'n i ddim moyn iddyn nhw wbod lle bues i go-iawn, rhag iddyn nhw fecso.

Ro'n i'n ffaelu madde i Bute Street a'r docie, ond fyddwn i ddim yn mynd lawr 'na'n amal iawn, gan taw dim ond un ar bymtheg o'n i, ac ro'n i'n fach iawn ac yn fachgennaidd yr olwg. Ambell waith, pan fyddwn i'n mynd i dafarn, fe fydden nhw'n gofyn faint oedd f'oed i, a finne'n ateb, "Deunaw"; wrthododd neb erioed ddiod i fi, a byddwn i'n cadw 'mhen i lawr, yn prynu hanner ac yn iste mewn cornel o'r neilltu. Fyddwn i bron byth yn dweud gair wrth neb, ychydig byddwn i'n ei yfed, ac roedd mwy o ddiddordeb 'da fi yn yr awyrgylch a'r cymeriade nag yn y ddiod. Byddwn i wastad yn cario fy llyfr braslunio 'da fi ac yn tynnu llunie'r bobol yn y barre a'r caffes yn Caroline Street lle byddwn i'n mynd am gyrri bîff, reis a chips yn The Dorothy – siop chips Roegaidd sydd yno o hyd. Dim ond pedwar swllt am bryd anferth!

Profiad arall oedd y Coleg Celf. Roedd rhai o'r myfyrwyr yn eitha ecsentrig – a rhai o'r athrawon hefyd! – a châi hyn ei gyfleu'n rhannol yn y ffordd ro'n nhw'n gwisgo. Weles i rioed shwt gyment o bobol wedi gwisgo'n rhyfedd dan yr unto. Gwisgai rhai o'r myfyrwyr flasers ffurfiol 'da bathodyn y coleg – addasiad o lun anatomegol enwog gan Leonardo da Vinci – ar boced y frest, coler, tei a throwsus llwyd – yn eitha tebyg i'r ffordd ro'n nhw wedi gwisgo yn yr ysgol. Bydde Miss Baker, athrawes fy ngrŵp i, yn gwisgo'i gwallt mewn cocyn tyn, heb ddim colur, a smòc wedi'i phrintio'n rhyfedd, yn amlwg o waith llaw, 'da phrintie mawr Eifftaidd drosti i gyd, yn debyg iawn i'r murlunie ym meddau'r Pharoaid. O dan hon, fe wisgai sgert frethyn drom, sane trwchus brown 'da phatrwm cefn pennog, a sgidie cryfion lleder brown. Bydde llawer o'r merched yn gwisgo teits lliwgar – du, coch, melyn a glas. Dim ond newydd ddod i'r ffasiwn roedd y rhain, a, drostyn nhw, fydde rhai'n gwisgo dim ond sweter hir o wlân, neu ffrog sach – oedd yn ddim mwy na chrysan ddi-siâp heb lewys, a dweud y gwir. Roedd jîns croendynn yn ffasiynol hefyd, mewn gwahanol liwie llachar wedi'u gwneud o ddenim cotwm neu felfaréd. Fe gyrhaeddai un o'r athrawon bob bore mewn Bentley convertible coch llachar 'da chlustogwaith lleder du, a bydde fe wedi gwisgo 'run fath â Sherlock Holmes mewn dillad brethyn ac, i goroni'r cwbwl, het hela ceirw a phib gwrlog. Miss Magdalena oedd y pennaeth o ran ffasiwn. Eidales oedd hi, oedd yn edrych ac yn gwisgo 'run peth â'r actores Gina Lollobrigida. Bydde pawb yn troi'u penne pan fydde hi'n mynd heibio a'r bechgyn i gyd yn dweud "Waw!" a hithe'n fflachio gwên Rufeinig goch anferth. Ambell waith, fe gyrhaeddai 'da Sherlock Holmes, ac roedd ei minlliw hi'n cyd-fynd yn gwmws â lliw ei Bentley.

Bydde'r prifathro, J C Tar, roedden ni'n ei alw'n 'Jack', yn cyrraedd bob bore ar hen feic Hercules, yn gwisgo côt law lwydfelen â belt oedd wedi gweld dyddie gwell, trwser brown, clipie beic a chap stabal brethyn. Roedd mwstásh Hitler 'da fe, ac, i ddechre, ro'n i wedi'i gamgymryd e am y gofalwr – a dyna beth oedd e, yn academaidd!

Roedd tipyn go lew o'r myfyrwyr o gymoedd de Morgannwg a dyrned o orllewin Cymru, ond ar y cyfan ro'n nhw fel 'sen nhw'n bobol ddosbarth canol wedi'u gwisgo mewn dillad drud ac yn siarad 'dag acenion crand. Roedd e'n gasgliad diddorol, a des i'n ffrindie'n syth 'da myfyriwr hŷn o'r enw John Murray, oedd hefyd yn byw yn yr Eglwys Newydd ac yn canu'r gitâr. Aeth e â fi i glwb ieuenctid yn Ysgol Uwchradd yr Eglwys Newydd, lle roedd Mr Bowen, un o'r athrawon, yn cynnal dosbarth gitâr o ryw fath, ac ro'n ni hefyd yn cael defnyddio'r cyfleustere chwaraeon. Bydde John hefyd yn mynd i Gapel Baptist Ararat bob nos Sul a byddwn i'n mynd gyda fe jyst i gael morio canu. Ro'n i wedi rhoi'r gore i Dduw ers ache, ond roedd e'n f'atgoffa i o gartre. Roedd Cymro Cymraeg o Sir Fôn, Arnold Jones, yn y coleg, a bydde fe'n dod hefyd. Ces i'r argraff fod hiraeth arno. Dim ond pedwar o fyfyrwyr ro'n i'n gwbod amdanyn nhw oedd yn medru Cymraeg yn y coleg yr adeg honno.

Roedd trefn y coleg yn debyg i'r ysgol. Byddwn i'n mynd ar y bys bob bore ac yn cyrraedd i gofrestru erbyn hanner awr wedi naw. Wedyn, fe fydden ni'n mynd i'n 'grwpie' i wneud peth peintio neu dynnu llun. Roedd yn rhaid i ni ddewis crefft hefyd, a dewises i ysgythru 'da John Roberts, oedd yn byw yn Nhyddewi. Bu e farw yn ystod haf 2003. Bydde'n rhaid i ni wneud llawer o dynnu llunie 'byw' hefyd. Roedd dwy stafell ar gael i wneud hynny, a sawl model fydde'n sefyll yn galaborcyn yng nghanol y stafell, ar lwyfan, matres, neu ddifân. Fe fydden ni'n iste neu'n sefyll o gwmpas wrth ein îsls, yn tynnu eu llunie neu'n eu peintio mewn gwahanol stumie. Roedd pwyslais trwm ar bwysigrwydd tynnu llunie 'byw', ac roedd e'n rhan bwysig o'r cwricwlwm y bydden ni'n cael ein hasesu arno ymhen hir a hwyr. I ddechre roedd rhai o fyfyrwyr y flwyddyn gynta'n teimlo'n annifyr ac yn swil, ond doedden ni ddim cyn hir yn cynefino ag iste mewn grŵp eitha mawr o ferched a bechgyn ac yn sgwrsio'n braf wrth i ni dynnu llun dyn neu fenyw noeth. Bydde un ferch yn byta brechdane wrth wneud! Myfyriwr canolradd o'n i, a bydde fy nghwrs i'n para dwy flynedd cyn mynd mlaen i arbenigo mewn peintio, crochenwaith, cerflunio, lithograffi, ysgythru, ceinlinedd neu gynllunio gwisgoedd.

Hen adeilad oedd y coleg, wedi mynd â'i ben iddo, ond roedd e'n ddigonol. Roedd cymeriad 'da fe, a dyna'r peth pwysig.

Roedden ni'n cael ein hannog i gadw llyfre braslunio ac i dynnu llunie ynddyn nhw lle bynnag bydden ni'n mynd. Roedd pwysigrwydd braslunio'n cael ei danlinellu'n drwm ac roedd e hefyd yn rhan o'n hasesiad ni. Bydden ni'n tynnu llunie o'n gilydd yn eitha amal. Dwi ddim yn gwbod beth ddigwyddodd i fy llyfre braslunio i; trueni so nhw 'da fi o hyd.

Dechreuodd John Murray a fi ddod â'n gitare i'r coleg. Ar y llawr isa, roedd coridor hir 'da stiwdio grochenwaith un pen a'r stiwdios ysgythru, lithograffi a cherflunio y pen arall. Rhyngddyn nhw, roedd stafell fawr ar gyfer tynnu llunie byw a dwy neu dair o stafelloedd dosbarth. Yn y coridor hwn roedd cypyrdde'r myfyrwyr, un ar ben y llall, a bydde Murray a finne'n iste arnyn nhw rhwng dosbarthiade, yn chware'n gitare. Doedd neb fel 'se ots 'da nhw; a dweud y gwir, bydde twr eitha mawr yn casglu odanon ni weithie ac yn gwrando arnon ni.

Roedd stafell gyffredin shibwchedd hefyd lle bydden ni'n chware amser cino a bydde'r gweddill yn byta'u brechdane. Ambell waith, bydde Clive Williams, a ddysgodd fi yn Solfach, yn dod mewn i gael jam 'da ni er nad oedd 'da fe fawr i'w ddweud wrth chware cerddoriaeth bop – jazz oedd ei bethe fe, yn enwedig stwff Charlie Christian, Eddie Lang, Eddie Condon, Kenny Burrell, a Wes Montgomery, y bois mawr! Roedden nhw ymhell tu hwnt i'm cyrraedd i'r dyddie hynny.

Roedd Pete Colwill, un o'r myfyrwyr o Aberpennar, yn ganwr da ac yn dipyn o seren bop; a bydde fe'n mynd â fi bob nos Fercher i Nixons Ballroom ym Mhenrhiwceiber, a bydden ni'n mynd i'r Navigation Hotel i diwnio cyn y ddawns. Roedd un bachan oedd yn canu 'da'r band, a oedd yn hŷn o lawer na fi, yn benthyg gitâr Tuxedo solet gwyn i fi; roedd gitare solet yn dechre dod mewn i'r siope cerdd yr adeg honno, a byddwn i'n mynd yn wyllt yn llamu o gwmpas y lle ar y llwyfan, a hyd yn oed yn gorwedd ar fy nghefen i chware. Traed dani wedyn i ddala'r bys ola'n ôl i Gaerdydd yn union fel roedd y cwffast yn cychwyn. Roedd llais grêt 'da Tommy, ac fel roedd y cwffast yn mynd yn rhemp, dyna lle bydde fe'n canu 'The Sea of Love'. A phwy oedd y Tommy hwnnw ond neb llai na Tom Jones!

Pennod 6

Cymeriade

Merch mor dene â sgimren oedd Ashcroft, 'da gwallt gole hollol syth at ei sgwydde, wedi'i dorri'n syth yr holl ffordd rownd a chyda ffrinj. Roedd hi'n dal i wisgo lifre haf Cardiff High School for Girls, cywilydd oedd yn cael ei orfodi arni gan ei llystad, medde hi wrtha i – offeiriad diddrwg-didda, cul, oedd yn amlwg yn gwbod affliw o ddim am natur merched yn eu harddege, na bod ecsentrigion coleg celf yn ymwybodol iawn o ffasiwn. Newydd briodi mam Ashcroft oedd y pryfyn pulpud 'ma, a hithe'n weddw i ffarmwr defaid o Awstralia, lle magwyd Ashcroft. Ffrog ha *gingham* coch a gwyn oedd lifre Ashcroft, gyda chardigan a theits coch. Roedd hi'n ddeunaw oed, ond bod golwg lodes fach ddeuddeg oed arni. Crotes esgyrnog, chwim ac ymosodol oedd hi, yn hynod (hynod) ddeallus ac yn amlwg yn artistig, 'dag anferth o *chip* ar bob ysgwydd. Alle hi ddim bod wedi pwyso mwy na rhyw bum stôn, ond roedd hi mor ymosodol â phaffiwr pwyse trwm. Ro'n i'n teimlo'n flin drosti; roedd hi'n amlwg yn ddryslyd – yn chwerw, hyd yn oed – ac yn malu cachu trwy'r trwch. Bu farw'i thad yn ifanc, a phenderfynodd ei mam, oedd yn Gymraes, werthu'r ffarm a dod sha thre i'w gwlad enedigol. Roedd Ashcroft yn wyryf, 'run peth â'r rhan fwya o'r merched ro'n i'n eu nabod. Nid oedd hynny nac yma nac acw iddyn nhw, ond roedd e'n dân ar groen Ashcroft, a rhoddodd hi ar ddeall, heb flewyn ar dafod, ei bod hi moyn newid ei chyflwr y cyfle cynta gâi hi. A dyna wnaeth hi hefyd – er, heb fy help i, cofiwch chi.

Roedd hi'n dwlu ar gerddoriaeth a dawnso, ac roedd hi'n dda iawn ar y ddau beth. Wedech chi ddim bod Ashcroft yn salw, ond roedd hi'n diodde o acne difrifol, a'i hwyneb hi ac, yn ôl fel ro'n i'n ei ddeall, y rhan fwya o weddill ei chorff hefyd, yn frith o ddolurie crawnllyd. Roedd golwg y fall arni! Dwi'n credu bod anhwylder Ashcroft yn codi pwys ar fechgyn yr Ysgol Gelf, heb sôn am y ffaith bod ei phersonoliaeth groch ac ymosodol yn eu dychryn nhw. Y gwir amdani oedd fod Ashcroft yn ferch salw, wrthun, ond doedd hynny ddim i'w weld yn ffrwyno nac yn mennu dim arni; falle taw tipyn o gwrs ymosod oedd bywyd iddi, ond SAS oedd hi, ac fe alle hi ymdopi. Gallase awel grym pump ei chwythu hi bant, hi a'i phlorynnod, ond roedd hi'n wydn ac yn ysu am ei thamed. Cyn pen dim, roedd hi wedi bwrw'r lifre ysgol i'r ffos, a dyma hi'n ymddangos mewn dillad Beat chick – dim dillad isa, hen sweter rhy fawr iddi roedd hi wedi'i dwgyd oddi ar ei llystad, jîns croendynn, llinynne hir o fwclis yn hongian am ei gwddw, a bŵts marchog lleder du dros ei jîns. Dyma sut lansiodd hi 'i hun. Roedd ei rêfio hi'n beth hunanddyrchafedig, hunanganiataëdig, ansanteiddiedig, anlanwaith, anhrugarog, ac roedd hi ar ben ei digon yn ei hedoniaeth! Gwae'r neb oedd yn sefyll yn ei llwybyr hi – fe gâi'i lyncu a'i lowcio fel pe gan haid o locustied. Roedd Ashcroft yn beryg bywyd!

Bydde'r myfyrwyr celf yn mynychu caban coffi'r Khardomah yn Queen Street. Fe fydden ni'n gorweddian ar y llawr cynta lle roedd ffenestri mawr yn rhoi golygfa banoramig ar ffair a ffwndwr Queen Street odanon ni. Dyma lle bydden ni'n bradu'r rhan fwya o'n hamser, 'da'r llu o ddilynwyr y bydd myfyrwyr celf bob amser yn eu denu. Merched ysgol gwyllt yn chwilio am anturiaethe rhywiol, mân ladron, lled-ddeallusion, bois ifanc yn trio'u lwc ac, yn y dyddie hynny, y *beatniks* hip, cŵl. Bydden ni'n gwag-swmera am orie, yn clapian dros goffi oer a the Rwsiaidd, yn trial gwneud argraff ar ein gilydd 'da'n hanwybodaeth am gelfyddyd gain a llenyddiaeth. Roedd rhai o'r lladron a'r *beatniks* yn cymryd gwahanol fathe o amffetamin sylffad, fel Drynamyl, fydde'n cael ei argymell ar gyfer colli pwyse y dyddie hynny. Bydden nhw fel arfer wedi'i ddwgyd oddi ar eu mame tew ac anhapus, oedd yn rhy chwil i sylwi. A bydde bensedrin yn cael ei ddwgyd o gypyrdde gwenwyn siope cemist, ac inhalers Nostraline yn cael eu hollti'n eu hanner, a'u cynnwys nhw'n cael ei adael i fwydo am sbel mewn sudd oren neu Coke, cyn eu hyfed nhw. Mae *speed* yn gyffur drwg iawn, fel bydd unrhyw un sydd wedi bod yn *speedfreak* yn dweud wrthoch chi, os ydyn nhw'n dal yn fyw!

Ond yr hoff bils oedd y calonne piws – tabledi amffetamin teironglog glas gole mewn gwirionedd. Bydde'r rheiny'n cael eu hargymell ar gyfer colli pwyse hefyd, ac ro'n nhw fel 'sen nhw ym mhobman. Gallech chi wastad nabod y *speedfreaks*, achos bydden nhw'n siarad fel melin glep a gwingo fel cnonod ac fel arfer yn siarad lot o ddwli ffug-athronyddol oedd yn swnio'n gredadwy – neu, yn hytrach, roedden nhw i weld yn syniade digon call ar y pryd, ond na fydde dim cof amdanyn nhw, heb sôn am gredu ynddyn nhw, ar ôl i effaith y *speed* bylu. Ac roedden nhw bron i gyd yn cario *Howl*, pamffledyn o farddoniaeth gachu rwtsh gan Allen Ginsberg.

Byddwn i'n prynu'r *South Wales Echo* gyda'r nos. Dyna brif bapur newydd pobol Caerdydd o hyd, ac mae tudalen adloniant ynddo sy'n nodi'r holl ffilmie sy mlaen yn y sinemâu. Dwi'n dwlu ar ffilmie erioed. Nawr ac yn y man, bydde 'na gig yn cael ei hysbysebu a dyna lle byddwn i'n mynd. Dawnsie amatur oedden nhw gan fwya, yn cael eu cynnal mewn gwahanol neuadde eglwys, ond bydde'r holl recordie roc diweddara yno i ddawnso iddyn nhw, a grŵp byw ambell waith. Roedd offer yn syml iawn bryd hynny: pethe wedi'u gwneud gartre oedd amps, wedi'u gwneud o focsys DIY pren plaen, heb lawer o bŵer – dim ond deg neu bymtheg watt – ond ro'n nhw i'w clywed yn ddigon uchel i fi ar y pryd.

Bob bore Sadwrn yn y Gaumont Theatre yn Queen Street, bydde 'na sioe o'r enw 'The Gaumont Teenage Show'. Roedd crugyn o bobol ifanc yn mynd 'na. Bandie roc a grwpie lleol oedd yn y sioe; mae Tony Cheverton, The Alley Cats a The Stompers ymhlith y rhai dwi'n eu cofio. Dyddie cynnar iawn oedd y rhain i gerddoriaeth roc ym mhobman. Gwnaeth y Stompers argraff fawr arna i y tro cynta un i mi eu gweld nhw achos roedd sacsoffon tenor 'da nhw yn y band, a dau frawd oedd yn canu ac yn chware gitare soddgrwth 'da *pick-ups* wedi'u sgriwio i waelod y gyddfe, ac roedd Epiphone Zenith 'da un ohonyn nhw – gitâr Americanaidd da iawn. Crwtyn bach pryd gole oedd yn chware'r gitâr blaen, yn y dyddie pan oedd gitarwyr blaen yn brin iawn. Dim ond pedair ar ddeg oedd Dave Edmunds!

Bydde'r Stompers yn chware lot o ganeuon Buddy Holly a'r Everly Brothers. Doedd y gitâr fas ddim wedi'i ddyfeisio ar y pryd, ond, yn ddiarwybod i ni, roedd Leo Fender wrthi'n rhoi pethe ar y gweill yng Nghaliffornia. Felly *line-up* nodweddiadol y bandie oedd dwy neu dair gitâr a drymie – a phiano ambell waith. Bydde'r Stompers yn ymarfer yn un o'r stafelloedd gwisgo tu ôl i'r llwyfan yn y Gaumont, a byddwn i'n mynd yno ac yn chware gyda nhw ar brynhawnie Sul. Roedd y brodyr Edmunds, Dave a Geoff, 'run peth â Shirley Bassey – y des i'n ail iddi mewn cystadleuaeth dalent unweth – yn dod o Sblot, ar bwys y gweithfeydd dur, ac roedd cerddoriaeth roc a rôl yn grefydd bron iddyn nhw. Cafodd Geoff sacsoffon bariton o rywle ac, ambell waith, bydde fe'n gwneud darne offerynnol 'da'r chwaraewr tenor.

Roedd bywyd yn eitha llac a didaro yng Nghaerdydd bryd hynny, ac yn amal fe welech chi gart a cheffyl a thrapie merlod yn cael eu gyrru lawr y strydoedd, yn enwedig yn Grangetown, lle bydde'r gwerthwyr llysie a ffrwythe'n eu defnyddio nhw i werthu o ddrws i ddrws. Roedd gan y dynion hel rhacs gerti bach 'da cheffyle i gario'r fflwcs y bydden nhw'n eu casglu o stryd i stryd o gwmpas Sblot, Grangetown, Riverside, Canton a'r Docie.

Des i i glywed am fyfyriwr o'r enw Trev – Trevor Ford, oedd â'r un enw â chwaraewr pêl-droed enwog yr adeg honno oedd yn chware i Abertawe. Roedd Trev yn un o'r peintwyr haniaethol mwya addawol yn y coleg. Fe fu'n ddisgybl yng Ngholeg Aberhonddu, ysgol breswyl grach, ar ôl ennill ysgoloriaeth, ond cefndir dosbarth gweithiol oedd ganddo fe, a'i deulu'n hanu o Gaerllion. Athrawes biano oedd ei fam, a'i dad naill ai'n ddocer neu'n weithiwr dur yng Nghasnewydd. Comiwnydd oedd

Trev, a bydde fe'n codi llawer o ddadle lle bynnag bydde fe'n mynd – sef i'r tafarne gan fwya – a bydde hynny ambell waith yn troi'n golbo. Peintiai Trevor lunie haniaethol anferth mewn lliwie cysefin – stwff cyllell balet i gyd. Doedd neb arall yn peintio fel'ny yn y coleg; roedd hi fel 'sen ni'n cael ein hannog i beintio golygfeydd diwydiannol a thirwedde cymoedd llwydaidd.

Buan y des i wybod bod Trev yn dwlu ar ganu'r felan a'i fod e'n dipyn o giamster yn y maes. Roedd e'n canu'r felan yn null Jimmy Rushing a Big Joe Williams. 'Blues shouter' oedd e'n galw'i hunan. A bydde fe'n 'iste miwn' 'da rhai o'r bandie jazz lleol. A dweud y gwir, fe oedd yn gyfrifol am fy nghyflwyno fi i'r sîn jazz yng Nghasnewydd. Roedd e fel 'se fe'n nabod yr holl gerddorion jazz lleol, fel Keith Jenkins, chwaraewr utgorn a phiano campus; Brian Keen a Lyn Saunders, y chwaraewyr banjo tenor gore i gyd; Mike Harries, trombonydd, a Tom Rosser, ei ddrymiwr e; Howel Bines, pianydd honci-tonc tŷ baril gwych, oedd yn gallu chware yn null Jimmy Yancey; Johnny Silva, chwaraewr bas dwbwl yr oedd ei dad e'n berchen ar glwb jazz a lysh ar Bute Street; Pete Chapman; John Scantlebury; Victor Parker; Victor Thornhill, chwaraewr bas tan gamp, oedd hefyd yn gwneud ac yn rasio motobeics. Roedd cymeriade yn y sîn 'na, sdim dwywaith amdani!

Roedd clwb jazz i gael yn seler y Philharmonic, hen dafarn fawr ar bwys yr orsaf ganolog ar waelod St Mary Street. Bydde crugyn o ddynion jazz da iawn yn chware yno. Fe weles i Acker Bilk – neu 'that clarinet player from Bristol', fel y bydde fe'n cael ei alw bryd hynny – a bydde'r pianydd jazz o Sir Aberteifi, Dill Jones, hefyd yn chware 'na.

Ddwyweth yr wthnos – ar nosweithie Mercher a Sadwrn – bydde clwb jazz 'da Mike Harries mewn seler yn High Street. The Mavis June School of Ballroom Dancing oedd e bob noson arall. Does dim rhaid dweud bod tipyn o wahaniaeth rhwng hynny a'r nosweithie jazz! Roedd gwraig Mike, Moia O'Keef, hefyd yn fyfyriwr celf, a hi fydde'n casglu'r arian ar y drws ar waelod rhes gul o risie. Hanner coron oedd y tâl mynediad. Stafell hir, gul yn y seler oedd y Mavis June School of Dancing, 'da nenfwd isel iawn a llawr pren gloyw. Doedd dim celfi, ar wahân i radiogram mewn cabinet pren oedd yn debyg i seld. Roedd cilfache yn y parwydydd a meincie pren ynddyn nhw, ac ar nosweithie jazz, roedd y rhain fel arfer yn llawn pare ifanc yn lapswchan o'i hochor hi yn y cysgodion. Yn y cyfamser, bydde'r band, mewn dull New Orleans, yn taranu'r holl ffefrynne jazz traddodiadol: 'Tiger Rag', 'The Saints', 'Momma don't allow', 'St Louis Blues', 'Basin Street', 'St Phillip Street Breakdown', 'Creole love call' – mae'r rhestr yn ddiddiwedd.

Bydde The Number Seven Club yn heigio o jeifers, yn bopio fel pethe gwyllt, â galwyni o chwys yn arllwys oddi ar y dawnswyr, a'r llawr yn llanast o ddillad a sgidie wedi'u twlu a chyrff. Am un ar ddeg, bydde'r band yn hel ei bac a phawb yn ei bachu hi sha thre. Ambell waith, falle y bydde 'na barti wedyn – ar nos Sadwrn, neu ar ddechre neu ddiwedd tymhore, fel seshys cynhesu aelwydydd neu pan oedd rhywun yn gadael, neu bartïon rhent. Galle rhai o'r *soirées* hyn fynd yn eitha gwyllt, yn enwedig os oedd band byw i gael. Bydde'r rhai oedd yn gythrel am eu tamed yn eu cloi'u hunen yn y stafelloedd gwely neu yn y stafelloedd ymolch tra bydde rafinied eraill yn dawnso neu'n chware offerynne. Y beirdd bît a'r *quasi*-ddeallusion ac athronwyr *avant-garde* oedd fel arfer yn meddiannu'r gegin, lle roedd y bwyd a'r lysh wedi'u cwato.

Aeth Trev â fi i barti yn St Mellons un tro. Pentre bach crand oedd St Mellons, yn union y tu fas i Gaerdydd ar yr hewl i Gasnewydd. Roedd rhieni'r ferch wahoddodd ni yn berchen ar haid o filgwn rasio, ac roedd y teulu'n eitha llwyddiannus ac yn dda eu byd. Roedd y rhieni wedi mynd ar eu gwylie – a dyna'r rheswm dros y parti, er 'mod i fel 'sen i'n cofio bod y ferch yn cael ei phen-blwydd hefyd. Nos Sadwrn oedd hi, ac fe aethon ni draw yno mewn hen Riley, a ffrind o'r enw James Angove yn ein gyrru ni. Roedd yr Harries Band wedi cael gwahoddiad hefyd, ac fe gyrhaeddon nhw'n feddw ar ôl y clwb jazz.

Pan gyrhaeddon ni, atebodd y groten y drws a'n croesawu ni. Roedd y tŷ'n llawn tlysau enillwyd wrth rasio milgwn, cwpane arian ac aur, platie, a cherflunie o gŵn enwog. Roedd golwg bryderus ar Trevor, ac fe ddwedodd e wrth y ferch y bydde'n rhaid iddi hi'u rhoi nhw i gyd i gadw achos roedd e wedi clywed si bod 'na gnafon proffesiynol lleol ar eu ffordd i'r parti. Felly dyma ni i gyd yn dechre cwato'r tlysau mewn bagie, a'u cloi nhw yn wardrob stafell wely ei rhieni hi, a chloi drws y stafell ar eu hôl nhw.

Roedd crochan anferth o bwnsh, a phobol yn ei lanw â ta beth oedden nhw wedi dod 'da nhw; roedd rhaid i chi fod yn garcus achos os oedd myfyrwyr meddygaeth neu fferylleg yn dod, fe fydden nhw'n amal iawn yn arllwys alcohol lab i'r pwnsh yn slei bach – a bydde hynny'n arwain at ganlyniade dinistriol, neu mewn ambell achos, marwol.

Do'n i ddim wedi gweld Trev ers sbel – roedd e siŵr o fod yn un o'r gwlâu 'da rhywbeth tinboeth. Roedd y band yn chwil ulw erbyn hyn ac yn chware un o'i hen gêms milain, sef llanw'r twba molchyd 'da dŵr oer a stelcian o gwmpas drws y bathrwm yn yfed. Pan fydde person anffodus yn mynd i mewn i bisho, bydden nhw'n tyrru ar ei ôl ac yn lluchio'r truan oedd yn ame dim i'r dŵr, dan weiddi, bloeddio a chwerthin trwy'r trwch.

Dwedodd rhywun oedd newydd gael ei drochi wrtha i taw fi oedd amdani nesa, felly fe gadwes i draw o ddrws y bathrwm. Es i chwilio am Trev. Ro'n i wedi cael llond bol ar y parti ta beth, ond do'n i'n ffaelu'i ffindo fe yn unman, felly fe dries i agor drws y gegin a'i gael e ar glo. Ro'n i'n gallu clywed sŵn pobol y tu mewn ac felly dechreues i guro. Ar yr un pryd, roedd lleisie uchel ym mhen arall y coridor yn gweiddi, "Lle ma Stevens?" a "Daliwch y ffycer!" felly dyma guro'n gletach ar ddrws y gegin, a llais Trev yn gweiddi, "Ffyc off!" Felly dyma fi'n gweiddi, "Mike sy 'ma! Gad i fi ddod miwn, er mwyn y Tad!" Agorodd y drws, llusgodd Trev fi i mewn gerfydd fy mraich, rhoi clep ar y drws a'i gloi e yn wyneb y bedyddwyr jazz. "Ca dy ben a rho help llaw i fi fan hyn!" medde Trev. Roedd ffenest y gegin ar agor, car Jimmy Angove wedi'i barcio tu fas yn y dreif, a Keith Jenkins yng nghanol y cwbwl yn cwpla stêc wedi'i ffrio, bacwn ac ŵy a sosejys yn ddidaro; a Trev, wedi bod yn lladrata o'r cwpwrdd bwyd a'r rhewgell, wrthi'n pasio'r cynnwys trwy'r ffenest i Angove oedd yn ei lwytho fe i'r hen Riley. Ro'n i braidd yn syn; ro'n nhw'n dwgyd yr holl bethe da yn y pantri, ac wedi gwagio'r ffrij hyd yn oed.

Dyma ni i gyd yn tyrru mas trwy ffenest y gegin ac i'r Riley. A'r funud honno, rhuthrodd brawd gwraig y tŷ ar draws y lawnt gan chwifio tortsh mawr, ac yn gweiddi,"Stop, thieves! Burglars! Call the police!!" Llamodd ar droedlath y Riley, oedd wrthi'n symud, a dyma Jimmy Angove, oedd wrth y llyw, yn cipio'r tortsh o'i law e, tra oedd Trev yn rhoi clatsien iddo fe yn ei wyneb 'da choes mochyn wedi rhewi. Rhuodd y car bant, a ninne i gyd yn chwerthin lond ein bolie. "Lwc iddyn nhw'n bod ni wedi cwato'r pethe arian," medde Trev. "Bydde Billy the Dip a'i fêts wedi'u cymryd nhw, sdim dwyweth."

"Nage Iddewon o'n nhw chwaith," medde fi, yn llygadu'r coes mochyn, oedd dal yn llaw Trev.

"Sdim Iddewon yn brido milgwn," medde Trev. "Rhy ddosbarth gweithiol!"

"*Shalom*!" medde Angove. A dim ond gwenu o glust i glust wnaeth Keith Jenkins a chnoi toc o ddarn anferth o salami. Roedd y car yn dishgwl ac yn gwynto fel siop *delicatessen* Wally's.

Roedd hi'n chwech o'r gloch y bore, a'r wawr yn torri y tu ôl i ni dros East Moors. "Dewch i ni fynd i dŷ Geoff," medde fi. "Fi biti starfo."

"Ni wedi 'rhyddhau' cês o win hefyd," medde Trev.

"Gwely amdani," medde fi gan gau fy llygaid.

* * *

Fe ddaeth yn bryd symud mas o gartre cysurus Wncwl Rhys. Roedd fflatie 'da'r rhan fwya o fy ffrindie i – yn cael eu rhannu fel arfer, neu'n fflatie un stafell. Roedd arna i angen lle i mi fy hun lle cawn i fyw a pheintio ac ymarfer fy ngherddoriaeth, felly fe ddechreues i holi, ac fel roedd hi'n digwydd, roedd Colin Davies, un o gitaryddion y coleg, ar fin symud i fflat yn Cathedral Road. Yno'n barod roedd cerflunydd o'r enw Dave, ac roedd lle i un arall.

Yn 118 Cathedral Road roedd y fflat – mewn tŷ o'r enw Preste Gaarden. Roedd y landledi'n byw ar y llawr isa, a rhoddodd hi ar ddeall o'r cychwyn cynta nad oedd dim merched i fod. Doedd dim ots 'da fi: doedd dim diddordeb 'da fi fel'ny, a do'n i rioed wedi cael rhyw ta beth 'ny. Ond roedd Dave, oedd yn hŷn na fi, wedi cael, ac a dweud y gwir, roedd e'n gythrel am ei damed ac fel 'se fe'n hala'r rhan fwya o'i amser yn shilffo crotesi! Bob tro byddwn i'n dod sha thre, dyna lle bydde fe yn ei wely 'da rhyw ferch neu'i gilydd, ac, wrth gwrs, byddwn i'n cilio'n dawel fach. Prin y bydde Colin yn defnyddio'r fflat o gwbwl – aros gartre 'da'i rieni fydde fe gan fwya. Ambell waith, byddwn i'n dod sha thre gefen nos a chael y drws ar glo. Byddwn i'n mynd rownd y cefen a lan y stâr metal at y ffenestri Ffrengig. Bydde'r rheiny dan glo hefyd, ac ro'n i'n gallu clywed Dave wrthi hi y tu mewn 'da digonedd o anadlu trwm, sbringie gwely'n atseinio ac udain, gwichian a rhwchian ecstatig y ferch.

Penderfynes fod yn rhaid i fi symud. Roedd y landledi'n gwbod am y sefyllfa, ond wyddai hi ddim pwy oedd yn gyfrifol, a ches i 'nghyhuddo unweth neu ddwy a chael pryd o dafod am anlladrwydd. Doedd dim diben pledio diniweidrwydd – roedd hi'n argyhoeddedig taw fi oedd yn gwneud yr holl shilffo. Yn fuan wedyn, symudes i Benylan, i dŷ Mrs Lashmore. Gweddw oedd Mrs Lashmore oedd yn rhoi llety i fyfyrwyr ers blynydde. Roedd dwy ferch hardd bryd tywyll 'da hi, oedd yn gweithio bant yn Llunden, a phan symudes i mewn, roedd dau lojer 'da hi oedd yn gyn-fyfyrwyr – un yn llyfrgellydd ym Mhrifysgol Cymru a'r llall yn fetelegwr yng ngwaith dur Guest Keene. Roedd hyn yn fy siwtio i'n grêt; roedd 'da fi fy stafell fy hun ar y llawr cynta â golygfa dros y parc, ac roedd Mrs Lashmore yn coginio brecwast ffein wedi'i ffrio a phryd o fwyd o gig a llysie gyda'r nos, a hyn oll ddim ond yn costio £3 yr wthnos i fi. Roedd Mrs Lashmore yn perthyn i'r teulu Mendus, oedd piau'r siop gemist ar sgwâr y Groes yn Nhyddewi, ac roedd hi wedi clywed sôn am Mam a Dada, felly roedd hynna'n rhyw fath o dystlythyr i fi.

Es i mlaen yn eitha da yn y Coleg Celf, ac roedd fy sgilie chware gitâr yn gwella fwyfwy. Roedd Trev wedi cael stafell mewn hen sinema o'r enw'r Queens, yng nghanol y dre, ac ro'n i'n cael gosod îsl yno. Bydde 'Stiwdio'r Queens', fel ro'n ni'n ei galw hi, yn cael ei defnyddio fwy ar gyfer partïon nag i greu gweithiau celf. Roedd gan ddau fyfyriwr arall stiwdio lan llofft; cerflunwyr o'n nhw, ond dyw peintwyr a cherflunwyr ddim yn cyd-fynd, ac, a dweud y gwir, roedd stiwdios cerflunwaith y dyddie hynny'n dishgwl fwy fel safleoedd adeiladu na stiwdios. Dirywiodd yr holl beth i rywbeth y gallech chi'i alw'n *orgy*; roedd y myfyrwyr eraill – gan gynnwys Trevor, oedd ddwy neu dair blynedd yn hŷn na fi – fel 'se'n nhw'n trial ffwcio'u ffordd trwy holl ferched Caerdydd. Allech chi byth â mynd mewn 'na ar unrhyw adeg o'r dydd na'r nos heb gael o leia un cwpwl wrthi ar y llawr neu ar y *chaise longue* roedden ni wedi'i phrynu mewn siop ail law er mwyn i ferched fydde'n modelu ar gyfer peintio a llunie byw orweddian arni hi; ac roedd partïon poteli i'w cael yno yn dragywydd.

Gyferbyn â'r stiwdio, roedd swyddfa Leo Abse, y cyfreithiwr a'r darpar Aelod Seneddol, a brawd y bardd Dannie Abse. Roedd Leo Abse yn gwrthwynebu i ni fod yno ac roedd e wastad yn cwyno wrth Jack Tar, prifathro'r Coleg. Bydde ynte'n ein galw ni i mewn i'w swyddfa o bryd i'w gilydd ac yn rhoi pryd o dafod i ni a'n rhybuddio ni y bydde fe'n ein twlu ni mas o'r Ysgol Gelf oni bai ein bod ni'n dod at ein coed. Roedd hynny'n fwrn. Yn gwaethygu hefyd roedd ymddygiad Trevor tuag at y staff. Roedd e'n eu gwatwar nhw'n agored, a hyd yn oed yn bygwth ymosod arnyn nhw. Hefyd roedd e'n trial bachu Miss Magdalena, pennaeth yr Adran Gynllunio Gwisg. Dwi ddim yn gwbod a gafodd e'r maen i'r wal, ond roedd e'n beth twp iawn i'w wneud, ac yn tynnu sylw aton ni amser y dylen ni fod yn cadw'n penne'n isel.

Roedd Trev a fi'n yfed o'i hochor hi ar y pryd. O le roedd yr arian yn dod? Dweda i wrthoch chi. Roedd Trev yn gwbod faint oedd tan y Sul ac roedd e'n eitha doeth fel'ny. Gwyddel oedd e, ac roedd llawer o farre Gwyddelig yng Nghaerdydd a Chasnewydd. Fe fydden ni'n crwydro'r barre hyn, ac yn difyrru'r potwyr 'da chanu gwerin, jazz a'r felan. Nid yn unig y bydden ni'n cael cwrw a sgrympi am ddim, ond yn amal fe fydden nhw'n paso'r hat o gwmpas a bydde arian ar ôl 'da ni i fynd i'r dafarn drannoeth.

Roedd The Old Arcade, tafarn Brains yn Church Street, Caerdydd, yn boblogaidd iawn 'da'r criw jazz a'r myfyrwyr celf. Bydda i'n dal i fynd 'na ambell waith, er ei fod e wedi dirywio'n far chwaraeon, 'da setie teledu hyd y lle ym mhobman a chryse rygbi mewn cesys gwydyr ar y parwydydd i gyd. Mae'r bar blaen, oedd yn un o'r goreuon yng Nghymru, bellach yn lle bwyta. Un arall o'n cyrchfanne ni oedd The Greyhound, tŷ sgrympi yn Bridge Street, sy wedi hen ddiflannu dan y gweithfeydd hewl erbyn hyn. Deg ceiniog y peint oedd sgrympi y dyddie hynny, ac roedd e'n gry iawn. Roedd Newtown, yr ardal Wyddelig ar ben ucha'r Docie, yn lle da i fynd hefyd, a bydden ni'n crwydro tafarne Casnewydd ac Abertawe hefyd. Roedd hi'n hwyl fawr, ond does dim syndod fod f'astudiaethe academaidd i'n diodde.

Ymhen hir a hwyr, fe gafon ni'n twlu mas o 'Stiwdio'r Queens' – oedd wedi marw erbyn hynny ta beth, ac yn ddim mwy na llety dros dro a lle i gynnal partïon. Bydde pobol yn dod yno'n heidie – dieithried llwyr gan fwya – ac yn dod â llwythi o lysh, offerynne, eiddo wedi'i ddwgyd a merched i'w canlyn. Yn amal, fe fydde band cyfan yn cyrraedd 'da'u dilynwyr, ac yn dod â chretie a chasgenni o gwrw 'da nhw. Ond roedd Trev wedi cael llond bola ar Leo Abse dros y coridor, ac yn y parti terfynol hwnnw, fe benderfynodd ddefnyddio'i flwch llythyre fe fel pisdy. Roedd pawb yn meddwl bod hyn yn hwyl fawr, felly daeth y blwch llythyre 'na'n lle chwech cyhoeddus am weddill y nosweth. Wrth gwrs, pan gyrhaeddodd y post yn y bore, fe laniodd e mewn pwll o biso. Doedd Abse ddim yn gweld dim byd yn ddigri am y peth, ac aeth e lan i'r coleg ar ei ben i refru a rhuo ar y prifathro. Wrth gwrs, fe gafodd Trev a finne ein galw i mewn a'n croesholi, ein bygwth a'n tafodi'n gyffredinol, ac fe ddwedon ni nad oedd a wnelo ni ddim â'r mater gan ein bod ni yng Nghasnewydd y nosweth honno, ac yn gallu profi hynny. Wedyn, fe ddwedodd e wrthon ni, heb flewyn ar ei dafod, ein bod ni'n lwcus i beidio â chael ein herlyn am iawndal neu'n twlu mas. Fe dynnon ni'i sylw at y ffaith ein bod ni'n ddieuog, a'u bod nhw'n ffaelu gwrthbrofi hynny. Ond fe gyhoeddwyd bod y stiwdio wedi'i gwahardd ac felly ar gau, a bant â ni dan fygythiad ein twlu mas 'sen ni ynghlwm ag unrhyw weithgaredde allase arwain at gwynion. Cael a chael oedd hi, ac fe aethon ni i lawr i'r Old Arcade a meddwi eto.

Gŵyl y banc oedd hi – y Pasg, dwi'n credu – ac, am ryw reswm, ro'n i wedi aros yng Nghaerdydd yn lle mynd sha thre i heddwch a diogelwch cymharol Solfach. Ro'n i'n dal i aros yn nhŷ lojin Mrs Lashmore ac roedd ei merched hardd hi gartre ar wylie. Ces i 'mrecwast a mynd mas am y dydd. Pan ddes i sha thre tua saith o'r gloch y nos, roedd y tŷ'n rhyfedd o dawel. Roedd y daeargi Bedlington, oedd fel arfer yn ymosodol, yn bihafio'n rhyfedd iawn – yn dawel ond am ei nadu, ac yn rhedeg lan a lawr y stâr. Galwes i o gwmpas y tŷ, ond ddaeth dim ateb, felly es i lan llofft. Sylwes ar unweth fod drws stafell wely Mrs Lashmore yn gilagored. Roedd dryse'r holl stafelloedd yn cael eu cadw ar gau fel arfer ac roedd cloeon ar ddryse stafelloedd y lojers. Hwpes i ddrws ei stafell hi a'i agor e a dishgwl yn ofnus o 'nghwmpas. A 'na lle roedd Mrs Lashmore ar wastad ei chefn ar draws y gwely, ei dillad i gyd amdani, a'i cheg ar agor. Roedd hi'n gelain. Dwedon nhw wrtha i'n ddiweddarach ei bod hi wedi cael trawiad anferth ar ei chalon ac wedi marw yn y fan a'r lle. Thwtsies i ddim ynddi, dim ond ffoi i fy stafell a chloi'r drws. Cuddies dan y dillad gwely; roedd hi'n oer ac ro'n i'n teimlo tonnau o dristwch ac unigrwydd yn golchi drosta i, nes i mi ddechrau crynu.

Sŵn drws y ffrynt yn agor, sŵn chwerthin a lleisie'r lojers eraill a'r merched hardd ddihunodd fi, ac fe neidies o'r gwely a rhedeg lawr llawr.

Roedd hi'n anodd llunio geirie, a wyddwn i ddim beth i'w ddweud, felly arweinies i nhw lan llofft a phwyntio at ddrws stafell wely eu mam nhw heb ddweud gair. Pan ddaethon nhw mas, roedden nhw'n od o dawel. Dwedon nhw wrtha i am fynd i'r gwely a pheidio becso, y bydden nhw'n morol am bopeth nawr. Ro'n i'n ysgafnach fy nghalon, does dim dwywaith, ond ro'n i'n dal i fecso y byddwn i â rhan yn y peth rywffordd. Wedi'r cwbwl, ro'n i wedi bod wrth fy hunan yn y tŷ 'da landledi farw am fwy na phedair awr.

Yn ddiweddarach, dwedodd un o'r merched hardd y bydde'n rhaid i fi gael lojin arall am eu bod nhw'n mynd i werthu'r tŷ. Bach o lwc ges i rioed 'da landledis, ac fe gychwynnes i'n wael reit 'i wala. Ro'n i'n adrodd yr hanes yma yn y coleg ryw ddiwrnod, a dwedodd myfyriwr o'r enw Geoff Stevens y cawn i ddod i lojo 'da'i deulu e oedd yn byw mewn hen ffermdy yn Rhiwbeina yr oedd y ddinas wedi heidio drosto fe ac ynte nawr yn sefyll yng nghanol tai mwy newydd.

A dyna gychwyn fy nghyfnod ola i yn Ysgol Gelf Caerdydd, oedd yn gyfnod llawer mwy rhydd nawr do'n i ddim yn byw mewn llety lle roedd rhywun yn clustfeinio ac yn cadw golwg arna i'n wastad. A buan y byddwn i'n annibynnol yn ariannol i radde helaeth hefyd.

Pennod 7

Razzmatazz

Mae 'da Caerdydd draddodiad jazz sy wedi hen ennill ei blwy, yn mynd 'nôl i ryfel 1914–18 pan oedd Marines yr Unol Daleithiau'n lletya yn yr Angel Hotel yn Westgate Street, gyferbyn â chae rygbi Cardiff Athletics. Mae 'da'r Angel Hotel borth bwaog mawr, sy'n estyn dros y pafin a'r grisie i'r brif fynedfa. Mae modd mynd ar do'r porth yma trwy ffenestri Ffrengig ar y llawr cynta, a falle taw dyma'r lle cynta i gerddoriaeth jazz New Orleans gael ei chware yn Ewrop – gan gerddorion o fandie Marines yr Unol Daleithiau. Bydde'r bandsmyn hyn yn iste lan ar do'r porth rai nosweithie ac yn chware jazz a phob math o gerddoriaeth i dyrre o bobol lawr yn Westgate Street.

Yn ddiweddarach, rhwng y Rhyfel Byd Cynta a'r Ail, roedd jazz yn cael ei chware'n amal gan gerddorion croendywyll o Tiger Bay – pobol fel y cerddor chwedlonol Victor Parker, oedd yn chware 'da Django Reinhardt a Cherddorfa Edmundo Ross. Ro'n i'n nabod Vic Parker, ac fe ddysges i lawer o gerddoriaeth a thechnege gitâr 'da fe, 'run peth â llawer o gitarwyr gobeithiol eraill dros y blynydde. Dyn cymdeithasol a chyhoeddus oedd Vic, i'w weld ar strydoedd ac ym marre'r docie a chanol y ddinas. Amser ro'n i'n ei nabod e, roedd e'n byw mewn fflat yn Loudon Square, ac yn gweithio fel gyrrwr locomotif yng ngwaith dur Eastmoors. 'Narker' y bydd pobol Caerdydd go iawn yn ei alw fe, ac roedd e'n ddyn doniol iawn, yn llawn storïe, hanesion, jôcs a chalypsos. Mae gormod o storïe am Vic Parker i'w hadrodd fan hyn.

Dwi'n cofio unweth mynd i dafarn lle roedd e'n chware bob nos i dwr eitha mawr ar ei hen gitâr soddgrwth trydan Hofner Committee. Roedd yn offeryn cain iawn, 'da brithwaith cregyn cywrain dros y bwrdd bysedd eboni i gyd, a chefn ac ochre masarnen fraith ecsotig, a phen nadd ar ffurf deilen masarnen. Bydde llawer o gerddorion, a finne'n eu plith nhw, yn mynd i'r Quebec i'w glywed e'n siarad ac yn chware, neu i jamio 'da fe.

Un noswaith, daeth crwt ifanc i mewn 'da Gibson Les Paul newydd sbon danlli, ei dynnu fe mas o'i gês a'i roi i Victor i'w bwyso a'i fesur. Mae Gibson wastad wedi gwneud rhai o'r gitârs gore yng nghrebwyll dyn, a dyma Victor yn glafoerio drosto cyn ei roi e 'nôl i'r crwt.

"Ga i whare alaw 'da chi?" gofynnodd y crwt yn frwd.

"Cei," medde Victor.

Dyma'r crwt yn taro tant, a Victor yn ymuno. Roedd y crwt yma – er ei fod e'n chware un o'r gitârs gore y gall arian ei brynu – yn un o'r gitarwyr gwaetha roedd neb yn y stafell wedi'i glywed erioed, ond doedd hynny'n mennu dim ar Victor, oedd yn dal i gyfeilio i'r crwt gore galle fe tan ddiwedd y gân. Roedd 'na ymateb cymysg gan y gynulleidfa, a gwaeddodd un wàg:

"Shwt lwyddest ti i ddilyn 'na, Vic?"

Roedd atal dweud amlwg ar Victor, a medde fe: "Sssset ti angen ggggwaetgi i ffffycin ddddilyn hwnna!"

Roedd 'da Victor wastad ryw hwyl yn ei lawes.

Roedd Ray Norman yn gitarydd mawr arall oedd yn chware'r un arddull jazz â Victor, ac ro'n i'n gallu clywed llawer o Django Reinhardt yn eu cerddoriaeth nhw – a Charlie Christian o ran hynny. Ond roedd eu harddull eu hunen 'da nhw hefyd, wedi datblygu o chware pob mathe o gerddoriaeth i ddifyrru clientele y barre a'r clybie lawr yn y docie a'r bae. Galle Vic Parker chware unrhyw beth o 'Freight Train' – y bydde fe'n ei blycio â'i fysedd – 'Stardust' a 'Georgia on my Mind' i unrhyw un o alawon Billie Holiday neu George Gershwin. Trêt oedd clywed Parker a Norman yn chware 'da'i gilydd.

Roedd gitarwyr eraill i gael oedd yn chware'r un repertoire: Gerald Ashton, er enghraifft, oedd yn gitarydd da oedd yn 'gwbod yr holl gordie', fel bydden nhw'n ei ddweud. Hefyd gitarydd gwyn, nid o'r Bae ond o ben ucha'r dre – Billy Rowlands. Clywes i fe sawl gwaith, a dysgodd e fy ffrind, y diweddar Royston Jones, fu farw'n ifanc iawn mewn damwain car. A dyna i chi'r brodyr Denise hefyd, a heliodd eu traed yn fuan i Lunden a Pharis, Tony Chikaderas a Maurice Ali – chwaraewyr acordion jazz, a Bill Chapman (wncwl i Dave Edmunds), oedd yn fandolinydd jazz.

Byddwn i wastad yn ei throi hi i far neu i glwb, fel arfer yn y docie neu'r Bae lle bydde'r bobol hyn yn cael sesiwn jamio, a do'n nhw'n sôn am ddim byd ond cerddoriaeth, felly roedd e wastad yn agoriad llygad. Roedd hi'n addysg hefyd cael hobnobio â clientele y llefydd a'r barre hyn: morwyr, dynion caled, lwffod, troseddwyr, puteinied a hŵrs. 'All human life is here'; a dyna ni'n ôl 'da'r *News of the World* eto. Roedd rhaid i chi fod o gwmpas eich pethe yn y llefydd hyn – fydde rhai pobol lawr 'na'n meddwl dim am fygio neu roi curfa i rywun, neu hyd yn oed eich trywanu chi, eich saethu chi, neu'ch torri chi 'da rasel, bwyell neu botel wedi torri. Roedd hi'n wyllt ac yn arw yno, ond os oeddech chi o gwmpas eich pethe ac yn gwbod y rheole – a dim gormod o'r rheiny – fe fyddech chi'n iawn. Dwi'n chware mewn llefydd fel hyn ers blynydde, er taw dim ond chydig sydd ar ôl y dyddie hyn oherwydd adloniant torfol jiwcbocsys, telesport a karaoke. Mae'r rhan fwya o'r cerddorion da wedi symud ymlaen neu wedi marw. Ond mae 'na lawer o gerddorion eraill sy wedi dal ati â'r traddodiad jazz yng Nghaerdydd ac o gwmpas de Cymru – fel y diweddar Geoff Palser, y chwaraewr trombôn; Eddie Williams, sy'n chware'r utgorn a'r banjo tenor; ac aelodau hen fand traddodiadol Mike Harries. Mae Wyn Lodwick a'i compadres o gwmpas Abertawe a Llanelli, sydd â chysylltiade â'r aelode sy'n dal yn fyw o fandie Ellington a Basie yn Efrog Newydd. Austin Davies a Ted Boyce hefyd – pianyddion da iawn, ac mae Bernard Harding a Dave Gill yn dod i gof. Ac mae 'na fandie fel yr Arcadians, The Midnight Special a'r Adamant Marching Band, sydd i gyd yn dal i chware yn arddull New Orleans. Andy Maule – gitarydd a chyfansoddwr ifanc disglair; a Billy Thompson – ffidlwr ifanc tan gamp sy nawr yn chware 'da Barbara Thompson a Jon Hiseman; Mario Conway, oedd yn bencampwr acordion y byd; Pino Palladino – gitarydd bas disglair sydd wedi chware 'da phawb ac wedi gwneud ei ffortiwn. A llawer arall eto sy'n gwneud yn siŵr na fydd llong jazz fyth yn suddo yn nocie Caerdydd.

* * *

Ym 1958, penderfynodd Trev Ford ffurfio band y felan. Roedd e wedi clywed Royston Jones – gitarydd jazz a ddysgodd ei grefft gan Billy Rowlands, fel ro'n i'n sôn. Esgyrn y band oedd Royston Jones ar y gitâr flaen a minne ar gitârs rhythm. Roedd gitâr drydan Hofner President 'da Royston, ac erbyn hyn ro'n i wedi cael hyd i soddgrwth Hoyer mawr ac wedi gosod trydan arno fe. Roedd amp 'da Roy ac roedd amp bychan 'da fi, wedi'i fenthyg gan ffrind o'r enw Pete Mower oedd yn dwlu ar jazz. Roedd basydd a drymiwr 'da ni, ond fel triawd bydden ni'n chware fel arfer, a Trev yn gwneud y gwaith 'gweiddi'. Bydden ni'n chware mewn tafarne neu glybie jazz yng Nghaerdydd a Chasnewydd yn ystod egwylie, ac yn chware mewn hops colegol hefyd.

Tua'r adeg hynny, ro'n ni wedi dod o hyd i dafarn fach dawel yn Union Street – un o'r myrdd o strydoedd cefen cul sy'n arwain o Queen Street. The Moulders Arms oedd enw'r dafarn hon a maes o law fe ddatblygodd i fod yn dafarn gerddoriaeth fwya poblogaidd Caerdydd. Y tro cynta aethon ni yno, dwy chwaer o'r enw Gomez oedd yn ei chadw hi, a hwythe'n hanu o Little Spanish Town yn nocie Caerdydd. Yn ddiweddarach, Arthur Jenkins a'i wraig, Aida, oedd yno – tafarnwyr adnabyddus yng Nghaerdydd. Roedd yno ddwy stafell yn y ffrynt, bar cyhoeddus a stafell ochor fach, ac yn y coridor a redai ochr yn ochr â'r stafell gefen fawr roedd piano unionsyth.

Daeth y Moulders yn gartre oddi cartre i artistied, beatniks, cerddorion, crwcs, drygis a phwdrod. Fe fydde 'na grŵp o slochwyr wastad yn y Moulders unrhyw adeg o'r dydd neu'r nos, ac aeth y parti yn ei flaen yn ddi-baid am flynydde. Hefyd, fe fydde cryn nifer o frawdoliaeth y troseddwyr yn dangos eu pigau yno, ac roedd rhywbeth i'w gael yn rhad bob amser – yn nwydde wedi'u dwgyd, contraband neu gyffurie. Bydde llawer o fois croendywyll a du yn mynychu'r Moulders; roedd y lle fel Cynghrair y Cenhedloedd. Yno, hefyd, y bydde'r Ymgyrch Ddiarfogi Niwclear yn cynnal eu cyfarfodydd, yn ogystal â grwpiau adain chwith eraill mwy radical. Ac roedd criw hollbresennol o led-athronwyr shibwchedd, barfog neu heb siafo, a beatniks dirfodol, cyffurllyd dan fantell cotie gwaith neu gotie dyffl wedi cwtsio at ei gilydd mewn cornel yn siarad â nhw'u hunen, a nhwthe fel arfer wedi cnapo ar speed, mariwana a lysh. Roedd bar cyhoeddus y Moulders yn swnllyd gan sgwrs, hel clecs a jôcs y bobol leol – trigolion tai teras Sioraidd bychain Union Street a'r cyffiniau, rhwng Queen Street a Bridge Street. Yn y dyddie hynny, roedd pobol yn byw mewn cymunede go iawn yng nghanol Caerdydd, a'r lle'n ferw. Erbyn heddiw, mae canol y ddinas yn farw ar ôl i helwyr tafarne'r hwyr a'r clybwyr nos fynd sha thre, os ân nhw fyth.

Pobol fawr dew, llond eu crwyn, oedd Arthur ac Aida Jenkins – yn gyfeillgar, yn agored ac yn hynaws â'u cwsmeriaid. Tafarnwyr go iawn, yn wahanol i'r bois rheoli sy fel 'sen nhw wedi cymryd drosodd gan y tafarnwyr heddiw. Roedd y Moulders yn dafarn ffwrdd-â-hi, ddiddorol. Ond, i fi, cerddoriaeth oedd yn gwneud y lle, ac roedd llond gwlad ohoni i'w chael; fe fydde pedwar neu bump o gitârs a banjos tu ôl i'r bar bob amser, ac os oedd y stafell ochor fach dan ei sang, bydde pobol yn symud i'r stafell gefen lle roedd y piano ac yn dechre sesiwn arall yno. Bydde'r dafarn yn shiglo i sain y felan, jazz a phob mathe o ganu gwerin, heb sôn am galypso'r Caribî a Bluebeat. Fel arfer, fe fydde gitârs tawelach yn chware yn y stafell ochor fach, a chyrn y jazzwyr traddodiadol yn rhechen jazz yn y cefen, nes ei bod hi'n fyddarol ac yn wyllt yno.

Roedd prynu a gwerthu mawr ar gyffurie yn y Moulders – amffetamin gan fwya, ond bod rhai o'r Caribïaid yn smoco mariwana, neu 'bush' neu 'ganja', fel bydden nhw'n ei alw fe. Bydden nhw'n gwerthu parseli bychain bach o 'bush', wedi'u lapio mewn papur brown, a'r rhain oedd y 'pound deals'. Roedd y mariwana hwn yn frown ei liw 'da lot o hade a brige mân ynddo fe. Roedd gwynt egr iawn arno fe ac roedd e'n gry iawn. Ond, yn anffodus, fe dynnodd y fasnach gyffurie sylw annifyr yr heddlu, a fydde'n difetha pethe braidd 'da'u cyrchoedd 'annisgwyl'. Yn sgil y cyrchoedd hyn, bydde pobol yn cael eu cipio i'r 'slammer' yn swyddfa ganolog yr heddlu yn y Ganolfan Ddinesig. Fel arfer, pobol groendywyll fydde'n cael eu llusgo bant; roedd cryn dipyn o ragfarn hiliol agored yng Nghaerdydd y dyddie hynny, ac roedd mariwana wastad yn cael ei gysylltu â phobol dduon neu groendywyll. Falle bod y pwere oedd ohoni'n credu taw dim ond pobol dduon oedd yn ei smoco fe, ond roedden nhw mhell ohoni.

Bydde ambell i surbwch a hen gingroen yn gwerthu mariwana ffug, ac fe weles i werthu cymysgedd stwffin saets a winwns, a pherlysie coginio cymysg wedi'u sychu, a hyd yn oed bersli wedi'i sychu, fel mariwana. Roedd y fargen yn digwydd mor ddirgel a chudd fel ei bod hi'n hawdd sleifio parsel ffug i law darpar smocwyr pot gorawyddus a dibrofiad. Erbyn iddyn nhw 'i rowlio fe, doedd dim golwg o'r un euog; mae'n rhaid bod rhai o fois y docie wedi gwneud eu celc fel hyn. Bydde rhai pobol ro'n i'n nabod yn 'torri' mariwana go iawn 'da pherlysie cymysg, neu hyd yn oed ddail wedi'u sychu, gan chwyddo maint 'y pecyn' ddwywaith neu deirgwaith, a chan chwyddo'u helw 'run ffordd. Roedd hyn yn fwy anodd i'w ganfod achos roedd y gwynt iawn arno fe o'i smoco, ond ei fod e'n wannach, wrth gwrs. Ond roedd rhai mathe o 'bush', fel 'Congo Matadi', 'Durban Poison', neu unrhyw 'bush' o ranbarthe'r cyhydedd, yn rhy gry i smoco llawer ohono fe. Byddech chi'n ei roi e mewn joint (sigarét rowlio), a chymryd dim ond un neu ddau bwffiad – roedd hynny'n ddigon. Ond ro'n i'n nabod rhai pobol oedd yn smoco fel dynion hysbys Nigeria. Mae'r corff yn magu cynefindra.

Mae rhai'n dweud nad ych chi'n mynd yn gaeth i fariwana, ond dwi'n anghytuno'n llwyr: dwi'n nabod pŵer o bobol sy ddim yn gallu gwneud heb eu smôc bach o 'bush'. Wedi dweud hynny, dwi ddim yn credu bod mariwana'n fygythiad mawr i gymdeithas 'wâr'. Mae e'n cael ei smoco dan do, ac ymysg ffrindie, ac mae'r effeithie'n tawelu, a rhai pobol jyst yn mynd i gysgu; mae e'n lles i wynegon ac i rwymdra hefyd.

Ychydig iawn o hashish oedd i'w gael y dyddie hynny yn niwedd y pumdege, a doedd dim llawer o bobol yn smoco mariwana chwaith – ar y cyfan roedd e wedi'i gyfyngu i bobol groendywyll neu dduon, ac roedd e'n gyffredin ac yn dderbyniol yn eu cymdeithase ethnig nhw. Felly hefyd rai o'r cerddorion jazz, y *beatniks* a'r myfyrwyr celf. Roedd hi mhell o fod yn broblem gymdeithasol bryd 'ny a doedd hi ddim yn haeddu'r sylw hysterig roedd hi'n ei ddenu gan yr awdurdode a'r heddlu. Doedd dim problem 'da fi ar y pryd achos do'n i ddim yn ei smoco, a do'n i ddim ynghlwm ag e mewn unrhyw ffordd. Ro'n i'n dal yn wyryf a chware'r gitâr oedd fy ngwefr fawr i, ond buan y deuai tro ar fyd.

Un noson, ro'n i yn y Moulders, yn chware gitâr 'da dau neu dri cherddor arall, a phwy gerddodd drwy'r drws ond Mike Harries, arweinydd y Number Seven Club Band, ac roedd dau aelod arall o'r band gyda fe. Fe godon nhw beint ac iste lawr gyferbyn â fi, yn gwrando ar y gerddoriaeth ac yn ein gwylio ni. Ro'n i'n nabod chwaraewr banjo y band yn iawn – Iddew o'r enw Lyn Saunders, a fydde'n dod i'r Moulders ambell waith. Ar ôl sbel, daeth Harries draw a gofyn i fi o'n i'n gallu chware'r banjo.

"Ydw," medde fi. "Mae hen fanjo 'da fi gartre yn Solfach ers o'n i'n ddim o beth – yn perthyn i'n Wncwl Walter, ddaeth ag e gartre o'r môr. O New Orleans, siŵr o fod."

"O. Odi fe 'da ti?" gofynnodd Harries.

"Na. Gartre mae e, ac isie'i gwiro." Doedd dim tanne arno, na phont, ac roedd y pegie cyweirio ar goll byth ers i fi gael hyd iddo fe dan bentwr o ffrwcs yn nhaflod Harbour House – ond banjo go iawn oedd e serch hynny. Dwedodd Harries wrtha i fod Saunders yn gadael y band ac yn mynd i Lunden i ymuno â band proffesiynol, a bod angen chwaraewr banjo newydd yn ei le fe. Roedd Saunders wedi f'argymell i.

"Allet ti ddod i Undeb y Myfyrwyr yn y brifysgol nos Sadwrn nesa? Byddwn ni'n whare'r Medics hop. Dere am glyweliad."

Pan ddwedes i wrth Trev, dwedodd e rwbeth fel 'se'n well i fi beidio ag ymhél â'r bobol jazz 'ny, nad oedden nhw'n ddim ond ffugwyr, yn sgut am arian. Dwedes i y bydde 'na ddwy gig reolaidd fydde'n talu, ar nosweithie Mercher a Sadwrn, a gigie eraill lle byddwn i'n ennill pedair punt a chweugen nad oedd ddim 'da fi nawr, ac, ar ben hynny, na fyddwn i ddim gwaeth o'r profiad o chware 'da band lled-broffesiynol. Ro'n i'n gwbod bod Trev yn cwyno am reswm ta beth, achos er ei fod e wedi gwerthu peintiad haniaethol anferth i Harries i'w grogi yn ei dŷ newydd yng Ngwenfô (myfyriwr pensaernïaeth newydd raddio oedd Harries), roedd e wedi'i wahardd o'r clwb jazz am ymddygiad anwaraidd. Roedd bois Casnewydd yn codi cwffast byth a hefyd, ac wrth eu bodd 'da sgarmes dda.

Aethon ni i'r gig yn Undeb y Myfyrwyr ar y nos Sadwrn, ac fe ymunes i â'r band am ddwy neu dair cân ro'n i'n eu gwbod yn iawn. Chwaraeais i fanjo Lyn Saunders – Maybelle hardd, oedd wedi'i wneud yn America yn ystod y dauddege. Daeth Harries ata i ar ddiwedd y gig a dweud y cawn i'r swydd os allwn i fforddio prynu banjo. Roedd siop ail-law o'r enw Grimwades yn Nhreganna – maestref wedi mynd â'i phen iddi yng ngorllewin y ddinas – ac ro'n i wedi gweld offerynne cerdd, gan gynnwys hen fanjos, yn y ffenest. Dwedes i wrth Harries y gallwn i gael banjo erbyn y nos Fercher wedyn, ac y cwrddwn i ag e yn y clwb jazz.

Roedd 'na foi oedd yn nafel arna i ers talwm i brynu fy ngitâr Hoyer – yr unig beth oedd 'da fi ar f'elw. Ces i hyd iddo fe ym mar coffi'r Kardomah a tharo bargen am ddecpunt. Yn ddiweddarach, yn Grimwades of Canton, fe ges i weld dewis o hen fanjos G. Banjo tenor oedd ei angen arna i mewn gwirionedd er mwyn chware mewn band jazz New Orleans, ond doedd dim un felly i'w gael er i fi chwilota drwy holl siope ail-law y ddinas. Es i 'nôl i Grimwades, a phrynu hen banjo G Windsor Seisnig, wedi'i wneud yn Birmingham, ac a gostiodd saith punt a chweugen i fi. Roedd angen croen newydd arno, gan fod yr un oedd ganddo wedi rhwygo tamed bach, a hyn yn golygu nad oedd e mor uchel ag y dyle fe fod ac na fydde fe'n canu fel mae banjos da. Prynes i set newydd o danne a chroen o Hendersons – siop gerdd yn y Wyndham Arcade – a'i chychwyn hi am y Moulders 'da arian mân yn fy mhoced.

Pan gyrhaeddes i, roedd y lle'n wag. Hanner awr wedi un ar ddeg y bore oedd hi ac fe ddylswn i fod yn y coleg. Gofynnes i Arthur am gael benthyg powlen olchi llestri i fwydo pen croen llo y banjo mewn dŵr, ac roedd e'n barod ei gymwynas. "Unrhyw beth i'r bois cerdd," medde fe dan wenu. I'r stafell gefen â fi a thynnu'r cylch oddi ar y banjo trwy ddatod sgriws yr ysgwydd 'da sbaner fach, ac yna tynnu'r croen a rwygwyd. Roedd y croen llo newydd yn mwydo'n bert yn y bowlen o ddŵr, felly 'nôl â fi i'r stafell ochor fach i gwpla 'nghwrw. Daeth un neu ddau i mewn ac ro'n nhw'n falch o glywed 'mod i wedi cael swydd 'da band Harries. Adawes i'r croen i fwydo am awr neu ddwy, ac wedyn ei osod e'n wlyb a thynhau'r ysgwydde'n llac o gwmpas y cylch pres oedd o gwmpas pen y banjo, gan ddala a thynhau'r pen croen llo yr un pryd.

Pan ddes i 'nôl drannoeth, amser cinio dydd Mawrth, roedd y croen yn ddigon sych i'w dynhau. Gosodes i'r tanne newydd a'u cyweirio. Roedd y banjo yn swno'n grêt, ac mi ddylse fe hefyd gan ei fod e'n Windsor hen iawn, wedi'i wneud, yn ôl pob tebyg, tua 1930. Bydde banjo fel'ny'n costu mil neu ddwy y dyddie hyn. A'r noson honno, chwaraeais i 'da'r cerddorion 'sesiwn' eraill yn y Moulders. Roedd pawb yn meddwl ei fod e'n grêt, ond ro'n i'n gweld colled ar ôl fy hen gitâr. Mae gitârs yn fwy amlochrog o lawer na banjos, a doeddwn i ddim yn dwlu ar y sain chwaith.

Fe gyrhaeddes i'r Number Seven Club fel ro'n ni wedi trefnu. Roedd Harries a'r band yno, a doedd dim angen cyflwyno'n hunen – ro'n i'n eu nabod nhw i gyd o ran sgwrsio â nhw, ac roedden ni wedi yfed 'da'n gilydd yn amal yn nhafarn yr Old Arcade. Dangoses i'r banjo i Harries ac roedd e braidd yn siomedig nad o'n i wedi cael banjo tenor. Dwedes i stori'r banjo wrtho fe, a phan glywodd e'r offeryn, fe ddwedodd ei fod e'n lico'r sain ond y dylwn i ddal i chwilio am denor, gan ei fod e'n dishgwl yn fwy dilys mewn band jazz traddodiadol – digon teg, sbo. Aeth y gig yn dda a ches i lond gwlad o longyfarchiade a churo cefen 'da aelode'r clwb. Fi oedd aelod ienga'r band o bell ffordd – do'n i ond yn ddwy ar bymtheg oed, ac yn edrych yn debycach i bymtheg. Dwedodd Harries y bydde'n rhaid i fi wisgo iwnifform y band, sef gwasgod ddu, trowsus, tei bô a hat galed! Rhaid 'mod i'n dishgwl fel ffŵl – siaced ledr ddu shibwchedd fydde 'da fi fel arfer gyda jîns tyn a chrys-T neu jymper wlân. Ond dyma 'mlas cynta i ar *showbiz*, felly roedd yn rhaid i fi chware'r gêm; roedd dawnsfeydd gwisg ffansi wrth fodd 'nghalon i rioed ta beth 'ny!

Ar ôl y gig, aeth y band i gyd i dŷ bwyta'r Dorothy yn Caroline Street am gyrri. Roedd hyn yn rhan o'r drefn ar nosweithiau Mercher a Sadwrn: fe fydden ni'n cwrdd yn yr Old Arcade tua saith y nos, peint neu ddau o Brains S.A., siarad am gerddoriaeth jazz (beth arall?!), gwneud y gig, cael ein talu, ac wedyn cerdded lawr St Mary Street i dŷ bwyta'r Dorothy yn Caroline Street am gyrri anferth oedd yn costio pedwar swllt. Jolihoetian oedd hyn i fi, a'r unig broblem oedd bod y bysys yn rhoi'r gore i redeg yn eitha cynnar y dyddie hynny a minne'n gorfod cerdded tair neu bedair milltir yn ôl i Riwbeina. Bydde'n rhaid i fi gael llety'n nes i'r dre. Felly 'nôl â fi at dudalenne llety'r *South Wales Echo* – a bingo! – stafell yn Tewkesbury Street, Cathays, am dair punt yr wthnos a brecwast a chinio nos yn y fargen.

Gyrrwr craenie yng ngwaith dur East Moors oedd y landlord. Roedd y tŷ drws nesa i gartre un o fêts Trev, Dennis Cummins, oedd hefyd yn fyfyriwr Celf, a bydde'i fam e – pladres o fenyw siriol – yn achub ar bob cyfle i'n llwytho ni â chylffie o deisen ffrwythe flasus. Ambell waith, fe fydde hi hyd yn oed yn ei hestyn hi dros wal yr ardd i fy landledi, a doedd hi ddim yn annhebyg i ferched y *Red Cross* yn bwydo ffoaduried ar eu cythlwng.

Aeth bywyd yn ei flaen fel arfer: parêd diddiwedd o ddalenni papur hanner imperial, peintie, sercol, dosbarthiade llunie byw, penseli a phlatie sgythru sinc. Roedd chware 'da'r band yn dda hefyd; roedd y bŵm mewn bandie jazz traddodiadol wedi dod yn beth mawr, ac roedden ni'n cael llawer mwy o waith. Roedd 'da fi hyd yn oed *groupies*, fydde'n dilyn y band o'r naill gig i'r nesa ac a fydde'n dod i'r Number Seven Club yn selog i bopio ar hyd y nos. Fe fues i'n canlyn sawl merch o'r clwb jazz; fi oedd yr ienga o bell ffordd yn y band ac roedd y cerddorion eraill i gyd yn briod, felly dim ond fi oedd ar gael.

Roedd y jazzmyn yn smoco pibe ac yn gwisgo siacedi melfaréd a thrywsuse brethyn 'da sgidie swêd, tra o'n inne mor amlwg â llaid ar farch gwyn yn fy rhacsie *beatnik*. Yn ystod fy nghyfnod 'da band Mike Harries, ces gyfle i gwrdd â chryn dipyn o chwaraewyr jazz enwog. Ni oedd y band enwoca ac, allech chi ddadle, y gore o ran 'i sain yn Ne Cymru, a phan fydde bandie enwog o America neu Loegr yn dod i chware yng Nghaerdydd, ni oedd yn cefnogi bob amser. Fe gefnogon ni'r rhan fwya o fandie mawr Prydain: Humphrey Lyttleton, Chris Barber, Acker Bilk, Terry Lightfoot ayyb. A bandie New Orleans go-iawn hefyd fel George Lewis (arwr Harries), Sister Rosetta Tharpe – a lofnododd groen fy banjo a dweud wrtha i 'sen i ddim yn rhoi'r gore i yfed y bydde fy afu'n ffrwydro erbyn mod i'n un ar hugen oed! Nath e ddim; roedd e'n brofiad grêt ac fe ddysges i grugyn o gerddoriaeth a chordie newydd, ac mae llawer ohonyn nhw i'w dysgu os chi moyn chware cerddoriaeth jazz.

* * *

Fe fydde'r Coleg Celf yn ein hannog ni i ymweld â chynifer o oriele celf ag y gallen ni ac roedden nhw'n dweud wrthon ni lle roedd y llunie 'mawr' yn crogi. Ro'n i wrth fy modd yn mynd i oriele'r Tate a'r National, y Louvre ac oriele ym Madrid a Barcelona. Byddwn i'n bodio i bobman. Roedd hi'n hawdd y dyddie hynny – bydde unrhyw un o lorris gwasanaeth ffyrdd British Leyland yn rhoi pàs i chi. Fe fydde'r lorris yn teithio liw nos fel arfer, felly byddwn i'n mynd lawr i'r parcie lorris ac yn tynnu sgwrs â'r gyrwyr fydde'n dweud wrtha i pa lorris oedd yn mynd lle ro'n ni moyn teithio. Roedd y gyrwyr yn falch o gael rhywun i dynnu sgwrs â nhw, er bod yr hen lorris 'na'n anhygoel o swnllyd â'r motor wedi'i osod trwy'r cab. Roedd dyn yn gryg erbyn cyrraedd Llunden. Yn aml, fe fydden ni'n cymryd *speed* i'n cadw ni ar ddi-hun.

Roedd cryts y diawl ar yr hewl pryd'ny, a'r rhan fwya ohonyn nhw'n bodio o ran hwyl, fel 'sen nhw moyn teithio; bois *beatnik* a bohemaidd oedden nhw gan fwya fydde'n mynd i gwrdd â *beatniks* eraill yn y clybie jazz ar hyd a lled Prydain. Roedd St Ives hefyd yn denu myfyrwyr Celf a *beatniks*, a bydde llawer o bobol ro'n i'n eu nabod yn mynd i Ddyfnaint a Chernyw i weithio mewn gwestai yn ystod yr haf.

I heulwen Solfach y byddwn i'n ei throi hi, wrth gwrs – i weithio ar ffermydd, yn codi tato neu ar y cynhaea. Byddwn i'n pysgota llawer hefyd ac yn treulio llawer o amser lawr ar y cei neu ar lan y môr. Ond teithio oedd yn mynd â bryd y bohemiaid ifanc. Roedd llefydd tramor a phellennig eraill yn galw: Sbaen, Majorca, Ibiza, Formentera, Gwlad Groeg a'r Eidal.

Roedd Trev wedi cael gohirio'i gyfnod yn y Gwasanaeth Cenedlaethol nes iddo fe gwpla'i astudiaethe. Roedd e ar ei flwyddyn derfynol yn stiwdio beintio Malthouse, ond heb fod yn tynnu mlaen 'da'r tiwtoried o gwbwl. A dweud y gwir, fe gafodd e 'i dowlu mas hanner ffordd drwy'i flwyddyn ola, ar gyhuddiad celwyddog o ddwgyd cyllell balet o'r stafell lithograffeg. Fel ro'n i'n sôn, roedd Trev yn peintio llunie haniaethol anferth, a bydde'r gyllell balet fawr, lydan oedd yn cael ei defnyddio yn y stafell litho i'r dim iddo fe daenu ystode gwaedlyd trwchus o liw cysefin.

Y gwir amdani oedd bod Trev yn ddylanwad anwaraidd ac yn godwr twrw. Ac fe fydde fe wastad yn taro ar ryw fath o esgus adain chwith sosialaidd dros ei ymddygiad anghymdeithasol; fe ddylanwadodd e'n bendant ar gryn nifer o fyfyrwyr oedd yn hanu, gan fwya, o gefndir diwydiannol glofaol ac oedd yn berwi o bropaganda'r chwith ta beth 'ny. Ro'n i'n ame gosodiade Trev, ac, a minne wedi bod ynghlwm â gwleidyddiaeth leol gartre yng nghangen Solfach o Urdd Ieuenctid Llafur, fe wyddwn i fwy neu lai sut roedd gwleidyddiaeth plaid yn gweithio ar lefel is!

Roedd Trev yn boendod i'r coleg ac, yn anochel, fe benderfynodd y pwere oedd ohoni eu bod nhw wedi cael llond bola arno fe. Ond roedd pawb yn meddwl ei fod e'n hen gast cas ar ran y prifathro, J C Tarr. Heb gyfleustere'r coleg, fe fydde fe'n ei chael hi'n anodd iawn cwpla'r cwrs; oherwydd maint ei gynfase roedd stiwdio'n hanfodol, ac alle fe byth â pheintio gartre. Ond roedd gan Trev rywbeth i fyny'i lawes, fel arfer; aeth e draw i Gasnewydd i'r Coleg Celf a chael gair â Tom Rathmell, tiwtor yno oedd yn tueddu i ochri 'da'r myfyrwyr, ac a fydde fe'n yfed 'da ni ambell waith yn y Tredegar Arms a'r Murrenger yng Nghasnewydd. Achubodd Rathmell groen Trev trwy roi lle iddo fe yn un o'r stiwdios peintio yng Nghasnewydd. Ond alle Trev yn ei fyw ddim pwyllo a gwneud pethe 'run fath â phawb arall. Cafodd e hyd i hen stiwdio mewn hen adeilad diwydiannol ar bwys tafarn y Windsor Castle. Lle diwydiannol oedd e flynydde ynghynt – ffowndri falle – ac fe symudodd e i mewn 'dag un arall o'n ffrindie ni, Ozzy Osmond, oedd hefyd yn ei flwyddyn ola o beintio. Roedd y stiwdio yma bron fel gefaill i 'Stiwdio'r Queens' yng Nghaerdydd.

Gan fod Trev yng Nghasnewydd, ro'n innne'n treulio tipyn o amser yno: yn y Tredegar Arms ar bwys yr orsaf, gan fwya – y gwesty lle priododd fy mam â James Erskine ugen mlynedd ynghynt; a'r New Found Out – tŷ seidir gwaetha'r byd. Roedd y dafarn yma ar bwys yr orsaf drene hefyd, a stafell hir, gul oedd hi lle roedd hen gasgenni seidir mawr. Doedd dim celfi yno, ac os oeddech chi moyn iste, roedd yn rhaid i chi wneud hynny ar gratie cwrw neu ar y styllod pren roedd y cratie cwrw'n eu cynnal. Meddwon oedd yn cysgu rywsut-rywsut oedd y *clientele* gan fwya, a hen bobol ffwndrus o'r tloty lleol. Roedd Trev wrth ei fodd yn sgwrsio 'da'r hen bobol, ac yn credu 'i fod e'n lle diddorol; ro'n inne'n credu 'i fod e'n dwll yn y gwaelodion isa weles i rioed – ond dim ond deg ceiniog y peint oedd y seidir, ac roedd e'n gry. Fe fydden ni'n chware 'na ambell waith, a'r hen feddwon wrth eu bodde ac yn dechre dawnso – oedd yn ddigri dros ben. Y meddwon hen a llegach hyn yn hopian lan a lawr yn eu cotie mawr carpiog a'u sgidie wedi gwisgo, heb lasys. Digrifach na Charlie Chaplin, a golygfa lawn pathos.

Doedd dim ots 'da'r landlord beth oedd yn digwydd yn y New Found

Out; doedd dim byd i'w falu, a dim ffenestri i'w torri – tam' bach fel cell feddal 'da bar, a'r cwsmeried wedi'u llonyddu 'da seidir – dyna'r New Found Out i chi. Wrth gwrs, mae'r lle 'na wedi cau ers blynydde, ond mae'r adeilad ar ei draed byth, a bar gwin bach trwynsur oedd e y tro dwetha bues i yno. Bydd rhaid i fi wisgo 'nghrys-T '*Leave low dives alone*' yn amlach! '*Low down divas*' hefyd!

Bydde Trev ac Ozzy lan yn y stiwdio yng Nghasnewydd bron bob amser, yn peintio fel lladd nadredd ac yn trial gwneud iawn am yr amser oedd wedi'i fradu yn meddwi ar hyd a lled De Cymru, yn y clybie Jazz neu yn y gwely 'da rhai o'r merched ifanc pert oedd mor hael 'da'u ffafre. Unweth eto, roedd Trev yn cael probleme 'da'i landlord – oedd, y tro hwn, yn un o hoelion wyth dosbarth gweithiol Casnewydd, ac a oedd byth a hefyd yn mynnu'i rent, oedd yn ddim ond dwy bunt a chweugain yr wthnos, ond doedd e ddim gyda Trev. Bydde fe fel arfer wedi'i wario ar gwrw a seidir. Doedd dim arian 'da neb ohonon ni fyth, a Trevor yn anad neb, a byddwn i'n ei 'noddi' fe 'da 'nghyflog band jazz.

Doedd grŵp y felan ddim yn brysur iawn – a dweud y gwir, roedd e wedi llithro 'nôl i gynnal sesiyne mewn tafarne. Cafodd Trev gig i ni yn nawns gelf Casnewydd, a ni oedd yr ail fand, yn cefnogi Castle City Jazzmen Keith Jenkins. Pan gyrhaeddes i ar gyfer y gig yn y coleg – 'da'r banjo gan nad o'n i wedi trafferthu prynu gitâr arall – roedd Trev yno o 'mlaen i, ac yn feddw fel arfer.

"Lle ma'r bois?" medde fi – gan feddwl am weddill y band.

"Dim ond ti a fi sy i gal," medde Trev. "Rannwn ni'r arian – pymtheg punt – hanner a hanner."

A dyna sut chwaraeon ni'r noswaith 'ny, Trev yn 'gweiddi' a finne'n gwneud fy ngore i swnio fel band ar fanjo unig. Roedd pawb yn dawnso trwy'r trwch a neb fel 'sen nhw'n sylwi ar natur foel y band – chi'n gwbod: dim drymie, dim bas a dim gitâr drydan! Fe gafon ni'n arian, a'i bachu hi i'r stiwdio yn llwythog o fflagenni a chrotesi. Fi'n credu i Ozzy Osmond chware'r organ geg y noson honno hefyd. Bach o wahaniaeth oedd e'n neud i'r sain, ond roedd e'n dishgwl yn well – gwell tri artist meddw na dau, am wn i.

Roedd hen biano yn y stiwdio, a Trevor wedi rhoi cynnig droeon ar ei bônio, ond er bod prynwyr posib wedi galw i'w weld e, y gred gyffredinol oedd ei fod e wedi mynd i'r cŵn a'r brain. Un noswaith, hyrddiodd Trev i mewn drwy ddrysau'r Tredegar Arms (neu 'The TA' i ni) wedi gwylltu. "Mae'r bastard wedi dwgyd fy llunie i!" sgrechiodd. Erbyn deall, ar ôl i ni 'i dawelu fe, roedd y landlord wedi mynd draw i'r stiwdio i moyn ei rent dyledus – tua phymtheg punt – ac wedi mynd â rhai o'r llunie fel gwystlon. Roedd e wedi rhoi cynnig ar symud y piano hefyd, ac fe gafon nhw e ar waelod y rhes o risie top.

Cafodd Trev 'syniad gwych' arall, felly fe lusgon ni'r piano druan – a Trev, fel y gaffer, yn bloeddio, "Watsiwch y ffycin veneer!" – a'i symud 'nôl lan i'r stiwdio. Mas â morthwyl a hoelion chwe modfedd, a hoeliodd Trev y piano i'r llawr a chau'r drws i'r stâr. "Paid â becso – fi wedi ffindo ffordd arall mas," medde fe, a dangos ffenest mewn stafell arall i mi, a phwyntio at y ddihangfa dân. A dyna pryd y gwawriodd hi arna i nad oedd Trev erioed wedi bwriadu talu'r rhent, a rhaid bod arno fe hanner can punt i'r landlord. Does ryfedd ei fod e'n grac.

Wedyn, un diwrnod, pan oedden ni'n mynd heibio i ddrws ffrynt yr adeilad, dyna lle roedd y piano, yn amlwg yn aros i gael ei gasglu. "Y bastard!" medde Trev. "Cer draw i'r Windsor Castle i nôl rhai o'r bois i roi help llaw i ni." A 'da chryn drafferth, dyma ni'n llusgo, tynnu a gwthio'r piano lan y pedwar rhes o risie i'r stiwdio, oedd erbyn hyn yn ddim byd ond cragen wag. Roedd y soffa wedi mynd, a hyd yn oed hen fatres a dyrned o gynfase peintio heb eu cwpla.

Diflannodd Trev eto, a dod yn ei ôl 'da morthwyl, hoelion chwe modfedd a phump o lafurwyr Gwyddelig yn cario bwcedi o goncrid. Dyma faricedio'r drws eto a hoelio'r piano i'r llawr ac arllwys y concrit i mewn iddo. Aethon ni i'r dafarn wedi cael hwyl arni.

Beth amser yn ddiweddarach, cafodd Trev wŷs i adael yr adeilad, ar boen cael ei ddwyn o flaen ei well a'i erlyn. Mynd fu'n rhaid iddo yn y diwedd.

Roedden ni yn y New Found Out un diwrnod pan ddaeth Trev i mewn a dweud, "Dere mla'n, Cuntucks." Dyna un o'r teitle roedd e wedi'u rhoi i fi. "Ni'n cal gwared â'r piano." Ro'n i'n dwlu ar bianos – am i mi gael fy magu 'dag un yn y tŷ, mae'n debyg – ac roedd y ffordd roedd Trevor wedi trin y truan bach yma'n greulon. Y tu allan i'r dafarn, roedd un o'r certi llaw pren fydde masnachwyr stryd yn eu defnyddio – y rheiny ag olwynion cert mawr. Beth nesa? I'r stiwdio â ni 'da throsol a gefel. Fe dynnon ni'r hoelion chwe modfedd a, 'da chryn dipyn o drafferth, dyma'r piano llawn concrid yn bwrw'r stryd ac yn cael ei lywio ar y cert 'da'r bois o'r Rothsay Castle. "Diodydd i bawb sy'n rhoi help llaw!" medde Trev. Fe wthion ni'r piano trwy strydoedd Casnewydd, â thyrfa eitha mawr o bobol chwilfrydig a rhai oedd yn ein nabod ni yn ein dilyn ni lan at y bont fawr dros afon Wysg ar bwys y castell, ac yno, 'da chryn drafferth a "Gwthiwch!" fe gafodd y piano ei foelyd dros y canllaw i'r afon 'da sblash anferthol. Bonllefe mawr, a Trevor yn cadw'i air ac yn ein harwain ni at y New Found Out lle cododd e rownd i bawb – ond taw fi dalodd. 'Duw fendithio jazz!' meddylies inne.

Cafon ni ein hunain mewn helbulon rif y gwlith – gormod i mi ddechre sôn amdanyn nhw i gyd.

Fe fydde Trev wastad yn fy llusgo i i bartïon crand, ac yn meddiannu'r gegin yn orie mân y bore ac yn cwcan pryde anferth o fwyd ar draul rhieni'r merched fydde'n cynnal y partïon. Rhaid bod galwyni o bort da, *Cognac*, *Claret* a *Burgundy* wedi mynd lawr y lôn goch y pryd 'ny. Yr unig win oedd yn cael ei werthu yn y tafarne y bydden ni'n mynd iddyn nhw oedd gwin V.P. – nid gwin go-iawn o gwbwl, ond cawdel tebyg i *sherry*, llawn ethylalcohol, y byddai tramps neu wragedd tŷ alcoholig yn ei yfed. B.V.P. oedd ei enw fe go-iawn – 'British Vine Products'. Go brin bod dim byd ynddo fe wedi gweld 'run winwydden! 'Se hi'n dod i hynny, dyw seidir masnachol modern erioed wedi gweld afal chwaith.

Ta beth, penderfynodd Trev ei fod e moyn mynd i Solfach cyn i'r fyddin ei lyncu fe, ac fe benderfynon ni ar benwythnos. Roedden ni wedi cael gwahoddiad i barti rhent myfyrwyr yn Partridge Road, a'r bwriad oedd bodio draw i'r gorllewin yn syth ar ôl y parti hwnnw, ar doriad gwawr. Parti dewch-â'ch-potel-eich-hun oedd e, a'i diwedd hi oedd bod pawb yn mynd fesul dau. Lapswchan ar lawr y tŷ oedd ein hanes ni i gyd – pobol ym mhobman, a môr o lapswchwyr ar lawr pob stafell, a hyd yn oed ar y stâr. Rhaid bod y lysh wedi rhedeg mas yn gynnar. Fel roedd y tywyllwch yn y ffenest yn troi'n wyrddlas gole hyfryd ar doriad gwawr, es i chwilio am Trev a'i gael e mewn stafell wely 'da un o ferched y clwb jazz ro'n i'n gwbod ei bod hi'n ddisgybl yn Cardiff High School for Girls.

Mas â ni ar yr hewl i Culverhouse Cross, a hithe'n gynnar fore Sadwrn. Dechreuodd lawio a do'n ni ddim yn cael fawr o hwyl yn cael pàs. A dweud y gwir, fe gymeron ni bump awr i gyrraedd Abertawe, ac roedden ni wedi danto ac yn wlyb at ein crwyn. Daethon ni o hyd i dafarn o'r enw'r Adam and Eve. A dyma fynd i'r stafell gefen lle roedd gwresogydd i gael. Fe godon ni beint neu ddau a sylwodd y landlord ar y banjo a gofyn i fi roi tonc. "Chwaraea i os cawn ni sychu'n dillad ar eich *radiator* chi," meddwn i, a chyn pen dim roedden ni wedi tynnu'n dillad a'u rhoi nhw ar y gwresogydd, ac roedden ni'n iste mewn cornel yn canu nerth esgyrn ein penne, wedi'n lapio mewn tywelion roddodd y landledi i ni. Arhoson ni yno drwy'r nos yn meddwi'n braf – yn rhad ac am ddim.

"Bydd rhaid i ni fynd i swyddfa'r heddlu nawr," medde Trev, ar ôl sbel.

"I be?" meddwn i.

"I gael 'bach o gwsg a brecwast," medde Trev.

A chyn pen dim, dyna lle roedden ni, yn swatio yn swyddfa heddlu ganolog Abertawe, oedd bron drws nesa i'r Coleg Celf yn y dyddie hynny. Fe gafon ni fwgaid o de a bîns ar dôst i frecwast a'i chychwyn hi am West Cross tua chwech y bore. Roedden ni'n fwy lwcus y diwrnod hwnnw – falle bod gan bobol fwy o gydymdeimlad ar ddydd Sul – a chyrhaeddon ni

Solfach ddiwedd y prynhawn.

Cwrddodd Trev â Mam a Bet, fy mam iawn, ac fe gafon ni jygaid neu ddau yn y Bay a'r Ship a chware 'm bach o gerddoriaeth. Tynnodd Trev fraslunie o'r porthladd. Roedd pawb yn falch o'n gweld ni ac fe gafon ni hwyl fawr dros y Sul.

Ar y ffordd nôl, roedden ni yn Abertawe eto, a dyma benderfynu mynd i dafarn myfyrwyr Celf o'r enw The King's Arms ar y stryd fawr. Roedden ni yng ngolwg y dafarn pan dynnodd Trev fi i ddrws. "Co," medde fe. "Y pishys 'na o'r parti." Ac yn wir, dyna lle roedd y ferch o Cardiff High School a'i ffrind yn brysio i mewn i'r Kings Arms. Heglodd Trevor hi i'r cyfeiriad arall ac, yn ddiweddarach, fe gyrhaeddon ni Gaerdydd a gwahanu.

Pan es i'r coleg drannoeth, ces i 'ngalw i swyddfa'r prifathro a dwedodd wrtha i fod yr heddlu wedi bod yno'n chwilio amdana i a bod yn rhaid i fi fynd i swyddfa heddlu Clifton Street. Allwn i yn fy myw feddwl am beth allai hyn fod, ac ro'n i'n ffaelu cofio torri'r gyfraith – falle 'mod i wedi gwneud heb yn wybod i mi, neu 'i fod e'n rhywbeth arall nad o'n i'n gwbod dim amdano fe. Beth alle fe fod? Ro'n i'n becso, a dyn pryderus gano gân bryderus.

Roedd yr heddlu'n llym iawn 'da fi a do'n i'n ffaelu deall pam. Ro'n nhw moyn gwbod lle bues i dros y Sul, a 'da phwy o'n i. Roedd rhywbeth pur ddifrifol yn bod, mae'n amlwg, a wyddwn i ddim beth oedd e, felly rhaid 'mod i'n ddieuog. 'Fydda i'n gadno fan hyn,' meddylies. Fe ddwedes i wrthyn nhw taw yn Solfach fues i dros y Sul a sonies i 'run gair am Trevor. Yn ddiweddarach, fe ddealles i bod dwy ferch dan oed oedd yn yr un parti â ni nos Wener wedi'i bachu hi oddi cartre. Dyna'r ddwy ferch roedden ni wedi'u hosgoi yn Abertawe ar ein ffordd 'nôl, a gwyddwn i o'r gore fod Trev wedi bod 'da un ohonyn nhw dros nos. O'r diwedd, ces i fynd, ar ôl darlith am y cosbe alle rhywun gael am gael cyfathrach 'da merched dan un ar bymtheg oed. Roedd un o'r merched wedi 'ngollwng i yn y cawl trwy ddweud wrth y glas taw 'da fi roedd hi! Roedd merched eraill wedi gwneud hyn o'r blaen, am 'mod i'n y band, a bydden nhw'n dweud wrth eu rhieni, (roedd rhai ohonyn nhw'n fy nabod i) a hwythe'n meddwl eu bod nhw'n mynd i'r clwb jazz 'da fi. Achos 'mod i yn y band, am wn i bod y rhieni'n meddwl ei bod hi'n ddiogel i'w merched nhw aros mas yn hwyr. Roedd y ferch arall wedi gwneud hyn o'r blaen, a hi oedd wedi ngollwng i yn y cach. Dwi'n cofio'i thad hi – gweithiwr dur o Sblot – yn dod lawr i'r clwb i chwilio amdana i a'i ferch. Doedd a wnelo fi ddiawl o ddim erioed â'i ferch e, oedd yn gyw *beatnik*, ac yn dipyn o lodes ddi-ddal – ac felly mae hi byth! Ta waeth!

* * *

Yn ddiweddarach, fe syrthies i mewn cariad â merch o *au-pair* o Odense yn Nenmarc. Roedd hi'n gweithio i deulu Iddewig oedd yn byw mewn tŷ mawr yng Nghyncoed, a byddwn i'n cwrdd â hi yn y British Council ar Caroline Street ac yn mynd â hi mas am ddiodydd a phethe. Ymhen hir a hwyr, cysgu 'da hi fu'n hanes i – yn nhŷ'r Iddewon. Byddwn i'n dringo lan ar do'r estyniad a thrwy ffenest ei stafell wely hi. Grêt o ferch – pladres bryd golau, ond â chorff union gymesur.

Pan ddaeth ei chytundeb hi i ben, fe benderfynes inne y byddwn i'n ei dilyn hi i Ddenmarc. Mae'n rhaid ein bod ni wedi sgrifennu dwsine o lythyre'n cynllunio popeth, a bydde hi'n cynnwys llunie bach hyfryd mewn pensel a phìn ac inc. Roedd arna i angen arian i godi tocyn, ac fe lwyddes i ddwyn perswâd ar fy mam-gu yn Amwythig – ffynhonnell y Catania gwreiddiol – i noddi'r daith.

Fu 'da fi rioed gymaint o arian yn fy myw – dau gan punt! A dyma'i chychwyn hi am Harwich trwy Lunden. Bwrw'r Sul o gwmpas y clybie jazz a Soho oedd fy mwriad i. Doedd llety ddim yn broblem – bydde pawb yn clwydo yn Stiwdio 51 Ken Collyer yn Soho bryd 'ny. Fel y bu hi, chware'r banjo 'da Collyer oedd fy hanes i drwy'r nos Sadwrn, gan y bydde John Bastable, chwaraewr banjo arferol Collyer, yn meddwi gymaint ambell waith fel y bydde fe'n pango yn ei gadair neu ar y llwyfan ar ganol cân. Byddai potel o wisgi 'da fe bob amser o dan y gadair, lle na fydde hi'n cael ei chicio. Es i du blaen y clwb lle roedd y band yn chware, a phan welodd Collyer fi, hwpodd e Bastable, oedd yn anymwybodol, oddi ar ei gadair, a chydio yn y banjo a'i dowlu fe ata i. Dalies i'r banjo a llamu i gadair Bastable a dechre chware 'da'r band – a Collyer heb golli nodyn drwy'r cwbwl. A dyna lle roedd Bastable, pwr dab, yn gorwedd yn belen heb wybod dim oll, yn hepian cysgu wrth ochor y llwyfan. Ar ôl y gig, aethon ni lawr i'r Embankment i wylio'r niwl yn codi oddi ar afon Tafwys ar doriad gwawr.

Fe ges i hwyl a hanner yn Llunden yr wthnos honno, a chyfle i gael blas ar sawl clwb jazz a roc. Fe weles i Tony Sheridan a Joe Brown yn y 211's yn Old Compton Street, a Dave Goldberg – gitarydd jazz tan gamp. Roedd Sheridan yn chware'r Fender Jazzmaster cynta i mi ei weld erioed, ac roedd Gibson L5 'da Goldberg, model Charlie Christian, a Gibson E.S.T.D. 335 'da Joe Brown. Welech chi fyth gitare fel'ny yng Nghaerdydd y dyddie hynny.

Es i'r oriele i gyd a chwrdd ag ambell gymeriad, fel y gwelwch chi yn Llunden os ewch chi i'r llefydd iawn, ac roedd hi'n ddinas eitha diogel y dyddie hynny, nid fel mae hi nawr.

Chyrhaeddes i mo Denmarc, ac er bod y llythyre'n dal i ddod, weles i rioed mo Lise Hansen wedyn.

Roedd f'arian i'n dod i ben, wedi gwario gormod ar *Bloody Marys* – a dweud y gwir, ar *Bloody Marys* ro'n i'n byw bron a bod – hynny a *spaghetti Bolognese* – deiet yn orlawn o domatos â digonedd o saws *chilli* Tabasco. Ces i hwyl ar fodio'n ôl i Solfach, trwy Gaerdydd ac Abertawe, lle torres i'n siwrne i weld beth oedd yn digwydd.

Roedd hi'n fis Gorffennaf erbyn hynny a'r tywydd yn braf. Wrth gerdded lan y rhiw heibio eglwys St Aidans yn Solfach, fe gwrddes i â dau ffrind oedd wedi bod yn chware yn grŵp sgiffl Solfach. Roedden nhw fel geifr ar d'rane yn dweud bod heidie o ferched yn gwersylla ar Ben-Graig, uwchlaw'r porthladd. Dyma fynnu'u bod nhw'n mynd â fi yno ar ein penne, felly fe lamon ni dros y gamfa a'u gwadnu hi am wersyll y Sabine.

Roedd 'na dair pabell ym mhen draw'r cae, mewn pant uwchben y Ffort. A merched – peidiwch â sôn – yn bolaheulo mewn bicinis ar y gwellt! I lawr â ni ling-di-long yn ysgafala a chodi sgwrs â nhw. Roedd dwy o'r Rhosan ar Wy a'r tair arall o Aberhonddu, ac, fel roedd hi'n digwydd bod, ro'n i'n nabod un o'r chwiorydd hynny – Veronica Evans, cariad John Murray oedd yn fyfyriwr yng Ngholeg Celf Caerdydd. Bingo! Roedden nhw i gyd wedi dod yn ffrindie mewn ysgol gwfaint yn Aberhonddu. Roedden nhw am wybod beth ro'n i'n ei wneud yn Solfach, oedd, ar y pryd, yn lle cwbwl anhysbys, ac wrth eu bodd pan ddwedes i 'mod i'n byw yno, ac y caen nhw ddod gartre i gael bàth!

Roedd y merched yma'n goron ar weddill gwylie'r ha. Arhoson nhw am bythefnos, a phan adawon nhw – yn anfoddog – fe ges i wahoddiad i fynd lan i aros yn Rhosan ar Wy. Roedd Leslie Boland a Fiona Young yn byw yn y Rhosan, a rhieni Leslie'n cadw gwesty mawr yno o'r enw y Royal. Erbyn hyn, ro'n i wedi gadael yr Harries Band am 'mod i'n teithio llawer ac yn ei chael hi'n anodd gorfod dangos fy ngwyneb yng Nghaerdydd bob dydd Mercher a dydd Sadwrn yn rheolaidd. Ro'n i hefyd wedi penderfynu 'mod i wedi cael llond bola ar y Coleg Celf. Ro'n i am fod yn rhydd, ac roedd y byd yn aros amdana i.

Troednodyn: Flynyddoedd yn ddiweddarach, mewn cyfweliad ar gyfer *Y Brawd Houdini* (rhaglen ddogfen a wnaed gan Angie Williams ar gyfer S4C), fe ddwedodd Harries taw fi oedd yr unig aelod o'i fand oedd erioed wedi cyrraedd gig dri mis yn hwyr!

Pennod 8

Jengyd

Haf 1960 oedd y gore eto. Roedd y Bay Hotel yn Solfach yn dal i swingio, er bod Clive, Steve ac Alan wedi graddio a mynd yn eu blaene i ddod yn athrawon gartre a thramor. Ymfudodd Clive Williams i Seland Newydd a chael ei ladd, trista'r sôn, mewn damwain car rai blynyddoedd yn ddiweddarach. Aeth Steve Glass i ddysgu yng Nghanada, ac arhosodd Alan Roach ym Mhrydain, hyd y gwn i – mae e'n byw yn Solfach nawr ac yn hwyliwr brwd.

Fi oedd craidd sesiyne'r Bay erbyn hynny, er bod 'na chwaraewr acordion a phiano hefyd, sef Jim McCrossan, sy'n dal i ymweld â Solfach a chware yn y Ship Hotel.

Doedd y traddodiad canu gitâr ddim yn rhywbeth cwbwl newydd yn y cylch; fe fydde 'na fand tanne dan arweiniad Dai'r Felin, â morwyr lleol oedd wedi cael gitare, mandolîne a banjos dramor yn aelode ohono. Bydde'r band yma'n chware mewn cyngherdde lleol ac yn y City Hotel yn Nhyddewi. Dwi'n credu iddyn nhw ddysgu chware ar y llonge, a dod at ei gilydd yn ystod y gwylie. Ond mae'r peth gitâr 'ma'n dal i fynd ac mae 'na lond gwlad o gitarwyr, chwaraewyr banjo a cherddorion da yng nghyffinie Solfach. Yn aml iawn fel glywch chi gerddoriaeth dda yn y tafarne lleol.

Roedd merched Aberhonddu a Henffordd yn hwyl fawr, a fy hen fyti, John Murray, yn canlyn Veronica Evans, â'i gitâr, ei baent a'i frwshys wastad 'da fe. (Bu farw John yn ddiweddar – yn Kilburn, Llunden, ac ynte wedi bod yn athro Celf yno ers blynydde.) Ro'n i mwy neu lai wedi symud i fyw i wersyll merched Henffordd ar Ben-Graig; doedd dim diben honcian sha thre ar ôl y partïon trwy'r nos, ac ro'n i wedi dod yn gyfeillgar 'da dwy o'r merched o Rhosan ar Wy – Fiona a Leslie, oedd hefyd yn fyfyrwyr Celf. Roedd teulu Fiona'n hanu o ucheldiroedd yr Alban, ochre Inverness, a rhieni Leslie'n cadw'r Royal Hotel yn y Rhosan. Roedd y merched hyn hefyd yn dwlu ar jazz, celf, slochian, dawnso – a rhyw! Hwyl amdani bob amser – clybie jazz, tafarne, gwely ac yn y blaen!

Pan aethon nhw gartre o Solfach ddiwedd yr haf, fe adawon nhw'u cyfeiriade, a fy ngwahodd i i alw draw. Roedd hyn yn grêt; doedd arna i fawr o awydd aros yn hir eto yn Solfach, ac ro'n i wedi penderfynu peidio â mynd 'nôl i Gaerdydd. Bydde'n rhaid i fi gael gwaith. Ro'n i moyn dechre peintio o ddifri – neu felly o'n i'n meddwl ar y pryd – ond sut roedd mynd o'i chwmpas hi? Roedd 'da fi lawer i'w ddysgu am fywyd.

Penrhyn Tyddewi ydi'r union le i beintio tirwedd – y môr, y tir ac, yn anad dim, yr awyr sy'n newid o hyd. Mae'r gole 'na'n gwbwl unigryw. Mae rhai o'r gwawrie, y stormydd, yr awyr a'r machludoedd yn anhygoel; does ryfedd bod pobol yn meddwl ei fod e'n lle hudolus a chysegredig. Sdim angen chwyddo pan ych chi'n peintio yno, dim ond aros am y gole iawn a bant â chi. Mae'n destun delfrydol. Ro'n i wedi bod yn peintio ac yn tynnu llunie ffor'na ers dwi'n cofio, ac, yn ystod fy nghyfnod yn yr Ysgol Gelf, ro'n i wedi peintio cryn dipyn o fôrlunie a thirlunie, amryfal olygon ar Eglwys Gadeiriol Tyddewi a golygfeydd yn Solfach. Wn i ddim ble mae'r llunie 'na nawr.

Roedd swydd 'da fy mam yn y felin wlân yn Felinganol, oedd yn perthyn i Anti Betty Griffiths – nid modryb go-iawn, ond un o ffrindie bore oes fy mam, a'r ddwy wedi tyfu lan 'da'i gilydd. Hi brynodd un o fy llunie cynnar i o geg porthladd Solfach – llun olew bach o'n i wedi'i grogi yn arddangosfa waith y coleg yn haf 1958. Fe fyddwn i'n gwerthu cryn dipyn o lunie olew a dyfrlliw i'r bobol ddierth yn yr haf. Byddwn i'n eu harddangos nhw yn lolfa'r Ship Inn yn Solfach.

Byddwn i'n mynd i Hwlffordd o dro i dro i chwilio am ddeunyddie peintio, ac yn eu prynu nhw yn siop y swyddfa Delegraff yn Market Street. Drws nesa i fan'ny roedd George's Bar, lle bydde bagad o gymeriade'n gwagswmera. Yn eu plith nhw roedd 'na grŵp o fohemiaid, hŷn na fi. Roedd rhai ohonyn nhw'n ffrindie i Dylan a Caitlin Thomas, oedd yn byw yn Nhalacharn ar y pryd. Roedden nhw i gyd yn slochwyr ac yn storïwyr mawr. Bydde Tiggy a Tony Clavier yn yfed 'na. Bridiwr cathod oedd Tiggy, ac roedd Tony'n un o deulu Phillips Castell Pictwn. Roedd Tony wedi bod yn gapten yn y Corfflu Tancie ac fe enillodd e'r Groes Filwrol yng Ngogledd Affrica yn yr Ail Ryfel Byd (rhywbeth oedd yn destun embaras iddo fe; byddai'n taflu'r fedal i'r bin cyn Diwrnod y Cadoediad bob amser, a Tiggy'n gorfod chwilmentan drwy'r sbwriel i gael hyd iddi a'i glanhau, ac wedyn yn rhoi pryd o dafod iddo fe ac yn ei orfodi i gytuno i fartsio yn y parêd yn ei fedale a'i siwt ddi-mòb). Roedd Tiggy, ar y llaw arall, wedi bod yn aelod o set *Little Venice* yn Maida Vale, Llunden, ac roedd yn ffrind mynwesol i Lucien Freud, Nina Hamnett, Robert Colhoun, David McBride a Redvers Grey. Arferai Tiggy fod yn fodel i Jacob Epstein, Augustus John a Michael Ayrton ymhlith eraill. "Dishgwl 'ma, boi," fydde hi'n dweud. "Peintia di lunie, a gadel y slochian i Tiggy!"

Fe gwrddes i â Tiggy yng Nghlwb Rygbi Hwlffordd un noson feddw. Ro'n i wedi mynd i'r dre i brynu cynfas a phricie o sercol. Gwnes i'r camgymeriad o fynd drws nesa i George's Bar, a tharo ar y criw arferol o yfwyr a storïwyr proffesiynol oedd yn cwato 'na'n barod am greaduriaid diniwed fel fi, oedd yn rhoi cynnig ar fynd am dro ar yr ochr wyllt! Roedd y Clwb Rygbi mewn gwli gefen yn union rownd y gornel. Ces i beint neu ddau, a phan ddaeth hi'n amser cau – am dri o'r gloch y dyddie hynny – ces i wadd i fynd i'r clwb am fwy o ddiod. Buan y des i i wybod bod modd yfed rownd y cloc y dyddie hynny oherwydd y mart ac amryfal esgusodion cyfreithlon eraill. Dwedes fod yn rhaid i fi wneud neges ac y cwrddwn i â nhw'n nes ymlaen.

Rywfodd, fe landies i yn y Clwb Rygbi, yn feddw iawn! Clwb aelode'n unig yw e ond llofnododd un o griw'r George drosta i, er na chofia i ddim pwy. Roedden ni yn y bar bach preifat 'ma lle roedd grŵp o bobol yn iste ar stolion uchel yn sgwrsio, yn cracio jôcs, yn yfed ac yn chwerthin lot. Niwlog, a dweud y lleia, yw 'nghof i o'r rhan honno o'r noson, ond dwi'n cofio Tiggy a'i ffrind Brian, oedd yn ddeintydd lleol. Roedd e wastad yn gwisgo siwtie smart wedi'u gwneud gan deiliwr, a gwasgode brocêd sidan wedi'u teilwra'n arbennig iddo fe. Ro'n i wedi clywed si am jetset yn Sir Benfro gan fy mam, a oedd wedi bod yn ymwneud â nhw o bryd i'w gilydd dros y blynydde, ac ro'n i wedi clywed hanesion lliwgar am eu strancie nhw.

Ro'n i'n feddw gaib erbyn hyn, ond yn dal i gydio'n dynn yn fy nghynfas newydd a 'mocs o bricie sercol. Rhaid ein bod ni'n sôn am gelf, achos fe fynnodd gŵr bonheddig y Weskit ymfflamychol 'mod i'n ei beintio fe ar fy nghynfas purwyn. Doeddwn i ddim yn ffit i gwpla 'niod heb sôn am wneud Van Goch. Dwedes i wrtho fe nad oedd dim pigment 'da fi, dim ond pricie sercol, a diflannodd y Weskit a dod yn ei ôl yn y man 'da talp o gachu yn stemian ar flwch llwch.

"Co dy pigment di," rhuodd e. "Gwna fy llun i 'da hwnna!" Dyna'r peth mwya bisâr o'n i wedi'i wneud hyd hynny, ac roedd pawb yn y bar yn meddwl ei fod e'n hwyl aruthrol. Doedd dim dewis 'da fi ond portreadu'r deintydd mewn brown, du a gwyn! Duw a ŵyr be ddigwyddodd i'r campwaith – gobeithio'u bod nhw wedi cael hwyl ar ei farnisio fe!

Dihunes i yng nghefn fan 'da sach a hanner ucha lifre morwr wedi'u twlu drosta i. Ro'n i'n oer. Agores i ddrws ôl y fan, a 'nghael fy hun ar silff naturiol y tu allan i fwthyn gwyn, yn edrych dros ddyffryn cul 'da choedwig ffawydd ar dân, a choelcerth o liwie'r hydref. Agorodd drws y bwthyn fel pe bai'n dilyn *cue*, a dyma groten fach tua wyth mlwydd oed, a throwser coch a chardigan wen amdani, a dau gi yn prancio i'w chanlyn, yn rhedeg tuag ata i. Roedd y peth yn swrreal! "Gewch chi ddod mewn nawr," galwodd. "Mae Dadi'n gwneud te." Spitall Tucking Mill oedd y lle 'ma – cartref Tiggy a Tony Clavier – ar bwys Treffgarne. Eu merch nhw, Vanessa, oedd y ferch fach.

Roedd Tony Clavier wrthi'n pluo dau ffesant o flaen yr Aga mewn cegin fach 'da thrawstie derw. Roedd 'na gathod Sïamaidd ym mhobman – yn bolaheulo ar y silff ben y tân ac wedi'u taenu dros wahanol gelfi.

"Shwmai, achan," medde fe, dan wenu. "Mae'r te'n barod."

Roedd 'na gathod ym mhobman. Un tro, yn ddiweddarach, ro'n i'n rhoi glo ar y tân a sylwes i ddim bod tair cath fach Sïamaidd yn cysgu yn y bwced lo, ond drwy lwc fe neidion nhw mas cyn i fi dwlu'r glo ar y tân! Roedd popeth yn bisâr yno!

Daeth Tiggy lawr llawr yn nes ymlaen a dangos stiwdio i fi, a honno wedi'i chodi'n bwrpasol, lan ysgol a thrwy ddrws cudd yn nhalcen y tŷ. Roedd gwely yno, îsl stiwdio a llond gwlad o gynfase wedi'u hestyn, peintie a brwshys, fel 'sen nhw'n aros i artist gyrraedd.

"Fe gei di ddefnyddio hon os ti moyn, ond rhaid i ti roi help llaw 'da'r pwsis," medde hi. Roedd dwsine o gathod 'da hi – rhai Sïamaidd 'da blaene glas a 'morlo' gan mwya, ond hefyd rai Sïamaidd oedd yn frown tywyll ar hyd'ddyn. Roedd hi wedi magu'r rhain ei hun, ac yn eu galw nhw'n 'English chocolate shorthairs'. Roedd hi wedi cael cymrodoriaeth y *Zoological Society* am ei gwaith ym maes bridio dethol.

Roedd Spittal Tucking Mill yn lle hyfryd, hardd a diarffordd iawn, a oedd i'r dim i beintiwr, felly fe benderfynes i dderbyn ei chynnig hi. Roedd siop 'da Tiggy yn Hwlffordd ac roedd Tony'n gweithio i gwmni batris, felly roedd y ddau'n gadael yn gynnar bob bore gan fy ngadael i'n styc 'na ar fy mhen fy hun a hithe'n rhy bell i gerdded i Hwlffordd. Rhaid bod yr hewl gart oedd yn arwain i'r bwthyn o'r hewl fawr yn dair milltir o hyd.

Roedd nant frithyll yn llifo'n gyflym yn union islaw'r tŷ a digonedd o wialenni pysgota yn stafell y dryllie o dan y stiwdio, a phan nad o'n i'n peintio, fe fyddwn i'n cerdded yn y goedwig ffawydd, neu'n pysgota am swper – yn gwmws 'run peth ag y byddwn i yn yr hen ddyddie gynt yn Solfach pan o'n i'n grwt.

Roedd Tiggy'n gymeriad, yn llawn straeon am Soho, ac roedd hi fel 'se hi'n nabod pawb ym myd celf. Roedd hi'n smociwr trwm ac yn yfwr wisgi (bu farw o ganser yn saith a deugain oed). Symudodd y Claviers o'r felin i Gas-blaidd, lle'r ailagoron nhw hen dafarn, a'i galw hi'n The Wolf. Treuliai Tiggy'r rhan fwya o'i hamser yn y dafarn ta beth, felly roedd e'n gam rhesymegol, ac yn ystod eu cyfnod nhw yno y bu hi farw. Roedd Tiggy'n un o'r aelode wnaeth sefydlu'r Mandrake Club yn Soho, a oedd yn glwb gwyddbwyll yn wreiddiol. Mewn gwirionedd, trigfan enwog i feirdd, artistiaid, alchoholigion, dilynwyr a bohemiaid oedd e. Dwedodd wrtha i fod Dylan Thomas wedi trial ei lwc 'da hi yno un prynhawn, a hithe wedi dweud wrtho fe am fynd i grafu, neu eirie i'r un perwyl. Felly bant ag e ac yn ei ôl mewn Rolls Royce wedi'i logi i fynd â hi mas ar y criws. Gallwn i adrodd llond gwlad o hanesion am fywyd 'da Tiggy, ond digon yw dweud i ni siarad ac yfed drwy'r trwch, ac iddi ddysgu mwy i fi am gelfyddyd a bywyd yn ystod yr amser byr o'n i'n byw yno na allaswn i 'i ddysgu fyth yn Ysgol Gelf Caerdydd.

Roedd mab 'da Tiggy o'r enw Jim, ac roedd hi'n gobeithio y bydde fe'n mynd yn artist. Roedd hi'n mynnu bod ei dad e'n beintiwr enwog, ond roedd hi'n pallu dweud pwy oedd e. Ro'n i'n ame taw Lucien Freud, Michael Ayerton neu hyd yn oed Epstein oedd e. Aeth Jim bant i Affrica i ymuno â Heddlu Rhodesia. Dim ond unwaith gwrddes i ag e, pan ddaeth e gartre ar ei wylie. Gadewes Spitall Tucking Mill toc wedi 'ny. Roedd Llunden yn galw eto.

Ro'n i'n llythyru â Fiona Young ers peth amser, ac wedi galw heibio i Rhosan ar Wy a Henffordd unwaith neu ddwy. Penderfynes i fodio lan yr A40 eto; roedd y Rhosan ar y ffordd i Lunden wedi'r cyfan. Roedd hi'n hawdd cael pàs y dyddie hynny, a chyn agor y Bont Hafren gynta, yr A40 oedd yr unig ffordd o fynd o orllewin a de Cymru i Loegr. Roedd y traffig i gyd yn mynd trwy Gaerloyw.

Cyrhaeddes i'r Royal Hotel yn y Rhosan yn hwyr un prynhawn heulog. Mae'r gwesty yn ymyl eglwys a murddun castell yn edrych dros afon Gwy. Roedd golwg grand ar y gwesty ac i mewn â fi'n ofnus a gofyn am

Leslie Boland. Yn sydyn, dyna lle roedd hi – pladres bryd gole a chyn sionced ag erioed – 'da gwên fawr o groeso. Aeth â fi i gwrdd â'i rhieni oedd yn cael coctel cynnar yn y lolfa, wedyn i'r gegin i gael fy mwydo. Ffoniodd hi Fiona a chyrhaeddodd honno mewn Morris Minor du, ac aethon nhw â fi i hel tafarne'r noson honno. Fe ges i stafell yn y gwesty a chael gwbod y cawn i aros gyhyd ag y mynnwn i. Dyma oedd byw eto, ac roedd mewn cyferbyniad llwyr ag unigedd a llymder Spittal Tucking Mill. Roedd hon yn ffordd wahanol o fyw, o'i chymharu â Sir Benfro.

Roedd Leslie'n gobeithio ymuno â Fiona yng Ngholeg Celf Henffordd, a'r ddwy'n breuddwydio am ddod yn artistiaid mawr ar y pryd, am wn i. Roedd Coleg Celf Henffordd yn dipyn o ysgol berffeithio i epil y dosbarth canol lleol, ac roedden nhw i'w gweld yn cael digon o hwyl yn ogystal â gwneud y pethe arferol mewn ysgol gelf – hynny yw, crochenwaith, peintio a thynnu llunie. Roedd partïon, jazz, rhyw, slochian a dawnso hefyd yn amlwg eu lle ar yr agenda – ond dim cyffurie ar y pryd. A dweud y gwir, fydde cyffurie ddim wedi gwneud fawr o argraff. Roedd y seidir lleol yn feddwol iawn, yn *hallucinogenic*, ac yn anhygoel o rad – y cyfan am ddeg ceiniog y peint!

Mae Swydd Henffordd, fel y gŵyr pawb, yn enwog am ei pherllanne fale a gellyg. O feddwl taw sir 'dawel' ar y Gorore oedd hi, roedd eitha tipyn o bobol o gwmpas oedd yn hwyl ac yn ddilynwyr jazz. Roedd bŵm jazz New Orleans ar droed ar y pryd a recordie cerddoriaeth jazz yn mynd i siartie Prydain. Fe gaech chi fandie jazz yn chware'n rheolaidd yn stafelloedd cefen hen dafarne ar hyd a lled siroedd y gorore, yn ogystal â Llunden a holl drefi a dinasoedd mawr y rhanbarthe. Doedd teithio ddim yn broblem, diolch i Morris Minor bach du mam Fiona. Doedd dim rheole yfed a gyrru y dyddie hynny, ac fe wnaethon ni lawer o yfed a gyrru – mae'n syndod na chafon ni unrhyw ddamweinie na mynd i helynt 'da'r gyfraith.

Roedd f'arian i wedi dod i ben, felly aethon ni i hel fale yng nghyffinie Henffordd – profiad hyfryd ond soeglyd. Roedd 'nhad-cu a mam-gu yn byw heb fod ymhell lan yr hewl yn Amwythig, a phan alwes i draw i'w gweld nhw, fe ofynnon nhw i fi a licen i fynd i fyw atyn nhw, a falle cael swydd yn Amwythig. Es i'r swyddfa gyflogi a chael swydd fel bragwr cynorthwyol ym mragdy Southams!

Adeilad brics coch o oes Fictoria oedd Southams, gyda simdde ddiwydiannol dal, ac ar bwys yr orsaf reilffordd yng nghanol y dre. Ro'n i'n gweithio fel dyn/bachgen tancie yn rhan ucha'r adeilad. Roedd y cwrw'n cael ei bwmpio lan o lawr is, a rhan o 'ngwaith i oedd cadw'r peipie, y tancie, y pwmp a'r hidlwyr yn lân. Pan fydde'r tancie naill ai'n cael eu gwagio i gasgenni (ro'n i'n gorfod eu sterileiddio 'da phiben stêm) neu'n cael eu peipio lawr i'r stafell botelu (lle y byddwn i'n cadw'n ddigon pell ohono gan ei fod yn llawn jadennod canol oed rhemp), byddwn i'n gorfod mynd i mewn 'da phiben a brwsh llawr bras, a sgwrio'r tu mewn yn lân. Un diwrnod, dyma ryw wàg 'da synnwyr digrifwch macâbr yn 'y nghloi i yn un ohonyn nhw. Doedd hynny ddim yn ddigri – fu ond y dim i fi fygu.

Peth da fod gan rywun gof da! Byddwn i'n eistedd llawer yn nhaflod y bragdy, yn meddwl, yn yfed ac yn darllen llyfre. Roedd cymaint o gwrw 'na nes 'mod i wedi danto'n yfed y sglyfeth. Edrych mlaen o'n i at y dyddie pan fydde'r lorri *Guinness* – oedd yn dod o Ddulyn trwy Gaergybi y dyddie hynny, cyn bod bragdy'r Park Hall yn Llunden – yn cyrraedd 'da thancie anferth o neithdar Iwerddon y bydde'n rhaid i mi ei bwmpio i'r stafell dancie. Oherwydd natur y macsaid, roedd hi'n anos o lawer glanhau hidlwyr a pheipie'r pympie. Yn y diwedd, bydde pum bwcedaid o *Guinness* 'da fi, a finne'n ei botelu ac yn eu pentyrru mewn cratie pren heb ddefnydd iddyn nhw.

Diod ddiddorol arall oedd S.O.S. – *Southams Old Strong* – diod y gaea, yn debyg i gwrw haidd neu *Bass No. 1*. Bydde'r ddiod gryf dros ben yma'n aeddfedu yn y tancie am naw mis. Roedd S.O.S. yn mynnu parch, a dim ond mewn poteli traean peint y bydde fe'n cael ei werthu. Roedd tanc o S.O.S., pan oedd e'n barod, wastad yn cael ei dapio'n ddefodol gan yr hen fragwr, fydde – a golwg heb fod yn annhebyg i Albert Einstein arno fe – yn rhoi jòch i gaethweision y rhwyfe.

Roedd cowper i gael o hyd yn Southams yr adeg honno – lawr yn y seler casgenni bwaog. Fe hefyd oedd ceidwad y casgenni bach amser cinio o gwrw mwyn a chwerw. Roedd dyn tân, Geordie, yno hefyd, a fe fydde'n gofalu am y boeleri. Pan ofynnes i iddo fe oedd hi'n wir bod 'na lygod mawr mewn bragdai, dwedodd wrtha i bod 'na y peth cynta yn y bore bob amser, a'i bod hi fel rasys Newmarket yno yr awr honno o'r diwrnod! Dwedodd e fod 'na lygod mawr yn y bragdai modern yn Burton on Trent fydde'n cnoi trwy ddur croyw; "Roedd y bastards yn bwyta hynny hyd yn oed," medde fe 'da ffieidd-dod.

Tref fach ddiflas oedd Amwythig, heb fod hanner mor fywiog â Henffordd dafliad carreg lawr yr hewl. Digonedd o dafarne o'r oes a fu 'da enwe hen a hynod fel The Old Post Office, The Three Fishes a'r Wheatsheaf, â phobol hŷn, geidwadol yn eu mynychu nhw. Fe wyddwn i na fyddwn i'n para fawr o dro yno; roeddwn i eisoes yn cynllunio jengyd.

Yn y cyfnod hwnnw hefyd, des i ddysgu llawer am fy nhad-cu. Hen ŵr bonheddig, mursennaidd a phropor o oes Edward oedd Louis Algernon Wright, ac ynte wedi gweld dyddie gwell erbyn y cyfnod pan oedd e'n gweithio i gwmni Thomas Cook fel un o'u tywyswyr rhyngwladol cynta. Roedd e'n ddyn cysetlyd iawn a phopeth yn ei fywyd e fel pin mewn papur – o'i dŷ i'w ardd i'w ddillad, i beth oedd e'n ei fwyta i frecwast bob bore, sef grawnffrwyth ffres, ŵy, bacwn a bara saim, wedi'u sbrinclo'n hael â bywyn gwenith a dishgled o de *Mate*. Roedd y ford wedi'i gosod i'r blewyn, yn gwmws fel gwesty da. Roedd 'Algy', fel bydde fy mam-gu yn ei alw fe (Gertrude oedd ei henw hi), yn hanu o Cheltenham, lle roedd ei dad e'n orsaf-feistr i Great Western Railway Brunel. Gwnaeth Algy ei gelc yn ifanc wrth ddal penne'r ceffyle fydde'n tynnu'r byddigions yn eu cerbyde i'r orsaf reilffordd newydd wych (allai'r dosbarth gweithiol ddim fforddio teithio ar y trên). Bydde Algy – crwt tua saith neu wyth mlwydd oed – yn cael pishyn tair, neu hyd yn oed pishyn chwech ambell waith, fel tâl, a buan y dechreuodd feithrin synnwyr busnes. Y synnwyr hwnnw yn y pen draw a arweiniodd at ei lwyddiant fel cyfarwyddwr y cwmni glanhau ffenestri a fachodd gytundebau'r llywodraeth yn ystod ac ar ôl y rhyfel. Yr eironi ofnadwy oedd i'w unig fab gael ei ladd yn y rhyfel hwnnw.

Roedd fy nhad, Gerry, yn fachan golygus oedd, yn ôl pob sôn, yn boblogaidd iawn 'da'r merched! Roedd hyn yn dân ar groen ei dad; roedd 'da fe wenwyn at ei fab, a dyna pam nad o'n nhw'n cyd-dynnu. Bydde Algy yn pallu rhoi benthyg ei gar Riley i Gerry fynd â'i gariadon mas am dro yn y wlad, felly fe fydde fe, Gerry, yn 'cymryd benthyg' gyda help ei fam. Ond daeth terfyn sydyn ar hyn. Un diwrnod, fe gyrhaeddodd e'r garej ac aeth fy mam Bet, oedd wedi gweld rhywbeth yn yr ardd, â'i sylw fe. Aeth e mas i weld beth oedd yn bod, ac wedyn mynd 'nôl i'r car a'i yrru fe i'r garej ag un o'r dryse'n dal ar agor. Roedd dryse'r model hwnnw'n agor tuag allan a thuag ymlaen, yn wahanol i'r rhan fwya o geir heddiw, a rhwygwyd un ohonyn nhw oddi ar ei golfache! Aeth hi'n uffern barod, ond cyn hir fe brynodd e 'i M.G. to clwt ei hunan i dynnu coes yr hen ŵr.

Roedd Gerald Wright yn cario tristwch yn ei galon. Pan oedd e'n ddeunaw oed, fe gwmpodd e mewn cariad â merch hŷn o'r enw Evelyn Wood. Ar ôl carwriaeth gyfrinachol fe feichiogodd hi ac aeth pethe o chwith. Dyma hi'n geni merch fach cyn ei phryd, a bu farw Evelyn a'r babi ill dwy ar y gwely esgor. Aeth e â chorff y babi sha thre at ei rieni mewn bocs sgidie, a chafodd hi 'i chladdu'n ddiweddarach 'da'i mam mewn mynwent ar bwys Lucifield Road lle roedden nhw'n byw. Gadawodd Gerry gartre'n fuan wedi 'ny, ac ymuno â'r RAF. Bedair blynedd wedyn, pan gychwynnodd yr Ail Ryfel Byd, staff-ringyll yn y Weinyddiaeth Awyr yn Llunden oedd e ac, fel llawer o'i gyfoedion, fe wirfoddolodd am hyfforddiant awyr, a dod i ben ei daith yng nghychod awyr Sunderland Rheolaeth Amddiffyn y Glannau yn Noc Penfro, lle cwrddodd â fy mam. Yn ddiweddarach, fe gafodd e 'i symud i Ganolbarth Lloegr lle roedd e'n hedfan mewn cad-awyrenne bomio fel awyr-ringyll. Cafodd e 'i ladd mewn cwymp awyr ym 1941.

* * *

Erbyn hyn, ro'n i wedi cael llond bola ar y gwaith yn y bragdy; doedd dim dyfodol yno, do'n i ddim yn cael hyfforddiant bragwr, a dim ond labrwr o'n i mewn gwirionedd. Yn ddiweddarach, fe symudes i swydd fwy diflas fyth 'da'r Dunlop Rubber Company, yn Amwythig o hyd. Ro'n i'n bwrw golwg ar deiars o fore gwyn tan nos ddydd ar ôl dydd. Ro'n i wedi symud o dŷ fy mam-gu a 'nhad-cu i dŷ modryb i mi, gan nad o'n i, mwy na 'nhad, yn tynnu mlaen 'dag Algy. O leia ro'n i'n ennill mwy o arian 'da Dunlop, ond swydd heb ddyfodol mewn tref heb ddyfodol oedd hi – neu felly ro'n i'n ei gweld hi ar y pryd. Welwn i ddim byd o 'mlaen o aros yn Amwythig ac roedd Llunden yn galw arna i eto. Pan godes i siec am yr ail fis o gyflog, fe ganes i'n iach i'r hen bobol gartre a'i chychwyn hi am y ddinas fawr a'i jazz, ei hwyl a'i antur.

Bodies lawr i Henffordd i weld Fiona, mynd ar y rownd arferol o gwmpas y tai sgrympi, a 'nghael fy hun ar yr A40 eto. Dwi'n credu i Fiona roi pas i fi i Gaerloyw. Ro'n i'n anelu i'r cyfeiriad iawn ar fore heulog braf nid yn unig 'da phen mawr, ond 'dag arian yn fy mhoced ac – am y tro cynta – yn y banc! Fe ganon ni'n iach y tu allan i'r caffi saim ar bwys y bont yng Nghaerloyw, a doedd hi'n fawr o dro cyn o'n i'n iste mewn lorri ar fy ffordd i farchnad Covent Garden.

Y cyfnod byr hwnnw yn Amwythig oedd yr adeg fwya diflas ro'n i wedi'i brofi yn fy mywyd i hyd hynny, ond fe ddysges i lot am hanes teulu 'nhad na wyddwn i ond ychydig iawn amdano fe cyn hynny.

Ar y siwrne i Lunden, ro'n i'n cynnal sgwrs nerth esgyrn fy mhen dros sŵn yr injin diesel, ac yn dweud o le ro'n i'n dod, i le ro'n i'n mynd, pwy oeddwn i. "I'm going to London to get a job in the music business," sgreches i. "You scream everybody loves ice cream. Rock, my baby, roll!"

Pennod 9

Fi a'r Adfywiad Canu Gwerin

Byddwn i'n bodio cryn dipyn ar hyd a lled Prydain a Gorllewin Ewrop ac yn treulio llawer iawn o amser yn teithio mewn lorris. Roedd bodio yn un o'r 'pethe i'w gwneud' ar y pryd. Roedd Jack Kerouac yn un o'n harwyr ni; roedd gan bawb gopi o *On the Road*, a *The Dharma Bums*. Yn amal iawn, fe fydden ni'n ei chychwyn hi jyst o ran hwyl, heb unrhyw gynllun teithio yn ein penne – dim ond mynd lle bynnag roedd y lorris yn mynd, ac os nad oedd dim byd diddorol ar ben y daith, bodio lorri arall.

Ond, gan mwya, ei chychwyn hi am oleuade llachar Llunden neu Baris fyddwn i, lle roedd coste byw yn is o lawer. Bodio oedd y ffordd rata o deithio ac roedd e hefyd yn dipyn o antur. Roedd gan fodwyr oedd yn hen law arni straeon i'w hadrodd a bydden nhw'n cael cystadlaethe ambell waith a hyd yn oed yn betio ar ba mor bell allen nhw fynd o fewn amser penodol neu ar ba mor glou y gallen nhw fynd o A i B. Unwaith, fe fodies i o Solfach i Gaerdydd yn gynnar un bore, heb fy ngitâr. Cyrhaeddodd ffrindie o dramor i'r Moulders Arms, a dyma sesh yn dechre. Bodies 'nôl i Solfach i moyn y gitâr am dri y pnawn, ac ro'n i 'nôl yng Nghaerdydd erbyn naw y nos! Bodies i dri chan milltir o fewn saith awr y diwrnod hwnnw!

Roedd 'na gyfrinache i'r grefft hefyd. Er enghraifft, ddiwedd y pumdege, bydde pawb bron yn rhoi pas i filwr neu forwr mewn lifre. Roedd 'na gonsgripsiwn ar y pryd ac roedd gan agos i bob teulu feibion yn y lluoedd arfog. Roedd sgarff coleg yn gweithio'r un ffordd. Peth pwysig iawn oedd dewis lle da i sefyll, fel cilfache parcio neu drofanne, lle mae'r traffig yn arafu. Hefyd llefydd 'da gole da – roedd y gyrwyr am gael golwg iawn arnoch chi. Y llefydd gore i gyd oedd parcie lorris neu gaffis pen-ffordd – 'caffis saim' – lle gallech chi dynnu sgwrs 'da'r gyrwyr. Os nad oedd un yn mynd 'run ffordd â chi bydde fe fel arfer yn eich cyflwyno chi i un o'i fêts oedd yn mynd y ffordd iawn. Fe gerddes i dipyn go lew. Do'n i ddim yn lico bodio mewn trefi gan y bydde'r heddlu'n aml yn cyrraedd ac yn gofyn cwestiyne annifyr fel "Pwy wyt ti?" ac "I le rwyt ti'n mynd?" neu "O ble rwyt ti'n dod?" Doedd gan y rhan fwya ohonon ni ddim byd i'w gwato, ond fe fydden ni'n osgoi'r heddlu – doedd 'da nhw fawr i'w ddweud wrth bobol ifanc 'da gwallt hir, locsys a beth o'n nhw'n meddwl oedd yn ddillad rhyfedd! Ond, ar y cyfan, mae bodio'n brofiad diddorol, gwerth chweil – ac mae'n mynd â chi yno'n gloi ac am ddim.

Un noson, a finne ar fy ffordd i Lunden, es i i barc lorris ar bwys Tyndall Street yng Nghaerdydd, â dyrnaid o bils amffetamin i 'nghadw i ar ddihun, fy ngitâr a sgarff coleg. Un ar ddeg o'r gloch y nos oedd hi, a chyn bo hir fe ges i bas ar un o lorris cwmni Edward England ar ei ffordd i Covent Garden. Bant â ni, â'r gyrrwr a fi'n sgwrsio nerth esgyrn ein penne dros ruo'r injin diesel oedd ar ganol y cabin. Cyrhaeddon ni tua phump o'r gloch y bore ynghanol berw a bwrlwm gylis cul a strydoedd gwan eu gole marchnad ffrwythe a llysie fwya Ewrop. Bant â'r gyrrwr i ddadlwytho, a minne'n gwibio i dafarn i dorri fy syched, â ngheg i'n sych grimp o achos y *speed* a gweiddi ar y gyrrwr am bump awr!

Roedd y tafarne yn Covent Garden ar agor drwy'r nos er hwylustod i fasnachwyr a phorthorion y farchnad, ond galle unrhyw un gael diod a bwrw'u bod nhw'n bihafio; doedd y gwerthwyr ffrwythe ddim yn rai i sbwylio hwyl neb! Yr adeg yna o'r bore, tiriogaeth masnachwyr y farchnad oedd tafarne'r Garden, ond roedd pobol eraill yn yfed yn y barre hefyd – pobol y nos, cymeriade, hobos, artistiaid, *insomniacs*, pobol y theatr, actorion a hyd yn oed y bonedd.

Roedd y dafarn dan ei sang, ac yn llawn bloeddio masnachwyr yn taro bargeinion, porthorion yn dweud jôcs, yn penelinio'i gilydd; roedd un grŵp hyd yn oed yn morio canu mewn cornel. Roedd tipyn go lew yn amlwg yn dresmaswyr; dyn a ŵyr pam roedden nhw mewn bar am bump o'r gloch y bore. Allech chi feddwl taw amser cinio oedd hi, a'r lle dan ei sang fel 'tai hi'n nos Sadwrn! Codes beint o *Fullers London Pride* a chilio i gornel gysgodol. Roedd y *speed* yn gweithio'n dda; ro'n i'n gwbwl effro a syched mawr arna i. Eisteddes yno'n anhysbys yn gwylio'r siarâd o ddyfnderoedd fy nghôt waith.

Roedd 'na fynd mawr y tu fas hefyd, yn ôl be welwn i drwy'r ffenest. Cannoedd o borthorion, delwyr, masnachwyr a gyrwyr lorris yn chwifio'u breichiau, yn gwthio certi llaw dan lwythi o gretie, basgedi, bocsys a sache. Ffrwythe a llysie o bedwar ban byd yn gorlifo yn y gylis. Peiriannau'n refio, rhegfeydd, olwynion certi'n clecian mynd a thyrfe a dyrnodie llwythi trymion yn cael eu lluchio o gwmpas fel sacheidie o blu. A gwyntoedd ac ogleuon y farchnad laith ben bore yng ngole glas y wawr.

Daeth rhyw fyddigions drwy'r drws dan hanner baglu, a'u dillad nhw'n edrych fel rhywbeth ar gyfer yr opera neu'r Savoy Hotel. Roedden nhw'n amlwg wedi cael noson i'r brenin, ac wedyn yn ei slymio hi o gwmpas clybie Soho a, heb gael digon, yn cyrraedd pen y daith yn y werddon olaf yma. "Let's go down the Garden for a bit of a laugh." Roedd y boneddigese, yn dal ac yn osgeiddig, yn gwisgo ffrogie llaes o sidan a satin, stolau ffwr minc a chadno arian, â'r gemau'n disgleirio ar eu clustie a'u gyddfe wrth iddyn nhw simsanu'n feddw yn eu sgidie sodle uchel. Dyma'r dynion, mewn dillad hwyrol, â'u dici bôs yn gam a'r blode yn eu lapedi'n gwywo, yn gwthio'u ffordd at y bar dan wneud cleme a chwerthin a phrocio'i gilydd, ac yn gofyn yn groch am gins a thonic. Digiodd un o'r barmyn a phallu rhoi diod iddyn nhw. "This bar's for market workers only, mate." Wedyn, aeth hi'n ffrae a gofynnwyd i'r pendefigion adael. A meddai un o'r merched mewn minc yng nghlust y bownser, "Dickie's the Marquis of Granby, darling. He always gets served – he owns the area."

"No, he ain't," meddai'r bownser. "The Marquis of Granby's up in

Cambridge Circus and he don't open til eleven. You're not Garden workers, so fuck off!"

Ac fe'u sgubwyd nhw mas i'r wawr laith dan brotestio'n groch.

"I say, Dickie darling, what a spoilsport! We only want a dwinky-poo!"

Roedd yn flin braidd 'da fi amdanyn nhw. Am fyr o dro, roedden nhw wedi goleuo'r hen dafarn farchnad lwydaidd 'na 'da lliwie ar wahân i rai bresych, maip a thatws. Ro'n i'n dal i allu gwynto persawr drud y merched. Daeth llaw drom i lawr ar f'ysgwydd i, ac meddai'r bownser mewn acen Cockney, "You're alright, Taffy – you can 'ave another one if you wants. We don't close til eight o'clock!"

Cyn hir, bydde'r myrdd o gaffes Eidalaidd yn y cyffinie ar agor, a bydde'r awyr yn llawn gwynt coffi, bacwn, wy a sosejis yn cwcan a gwynt tost wedi'i losgi.

Byddwn i bob amser yn cael *spaghetti Bolognese* ar yr adege hyn; dim ond dau swllt oedd e – gwell bargen o lawer na'r brecwast Seisnig! Rois i glec i 'niod a'i chychwyn hi am gaffe ro'n i'n gwbod amdano fe ar bwys Charing Cross Road. Roedd y lle dan ei sang o borthorion o'r farchnad, boregodwyr oedd yn gweithio yng nghanol Llunden a hwrod Soho ar hoe wedi bod wrthi ar eu cefne drwy'r nos ac ar eu cythlwng. 'Dyma ni 'nôl 'da'r hen *News of the World* eto,' meddwn i yn fy mhen. '*All human life is here*'. A'r bywyd sy'n llai na dynol hefyd.

Bore Sadwrn, a hithe bron yn naw o'r gloch; hen bryd i mi ei bachu hi lan Charing Cross Road i fwrw golwg ar y siope cerdd. Roedd gitare Americanaidd ar ddechre dod i farchnad Llunden trwy Selmers a siop Ivor Mairants yn Wardour Street. Roedd Ivor Mairants hefyd yn gitarydd swing enwog, oedd wedi taro bargen 'da Martin Guitars o Nazareth, Pennsylvania. Martin oedd y gitare dryta'n y byd a'r rhai roedd y galw mwya amdanyn nhw ar y pryd – y Greal Sanctaidd o blith bocsys, yn enwedig i gantorion gwerin a'r felan, ac roedd Big Bill Broonzy, Lonnie Johnson, Josh White a Lonnie Donegan yn eu chware nhw wrth gwrs.

Petawn i ond yn gallu cael gafael ar 1947 Treble O twenty eight 'da bol sbriwsen Adirondac, corff pren rhosyn Brasil a phwrffil patrwm cefen pennog o'r Almaen. Roedd y peth yn symffoni ddaearyddol cyn i chi 'i dynnu fe o'i gâs hyd yn oed. 'Pe bai'r Wyddfa i gyd yn gaws, fe fyddai'n haws cael cosyn.'

Roedd ffenestri Selmers, sy'n union ar bwys Denmark Street – Tin-pan Alley, calon sîn gerddorol Llunden – yn llawn Hofners o'r Almaen, ond roedd 'na ambell i Gibson o America ac Epiphone, er mawr bleser i mi; dau neu dri *jumbo* a dwy gitâr soddgrwth jazz – offerynne *sunburst* du ac aur hardd 'da *pick-ups* trydan wedi'u gosod mewn ffatri. Dim ond newydd eu dyfeisio roedd gitare solet Fender a doedd dim modd eu cael nhw, ond fe allech chi'u gweld nhw ar ffilmie roc Americanaidd ac ar glorie albyms Buddy Holly. Roeddwn i wedi gweld un go-iawn, yn y cnawd, yn cael ei chware gan Tony Sheridan ym mar coffi 2 I's Old Compton Street (neu Grud Roc Prydain, fel dwedai'r hysbysebion ystrydebol). Hen seler fach gachlyd oedd hi mewn gwirionedd, a doedd dim lle i chwipio chwannen, ond o bryd i'w gilydd fe fydde gitaryddion da fel Joe Brown neu Dave Goldberg yn chware yn y 2 I's. Roedd hefyd yn enwog fel cartre Tommy Steele – canwr roc ffug cwbwl anobeithiol a gitarydd gwaeth fyth, a drodd yn fuan at *variety* a dramâu cerdd cachu, diolch i Dduw! Ond fe weles i Sheridan yn y 2 I's ym mhum deg chwech; dyna i chi agoriad llygad! Ro'n i'n ffaelu credu 'mod i'n gweld gitâr trydan 'da chyrn a'r holl *pick-ups* a switsys na, ebillresi i gyd ar un ochor – a chyrn! Do'n i chwaith rioed wedi dychmygu gitâr wedi'i gwneud o ddist solet o bren. Dim corff – beth nesa?

Roedd Charing Cross Road bellach yn heigio o gymudwyr – y rhan fwya ohonyn nhw â llygaid pŵl a chysglyd, yn rhythu'n syth o'u blaene; pobol naw tan bump, yn mynd fel ŵyn i laddfa'r swyddfa; pwy a ŵyr pwy oedden nhw na beth oedden nhw'n ei wneud, a phwy oedd yn becso taten? Ro'n i'n lwcus, yn rhydd i fynd lle mynnwn i, yn ifanc ac ym mlode fy nyddie!

Trois i'r chwith yn Cambridge Circus a cherdded i lawr Compton Street tuag at Wardour Street a siop Ivor Mairants.

Yn ddiweddarach, ro'n i'n iste yn nhŷ coffi Gyre & Gimble, neu 'The Two Gee's', fel roedden ni'n ei alw fe. Yn Litchfield Street roedd e – ar bwys clwb jazz Collyers. Meddwl ro'n i tybed lle allwn i gael gwely neu lawr neu rywbeth, a chofies fod hen ffrind coleg i fi wedi symud i Lunden i roi cynnig ar wneud ei ffortiwn fel peintiwr. Geoff Stevens oedd ei enw fe, ac roedd e'n byw 'da'i gariad, Jeanne – oedd yn hanner Ffrances – yn Chalk Farm, rhwng Kentish Town a Hampstead yng Ngogledd Llunden.

Es i'r swyddfa gyflogi, a chael fy mherswadio i ymuno â'r gwasanaeth sifil fel swyddog clerigol yn swyddfa'r Ymddiriedolwr Gwladol yn Holborn Kingsway yng Nghanol Llunden.

Mae 'na orsaf diwb yn union rownd y gornel o Queen's Crescent, ac yno y byddwn i'n dal y trên i 'ngwaith bob bore os oedd arian 'da fi. Fel arall, roedd yn rhaid i mi gerdded tua phum milltir i'r swyddfa ac yn ôl gyda'r nos. Ambell waith, byddwn yn neidio ar y tiwb heb dalu, ac yn rhoi cyfeiriad ffug os bydden nhw'n fy nal i. Ond do'n i ddim yn lico gwneud hynny – byddwn i ar bige'r drain a do'n i rioed yn dda iawn am wneud y math 'na o beth.

Ro'n i'n byw ar *Scott's Porridge Oats*, 'da dŵr yn lle llaeth, a choffi Twrcaidd roedden ni'n ei wneud mewn pot bach copr 'da chlust bres – y teclyn traddodiadol. Roedd e'n goffi cry iawn! Bob wthnos o'n i'n cael fy nhalu, felly ro'n i'n bwyta ac yn yfed fel brenin dros y Sul. Wyth bunt a chweugain yr wthnos oedd fy nghyflog i, a bydde'r rhan fwyaf o hwnnw'n cael ei wario ar ddiod.

Ro'n i'n laru hyd syrffed yn swyddfa'r Ymddiriedolwr Gwladol, a byddwn i'n hala'r rhan fwya o'r amser yn darllen nofele trymion yn y tŷ bach.

Tin-droi yng nghlybie jazz, tai coffi a barie Soho fyddwn i bob nos. Tŷ coffi adain chwith eithafol oedd The Partisan ar bwys Dean Street yn Soho. Y Blaid Lafur oedd yn ei ariannu'n wreiddiol, a'r bwriad oedd cael lle i sosialwyr ifanc gwrdd, chware gwyddbwyll, yfed coffi a dal pen rheswm am sosialaeth. Buan y daeth e'n fagwrfa i eithafiaeth radicalaidd a chomiwnyddol, ynghyd â phopeth oedd yn mynd i'w canlyn – rhyw, cyffurie, y felan a lysh! Roedd The Partisan wastad dan ei sang o *beatniks* gwalltog, bohemiaid, pwdrod a cherddorion. Lle diddorol iawn yng nghalon Soho – lle diddorol iawn.

Roedd yr holl gitaryddion a'r cantorion *avant-garde* yn gwagswmera yn The Partisan. Roedd Davy Graham wastad yn chware'r gitâr yno, a Gerry Lockran, Wizz Jones, Long John Baldry, a chantorion gwerin fel Alex Campbell, Derrol Adams, Joe Cocker, Jack Elliot; mae'n restr hir. Roedd 'na wastad rywun yn chware'r gitâr yno unrhyw adeg o'r dydd neu'r nos. Roedd 'da nhw 'seler werin' hefyd; roedd un o rheiny ym mhobman – fel mai'r seler oedd y lle gore i ganu gwerin! Bydde The Malcolm Price Trio, Red Sullivan, John Baldry, Davy Graham, Shirley Collins, Julie Felix a'r cwbwl yn chware yno'n rheolaidd.

Roedd seler werin enwog arall yn The Troubadour yn Earls Court. Mae'r lle yma'n dal i fod ac mae'r cantorion gore i gyd wedi chware yno – Bobby Dylan hyd yn oed. A dweud y gwir, dyma lle gweles i Bob Dylan am y tro cynta yn 1965. Chanodd e ddim; roedd e 'da'i ffrindie, a Martin Carthy'n feddw dwll, yn swnllyd ac yn drahaus iawn. Flynyddoedd yn ddiweddarach, fe weles i Davy Graham – hen ddyn rhagfarnllyd – yn taflu Roy Harper oddi ar y llwyfan pan oedd e'n ifanc iawn, am nad oedd e ddim yn lico'i ganu gitâr e. "Fuck off out of here, you cretin," meddai Graham, yn benwan dan ddylanwad cyffurie. Doedd plicio Roy, druan bach, ddim yn ddigon da gan y dyn mawr!

Un o gadarnleoedd adfywiad cerddoriaeth werin Prydain oedd The Ballads and Blues Club, yn rhif dau, Soho Square. Roedd y clwb yma'n cael ei gynnal bob wthnos mewn stafell wedi'i llogi, heb drwydded. Roedd e bob amser yn llawn dop a chlwb cantorion oedd e – hynny yw, roedd canwyr jyst yn mynd yno ac yn cael eu gwahodd lan i'r llwyfan i berfformio dwy neu dair cân yr un. Yno y clywes i'r siantïwr ola, Stan Hugill, am y tro cynta; ar ôl hynny, fe aeth e'n athro hwylio yn ysgol fôr Aberdyfi nes iddo fe ymddeol.

Ro'n i'n iste ar y stâr yn Chalk Farm un noswaith yn trial chware fel Big Bill Broonzy, pan ddaeth Syd, y boi oedd yn byw drws nesaf, mas a sefyll yno'n edrych arna i. Ymhen dipyn, medde fe, "Can you play what you're thinking?" Wedyn, yn ôl â fe at ei deipiadur a chau'r drws. Do'n i rioed wedi meddwl am chware beth o'n i'n feddwl; ro'n i wastad yn trial copïo cerddoriaeth pobol eraill. Ar chwap fel 'ny, fe wnaeth e i fi feddwl yn wahanol am gerddoriaeth, a dwi'n fwy gofalus byth ers hynny.

* * *

Peintiwr haniaethol oedd Geoff, ac roedd e'n peintio'n fawr. Roedd gwaith Jackson Pollock a'r peintwyr adweithiol Americanaidd yn dechre dod i fri ac roedd Geoff yn gwneud ei fersiwn e o 'Taschiaeth', fel roedd e'n cael ei alw. Bydde fe'n cael hyd i hen fframie gwelye pren oedd wedi'u towlu mas o dai ac yn dod â nhw'n ôl i'r stafell ac yn taenu cynfas drostyn nhw. Wedi'u dwgyd oedd y rhan fwya o'r cynfase. Roedd cysgodlenni ffenestri siope wedi'u gwneud o gynfase streipiog y dyddie hynny, a bydden nhw'n cael eu dwgyd gefen nos, eu gwnïo at ei gilydd, a'u hestyn ar ffrâm gwely dwbwl gan greu gofod anferth i'w beintio. Bydde 'da Geoff botie anferth o baent tai – yn goch, melyn a glas cysefin, llwyd a du a gwyn – a bydde fe'n lluchio'r rhain at y cynfas oedd yn pwyso wrth wal y stafell wely. Byddai'n rhwymo'r brwshys mwya galle fe gael hyd iddyn nhw ar goese brwshys ac yn llarpio'r cynfas 'da nhw ac yn taflu deunyddie eraill fel gro, clai, pwti, plaster Paris a thywod ac unrhyw beth arall oedd o fewn cyrraedd at y ffrâm. Bydde Jeanne yn eistedd ar y gwely'n bwydo'i babi'n ddidaro. Dyna i chi le bisâr. Roedd Geoff yn chware rhan yr artist i'r dim – locsyn mawr coch fel Vincent, cetyn cyrliog yn ei geg, siwt felfaréd, beret dros un glust, ac yn sylwebu'n ddi-dor ar gelfyddyd fawr dirfodaeth.

Bob bore Sadwrn, roedd 'na farchnad rad yn Queen's Crescent, a bydden ni'n mynd yno i heclo Ffasgwyr Oswald Mosley fydde'n dangos eu hwynebe bob wythnos ac yn rhefru ar y dyrfa yn arthio ac yn bytheirio ar focsys sebon – neu gretie cwrw mewn gwirionedd! Bydde'r gynulleidfa fel arfer yn boddi'u lleisie nhw, yn eu pledu nhw, ac wedyn yn eu cwrso nhw lawr yr hewl.

Dalies i ati 'da 'ngwaith yn y swyddfa, a ches i'r dasg o ofalu am stocie a chyfranddaliade Dug Norfolk – yr arian roedd e wedi'i fuddsoddi yng nghwmnïe a rheilffyrdd De America ac mewn coedwigaeth gan mwya. Ond hel cerddoriaeth oedd fy mhethe i, yn enwedig canu gwerin, canu'r felan a jazz. Ond roedd y chwilen jazz yn dechre diflannu. Roedd hi'n hen bryd i mi ddweud 'helô' wrth y gitâr, a 'ta-ta' wrth y banjo.

Roedd Peggy Seeger ac Ewan McColl yn byw yn Llunden ar y pryd. Roedd McColl yn gweithio 'da Sydney Carter, dyn BBC a chyfansoddwr geiriau caneuon tan gamp. Roedden nhw'n cyd-ysgrifennu cyfres radio o'r enw *Singing the Fishing*. O hon y daeth y gân enwog 'The Shoals of Herring'. Roedd McColl a Seeger yn snobs canu gwerin ac yn rhedeg clwb dethol ac esoterig ar gyfer cerddorion gwerin eithafol, o'r enw The Singers' Club. Clwb crwydrol oedd hwn fydde'n symud o dafarn i dafarn lle bynnag allen nhw gael stafell addas i'w llogi. Caneuon traddodiadol anadnabyddus fydde'n cael eu canu ac roedd offerynne cerdd am y dim â bod dan waharddiad, ar wahân i fanjo pum tant Seeger.

Roedd McColl wir yn ymhonnus – wedi newid ei enw hyd yn oed – a byddai'n canu 'da'i law dros un glust, a'i ben ar un ochor, a golwg ddeallus ar ei wyneb – neu felly roedd e'n tybio. Roedd Seeger yn gerddor gwerin dawnus â llais bach persain a *repertoire* aruthrol o ganeuon ethnig Americanaidd – roedd ei chlywed hi'n canu'r banjo yn fêl i'r clustie ar ôl gweddill y 'canu'. Ubain a griddfan oedd hwnnw gan mwya, am enethod a bechgyn yn gyrru'r wedd a sothach cefen gwlad diflas arall. Y buarth ydi'u lle nhw.

Fe weles i Dylan yn chware yn The Singers' Club unwaith – mewn tafarn yn Old Compton Street. The Princess of Bohemia dwi'n credu oedd ei henw hi. Ei gap gwerin am ei ben a'i gôt groen oen ar ei gefen, fel ag ar glawr *The Freewheeling Bob*. Roedd e'n feddw gaib ac yn cael hwyl am ben y 'gwerinwyr' eto; da iawn ti, Bob! Roedd e'n ormod i'r *clan* Seeger-McColl, ac yn symud canu gwerin i lefel arall; hen bryd hefyd.

Roeddwn i yn y Two Gee's un noswaith yn canu'r felan 'da Long John Baldry cyn chware yn ystod yr egwyl yn Collier's lawr yr hewl. Roedd 'na weiddi o gyfeiriad y drws, ac wedyn, lawr y stâr garreg, dyma ddyn tal, tene 'da locsyn yn cerdded i mewn, yn gwisgo siwt *Levi* las wedi colli'i lliw (rhywbeth na allech chi mo'i gael yn Llunden ar y pryd) a bŵts cowboi sodle uchel, ac yn cario câs gitâr tolciog yn sticeri awyren drosto. Edrychodd Baldry lan, dal i chware a gweiddi "Piss off, Alex!" Dyna'r tro cynta i fi gwrdd ag Alex Campbell, y gwir drwbadŵr a geiriadur byw canu gwerin. Roedd Alex, oedd yn byw ym Mharis ar y pryd, wedi dod i Lunden i recordio albwm o ganeuon Americanaidd o'r enw *Way out West* ar gyfer label Society.

Fe ddysgodd Alex lawer o ganeuon i fi a dylanwadu ar fy agwedd i tuag at ganu a chware'r gitâr. Fe hefyd ddangosodd lawer i fi am sut i drin cynulleidfa. Roedd Alex yn chware Gibson J45 – peth chwedlonol, hudolus a rhyfeddol. Fe gychwynnodd e glwb yn y Railway Hotel, Richmond, ac yn yr Halfmoon, Putney, lle bydde fe'n galw arna i i ddod lan o'r gynulleidfa i ganu. Symbylodd e fi i ganu a sgrifennu caneuon a meithrin llawer o hyder yno' i; rhywbeth roedd ei fawr angen gan 'mod i'n ifanc, yn swil ac yn ddibrofiad iawn ar y pryd.

Roedd Alex yn slochiwr enfawr, a dangosodd e lawer i fi am yr ochor yna i'r storïwr. Fe gafon ni lawer o sesiyne yfed anferthol 'da'i ffrind, y chwaraewr banjo Derrol Adams, a hefyd Dominic Behan – brawd Brendan – oedd yn wallgo bost! Byddai Jack Elliot yn dod draw, a chanwr Gwyddelig o'r enw Noel Murphy. Roedd 'na beth wmbredd o slochian ymhlith y criw gwerin a jazz fel arfer ac roedd cyffurie'n dechre sleifio i'n byd ni. Roedd delio cyffurie'n fusnes cudd iawn bryd hynny, a'r 'chwynnyn' yn cael ei reoli a'i ddefnyddio gan mwya gan y Caribïaid, yr opiwm a'r *smack* (heroin) gan y Tsieineaid a rhai o'r chwaraewyr jazz modern.

Roeddwn i'n chware ac yn canu fwyfwy erbyn hyn; yn chware mewn sawl clwb gwerin, ond byth yn cael fy llogi – jyst codi fel canwr o'r llawr. Roedd y rhan fwya o'r bobol yn y clybie gwerin a jazz yn fy nabod i ac os o'n i'n dangos fy ngwyneb yn y Troubadour neu'r Half Moon neu yn rhywle fel 'ny, bydde rhywun yn siŵr o ofyn i fi ganu.

Roedd Baldry'n lico chware 'da fi – canu'r blŵs fwya, er bod *repertoire* gwerin 'da fe hefyd. Gofynnodd e i fi wneud y sesiyne trwy'r nos dros y penwythnos 'da fe, a fydden ni'n chware yn ystod yr egwyl yn y rhan fwya o'r clybie jazz. Bydde fe'n rhoi swllt neu ddau i fi am hynny, a bydden ni'n chware o gwmpas Soho a rhanne eraill o Ganol Llunden o nos Wener tan fore Sul, ac yn cyrraedd pen y daith fel arfer yng nghlwb Ken Collyer, lle bydden ni'n gwneud dau sbot. Byddwn i'n chware Golden Hofner Diz Dizley a fyddai wedi'i adael tu ôl i'r piano. Byddwn i hefyd yn chware'r banjo i fand Collyer pan oedd John Bastable yn feddw gaib. Ei diwedd hi fyddai toriad gwawr bore Sul wrth y stondin bastai ar yr Embankment islaw gorsaf Charing Cross am fwgaid mawr o de a chi poeth. Fel arfer, roedd gan Baldry gwpwl o'i *hairdressers* i'w ganlyn erbyn hynny a bydden nhw'n fy ngadael i yno ac yn sleifio bant i Hampstead am orji. Gartre i Queen's Crescent awn i a chysgu ar y landin drwy'r dydd i gael fy nghefn ata. Roedd penwthnose'n lladdfa.

Fyddwn i bron byth yn cael fy nhalu am ganu yn Llunden. Ro'n i'n dlawd fel llygoden eglwys, a Geoff fy landlord i hefyd. Allwn i ddim hyd yn oed fforddio gitâr, er 'mod i wedi rhoi cynnig ar brynu Harmony Sovereign 'da Ivor Mairants ond wedi cael fy ngwrthod gan y cwmni benthyg. Dim ond £45 oedd e ond roedd hynny'n arian mawr i fi.

Bydde'r rhan fwya o'r canwyr gwerin da fel Wizz Jones, Alex, Derroll ac yn y blaen yn mynd i ganu ar ben stryd ym Mharis – yng nghyffiniau ardal Ladin St Michel gan amla, ar bwys Notre Dame de Paris. Mae'r ardal yma'n ddryswch o strydoedd cul a gylis ar lanne'r Seine. Roedd 'na gaffe o'r enw Popoffs yno oedd yn cael ei gadw gan ddyn eangfrydig o Ddwyrain Ewrop oedd yn dwlu ar gerddoriaeth a cherddorion. Bydde'r cantorion gwerin i gyd yn tyrru yno. Allech chi hyd yn oed gysgu yno os oeddech chi newydd gyrraedd a heb gael lle, ond roedd Paris yn rhad iawn bryd hynny ac fe allai rhywun rentu stafelloedd am y nesa peth i ddim, yn enwedig yn Montparnasse, oedd yn rhad i'w ryfeddu o'i gymharu ag unrhyw le ym Mhrydain neu Lunden.

Roedd coste byw yn is o lawer nag yn Llunden neu unrhyw un o ddinasoedd rhanbarthol Lloegr. Roedd 'na beth wmbredd o buteinied o gwmpas St Michel a bydden nhw'n prynu diodydd a bwyd i fi yn y caffes. Roedd 'na dipyn go lew o *bordellos* yn y cylch, ac roedd puteindod yn gyfreithlon ym Mharis ar y pryd. Roedd un butain ifanc yn fy ffansïo i; Claire Duval oedd ei henw hi – merch bryd tywyll, bert – ond ches i ddim carwriaeth rywiol o fath yn y byd 'da hi, er ei bod hi moyn i'n perthynas ni fynd ffor'na. Roedd hi'n hawdd osgoi caru 'da hi achos, y rhan fwya o'r amser, roedd hi bant yn ffwcio am arian a phan nad oedd hi'n gwneud hynny, fe fydden ni'n mynd am dro ar lannau'r Seine neu i Montmartre lle mae 'na beth wmbredd o artistiaid stryd yn peintio. Fe wnethen nhw bortread gwirioneddol dda yn y fan a'r lle am ffranc neu ddau, ac fe dales i iddi gael tynnu'i llun unwaith. Bydden ni'n mynd i Sacré Cœur, fy hoff eglwys i. Pabyddes oedd hi, wrth gwrs, a byddai'n goleuo canhwylle ac yn dweud ei chyffes. Sai'n gwbod be ddigwyddodd iddi – un tro, es i St Michel ac roedd hi wedi diflannu, a 'run o'r merched eraill fel 'sen nhw'n gwbod lle oedd hi wedi mynd. Gobeithio 'i bod hi'n dal yn fyw – roedden ni'r un oed. Chlywes i rioed ganddi wedyn, er iddi sgrifennu at fy mam yn Solfach unwaith neu ddwy. *C'est la vie!*

Roedd potel o win deche yn ddeg ceiniog, a bara, caws a ffrwythe yn rhad fel baw; fe allech chi fyw fel gŵr bonheddig ar hanner can ceiniog y dydd. Byddai pawb oedd yn mynd i ganu ar ben stryd ym Mharis yn dod yn eu hole'n edrych yn iachach ac yn gryfach o lawer. Roedd y byd canu gwerin Americanaidd hefyd yn ei fabandod yn '60–'61–'62, a daeth crugyn o gantorion gwerin Americanaidd yno i chware yn y strydoedd a'r caffes; pobl fel Richard & Mimi Farina, Jack Elliott, Phil Ochs, Ian & Sylvia, Mary Travers, Derrol Adams a Peggy Seeger. Weles i rioed mo Dylan yno, a sai'n gwbod a chwaraeodd e ar y stryd erioed. Ond fe weles i Wizz Jones a Pete Stanley – chwaraewr banjo tan gamp o Loegr – Davy Graham, Baldry, ac Alex Campbell; fe chwaraeon nhw i gyd yng nghaffes St Michel. Roedd 'na griw o fois o'r Moulders yng Nghaerdydd yno'n eitha amal. Ffrindie i mi – Wally Jones o Lanelli, Robin Grace o'r Barri, Jimmy Angove o Benarth, a bachan o'r enw Mike Bradden sy'n byw yn Awstralia erbyn hyn.

Teithwyr oedd y cantorion gwerin, ac roedden nhw'n cael blas ar bob munud ohono fe; roedd 'na rwydwaith o wybodaeth nid annhebyg i Reuters. Rhannu gwybodaeth am lefydd da i fod, heb hidio am na phellter, arian na llety. Er enghraifft, ro'n i ym Mharis unwaith pan ddangosodd dau ganwr gwerin eu hwynebe a dechreuon ni yfed gwin. Dwedon nhw wrtha i taw dim ond ceiniog y gwydryn oedd yr un gwin yn Barcelona. A 'run pryd, drannoeth, dyna lle o'n i, yn yfed yn Barcelona. Roedd 'na ddau gant a deugain o geinioge i'r bunt bryd hynny! Dyna shwt o'n ni'n byw – yn chware, yn teithio ac yn yfed gwin – o, ac yn bwyta bwyd maethlon da o fara, caws, salami, olewydd a physgod. Dim sglodion! Doedd neb y tu fas i Brydain ac America wedi clywed sôn am sglodion. Bydden ni'n canu am ein swper.

Fe fyddwn i'n mynd gartre i Solfach o bryd i'w gilydd, pan oedd hiraeth yn mynd yn drech na fi. Byddwn i'n lico gweld fy nheulu ac iste ar y cei yn Solfach unwaith eto. Ambell waith, fe fyddwn i'n cael gwaith ar fferm – yn gyrru tractor, yn lladd gwair neu'n codi tato; neu falle'n gweithio ar y cynhaea llafur yn ddiweddarach yn y flwyddyn. Dyddie difyr – gwaith caled, ond i gyd yn rhan o'r ffordd 'na o fyw.

Unwaith, pan o'n i yn Ffrainc neu yn Sbaen, fe ofynnodd rhywun i fi faint oedd fy oed i. Sylweddoles 'mod i bron yn 21 oed, felly dyma feddwl ei bod hi'n syniad da i mi 'i chychwyn hi sha thre. Ar y ffordd, fe estynnes i wahoddiad i lond gwlad o ffrindie i ddod i barti yn Solfach. Ychydig o arian oedd 'da fi ond llawer o ffydd, ac fe gyrhaeddes i gartre, ar ôl marathon o fodio, y diwrnod cyn fy mhen-blwydd, ar y 13eg o Fawrth. Agores y drws ochor nad oedd fyth ar glo, a gweles i 'y mam yn golchi'r llestri. Doedd hi ddim fel 'se hi'n synnu 'ngweld i o gwbwl.

"Be ti'n neud 'ma?" gofynnodd.

"Fi wedi dod gartre ar gyfer fy mhen blwydd yn un ar hugen," meddwn i.

"Y twpsyn â ti!" medde hi. "Y llynedd oedd hynny! Ti wedi'i golli fe!"

Ro'n i wedi colli blwyddyn ar fy nghrwydrade, ond wedi gwahodd dwsine o bobol ledled Ewrop ac o Lunden a Chaerdydd ac Abertawe a llu o lefydd eraill i'r parti! Roedd fy mam yn dwlu ar bartïon, felly dwedodd hi, "Gei di fe fan hyn. Gwell hwyr na hwyrach, ond sdim arian 'da ni, dim diod a'r nesa peth i ddim bwyd. Mae 'na ddawns yn y Neuadd Goffa nos fory felly o leia fe allwn ni gael jig!"

Ffonies hen ffrind i fi, a daeth e lawr a mynd â fi am ddiod.

"Grêt dy weld di, achan. Lle wyt ti wedi bod?"

"Stori hir, John. Rhaid i ni drefnu parti, glou!"

A dyna'n union be wnaethon ni. Ddwgon ni ddwy gasgen gwrw o gefen tafarn leol. "Sylwan nhw byth," medden ni. Roedd fy ffrind i'n gweithio yng nghegin y ganolfan llynges leol ac, yn ffodus iawn, roedd yr allweddi 'da fe a thrwydded ar ffenest ei gar oedd yn caniatáu iddo fe fynd a dod o'r gwersyll fel y mynne fe. Dyma reibio cegin a storfeydd HMS *Goldcrest* ar y gair, a chael digon o gigoedd oer, pasteiod stêc a lwlod, cawsie, torthe o fara, talpie o fenyn, pupur a halen a sawsie i gynnal gwledd! Fe benderfynon ni fenthyg pympie cwrw a silindre nwy gan westy lleol, a dyna'r parti ar y gweill.

Dechreuodd pobl gyrraedd, a phoblogaeth Solfach yn mestyn o ryw gant; welodd y Bay Hotel mo'i debyg ers Diwrnod VE, a neuadd y pentre rioed wedi gweld shwt fagad o ffrîcs rhyngwladol, yn dawnso jazz ac yn lapswchan ar hyd a lled y llawr dawnso. Gofynnwyd i ni chware yn ystod yr egwyl a go brin eu bod nhw wedi clywed dim byd tebyg o ran cerddoriaeth erioed o'r blaen: *Hillybillyjazzybluesfolk*.

Yn ôl yn nhŷ Betty, roedd y lle dan ei sang, ac o leia hanner cant o geir wedi'u parcio tu fas. Y tu mewn, roedd pobol yn bwyta, yn dawnso, yn chware pob mathe o offerynne cerdd, ac yn yfed o unrhyw beth oedd yn dal dŵr – y llestri gore, mygie'r Coroni, sosbenni, fy nhroffis rhwyfo i, tebotie, a hyd yn oed powlen y gath.

"Michael," medde fy mam. "Mae hanner y sir 'ma, ac mae Rowland (ocsiwnïar a chymeriad lleol) newydd roi tri chan punt i fi."

Aeth bron neb gartre ac roedd y parti'n dal i fynd, yn llawn sbri, nes i ni fynd yn ein hole lawr i'r Bay Hotel tua chanol dydd.

Yn ddiweddarach – o'n hanfodd – dyma ni'n gadael hedd, tawelwch a harddwch tangnefeddus Solfach. Roedd y ffordd hir a throellog yn galw.

Pennod 10

Manceinion

Roedd Martin, fy mrawd, oedd yn dal i fod yn Ysgol Tyddewi, wedi rhoi ei hen gitâr ei hun yn anrheg ben-blwydd i fi. Ro'n i'n ddiolchgar iawn; doedd 'da fi 'run fy hun. A chyda hynny, ffarwelies 'da'r teulu a'i chychwyn hi am Birmingham. Ro'n i'n nabod merch yno fydde'n rhoi llety i fi am sbelen – merch i blismon, a roces ffein iawn. Yn Birmingham, roedd 'da 'r Ian Campbell Folk Group un o'r clybie gwerin gore a mwya ym Mhryden, ac am hwnnw ro'n i'n anelu.

Bydde'n sesiwn grêt bob nos Sul, a'r lle dan ei sang achos taw Martin Carthy oedd y canwr gwâdd, a bydde fe'n chware set gampus o ganeuon gwerin Lloegr, a'i gitâr Martin 00018 ffyddlon yn cyfeilio iddo fel arfer. Tua diwedd y set, bydde Dave Swarbrick, ffidlwr yr Ian Campbell Group, hefyd yn cyfeilio iddo fe. Fe fydden nhw'n dal i chware yn y stafell y tu ôl i'r llwyfan wedyn, ac un noson fe benderfynon nhw ffurfio deuawd, Carthy & Swarbrick, a recordiodd albwms da iawn a theithio i bedwar ban byd maes o law.

Yn ddiweddarach, a minne'n dal i fod ar y ffordd yng Nghanolbarth Lloegr, ces i 'ngollwng mewn lle petrol yn Wellington a chael gwbod ei fod e'n lle da i gael pàs. Ro'n i ar fy ffordd i Gaerdydd, lle roedd Cymru'n chware Iwerddon y penwythnos hwnnw. Yn yr orsaf betrol roedd arwydd anferth yn cyhoeddi enw 'Jack Kelly' a ches i 'nghyfarch gan y dyn ei hun pan gerddes i mewn. Roedd hi'n eira mawr y tu fas, a chynigiodd e ddishgled o de i fi. Dyn mawr oedd Jack Kelly, mewn siwt ddwbwl-brest lwyd smart, yn edrych fel 'se fe newydd gael hwyl arni yn y rasys. Roedd 'na gath fawr ddu yn cwtsho ar silff ar bwys y ffenest. Ac medde Kelly, "Have you ever seen the like of this?" gan dynnu potel o laeth o'r oergell.

Llamodd y gath oddi ar y silff, cydio yn y botel â'i phawenne blaen cyn cnoi caead y botel a gwneud sŵn sgyrnygu uchel. Tynnodd y dyn y botel yn dyner o goflaid y gath a chwarddon ni'n dau.

"No," meddwn inne. "Is that how he usually drinks his milk?"

"Oh, yes," medde Kelly, "but he can't open the door of the fridge yet, thank God – he's a bit too young. Would you like a drink?" Pwyntiodd at dafarn ar draws yr hewl trwy'r lluwch eira. "I'll be closing up in a minute."

"Off to Cardiff for the rugby, is it? Sure Ireland will beat the hell out of youse!"

"I'm not so sure about that," meddwn inne, gan wybod y bydde Cymru'n rhoi tîm da iawn ar y maes.

Roedd e wedi bod yn llygadu fy ngitâr i, ac, ar ôl peint neu ddau, mas â fe a chyn bo hir roedd y bar i gyd yn morio canu. Fe gynigiodd wely i fi dros nos, gan ddweud ei bod hi'n rhy hwyr i fynd ymlaen ac y bydde'r eira wedi atal y traffig ar y ffyrdd i gyd, oedd yn ddigon gwir. Roedd llond y tŷ o blant 'da fe, tua f'oed i, a gwraig fechan fach. Roedd un mab, Damien – neu Ned fel roedd e'n cael ei alw – yn fyfyriwr Celf yng Nghasnewydd. Bu rhaid i fi aros i'r eira glirio ddeuddydd yn ddiweddarach, ac aeth Kelly â fi lawr i'r lle petrol ar yr A5 a chael pàs i fi ar lorri i Gaerdydd. "Call in any time and good luck," medde fe. Anghofia i fyth mo'i gath ddu fe, na'r croeso.

Roedd Caerdydd yn heigio o selogion rygbi fel arfer, er gwaetha'r eira. Es i'r Tavistock, lle ro'n i'n gwbod y gallwn i ennill punt neu ddwy ac yfed seidir faint fynnwn i. Dwi ddim yn cofio lle'r arhoses i noson y gêm – a enillwyd gan Gymru – ond, y bore wedyn, ro'n i mas ar y stryd yn fore ac es i am frecwast yn Caroline Street. Roedd y tywydd yn rhynllyd, ac ro'n i'n meddwl lle'r awn i nesa. A minne'n yfed dishgled arall o goffi, trawodd De Sbaen fy mhen i.

Pan agorodd y tafarne, es i'r Great Western Hotel, yn union ar draws yr hewl ar bwys yr orsaf reilffordd. A hithe ond yn amser agor, roedd y dafarn eisoes yn llawn myfyrwyr o Brifysgol Manceinion, ac, yn eu plith nhw, fy hen fêt Charles Oliver Bethel, o ddyddie'r Moulders gynt. Roedd e'n astudio Saesneg lan sha'r north nawr. Arweiniodd hyn at sesiwn ganu ac yfed anochel, ac, yn ddiweddarach, ar fys i Fanceinion, aeth Charlie ati i sôn am yr holl glybie yfed yno, a'r ffortiwn ro'n i'n mynd i'w gwneud 'da fe yn rheolwr arna i! Wel, roedd Bethel yn llygad ei le i ryw radde, achos Manceinion lansiodd fi fel canwr gwerin proffesiynol.

Roedd Charlie'n byw mewn tŵr fflatie uchel yn Owen's Park, pentre'r myfyrwyr yn Withington. Roedd stafell fach 'da fe ar yr wythfed llawr, ac ar y llawr y byddwn i'n cysgu fel arfer – bydde Charlie'n cael y gwely achos taw fe oedd yn talu'r rhent. Doedd bwyd ddim yn broblem; roedd dwy stafell fwyta 'da system docynne, a phob myfyriwr yn cael llyfyr o docynne ar ddechre'r tymor. Roedd tri phryd o fwyd y dydd, ond roedd y rhan fwya o'r myfyrwyr yn colli cino canol dydd a brecwast hefyd ambell waith. (Bydde myfyrwyr stafell gyffredin yr wythfed llawr yn chware pocer drwy'r nos, felly doedden nhw byth yn codi'n ddigon bore i gael brecwast.) Byddwn i'n casglu'r holl docynne oedd heb eu defnyddio ac yn newid y rhife i gyd-fynd â'r pryd bwyd priodol – cino nos fel arfer.

Ganol dydd bob dydd, bydden ni'n mynd i far yr Undeb – y bar hwnnw oedd ein canolfan ni. Am dri y pnawn, fe fydden ni'n croesi'r hewl i glwb yfed, wedyn yn ôl i'r Undeb gyda'r nos am bryd o fwyd a ta beth oedd yn dod nesa. Cafodd Charlie rai gigie i fi yn y clybie lysho cefen nos ac fe wnaethon ni arian. Ro'n i'n chware mewn clybie stripio, clybie hoyw – beth bynnag oedd ar gael.

Un amser cino roedden ni'n mynd ling-di-long i'r Undeb pan welson ni gar Americanaidd glas gole hir – Ford Sunliner oedd e – wedi'i barcio gyda thwr o bobol y tu fas. Roedd 'na foi yn iste ynddo 'da gwallt hir gole perocsid, côt finc, het Stetson, bŵts cowboi o Texas, ac yn smoco sigâr anferth. Roedd Jimmy Savile wedi dod i ddifyrru'r myfyrwyr yn y neuadd fawr. Aethon ni i'r bar fel arfer. DJ o Leeds oedd Jimmy Savile, a bydde'n gwneud *Top of the Pops* oedd yn cael ei recordio yn un o stiwdios y BBC heb fod ymhell lan yr hewl – mewn eglwys wedi'i hailwampio yn Rusholm.

Doedd dim diddordeb 'da ni yn Jimmy Savile na cherddoriaeth bop, ac felly fe wnaethon ni'n pethe arferol, sef slochian a chanu yn y bar. Yno hefyd roedd y gitarydd o Gaeredin, Ian Chisholm, pigwr gitâr da iawn a chythrel o un am ganu'r felan gwlad a gwerin a chaneuon gwerin traddodiadol. Bydden ni'n chware yn y clybie gwerin 'da'n gilydd, ambell waith, a chydag Americanes, Eleanor Raskin o'r Bronx yn Efrog Newydd. Roedd llais grymus iawn 'da hi ac roedd hi ynghlwm wrth yr adfywiad canu gwerin yn Efrog Newydd. Roedd Eleanor yn briod â Jonah, ac roedd y ddau ohonyn nhw'n gwneud doethuriaeth ym Manceinion ar ôl graddio o Brifysgol Columbia. Bydde Eleanor a Jonah ei gŵr yn mynychu clybie gwerin Greenwich Village, ac roedden nhw wedi gweld yr holl ganwyr addawol yn cychwyn yn y byd – Joan Baez, Jack Elliott, Phil Ochs, a chrwt ifanc roedden nhw'n ei alw'n Bobby Zimmerman.

Roedd y sesiwn yn y bar yn dal i fod mewn hwyl, ac roedd y bar yn llawn dop. Terry Ellis oedd yr ysgrifennydd adloniant ar y pryd, a Chris Wright yn ei gynorthwyo; aethon nhw yn eu blaenau wedyn i ffurfio Chrysalis Records. Roedd byti 'da nhw o Hull o'r enw Doug D'Arcy, a daeth e i mewn i 'nghyflwyno i foi oedd 'da Jimmy Savile – Richard Reese Edwards, bachan tal, trwsiadus, o ysgol fonedd gynt, a oedd nawr yn y byd adloniant, yn chwilio am act fawr i'w hyrwyddo. Fe ddwedodd ei fod newydd gael hyd iddo fe – fi! Dwi wastad yn cymryd popeth â phinsied o halen, ac yn teithio i bobman 'da gitâr a photel o saws *chilli*, ac ro'n i'n fwy o sinig fyth y pryd hynny – ac yn llai o *gourmet*!

"Can you write songs?"

"Yes."

"Have you heard Donovan?"

"No. Who's that?"

Syfrdandod. "He's got a regular spot on *Ready Steady Go*."

"What's that?"

"Oh my God! Would you like to go on *Top of the Pops*? I might be able to get you on. Have you made any records?"

"No."

"Oh, would you like to make a record?"

"You'd better talk to me," medde Charlie yn ei ddiod. "I'm his manager!"

Erbyn hyn, roedd y myfyrwyr yn byta o law Savile – hyd yn oed y gwatwarwyr – ac roedd e'n noeth heblaw am bâr o drôns bocsiwr glas streipiog.

Rai dyddie'n ddiweddarach, daeth myfyriwr ro'n i'n ei fras nabod i mewn i ffreutur yr Undeb lle ro'n i 'da 'nghariad, Sue o Lerpwl. Fe ddwedodd iddo gael ei hala i ddod â fi i swyddfa Reese Edwards yn y dre. Yn ddiweddarach, mewn swyddfa wedi'i dodrefnu'n eitha da a phroffesiynol yr olwg ar bwys Albert Square, cynigiodd Edwards gytundeb i fi. Y cynllun oedd y byddwn i'n mynd bant i sgrifennu caneuon. Chwareodd e 'Catch the Wind' Donovan a gofyn, "Can you write like that?"

"Easily," meddwn inne.

Y fargen oedd y byddwn i'n torri f'enw ar gytundeb 'da'i gwmni e, Anglo-Continental Enterprises. Bydde fe'n cael gwaith i fi – yn holl neuaddau dawns Mecca yng ngogledd Lloegr, ymhlith llefydd eraill – a bydde'i gwmni e'n ariannu cynhyrchu record sengl, wedi i mi'i sgrifennu a'i recordio, fydde'n cael ei ryddhau ar label recordio mawr. Bydde'r cwmni'n cael hyd i fflat ddeche i fi ac yn rhoi tâl cadw wythnosol i fi. Roedd hon yn fargen dda. Ro'n i'n cysgu ar lawr Charlie a doedd dim cerpyn 'da fi heblaw'r dillad oedd amdana i, a'r rheini wedi'u benthyca gan mwya. Roedd fy ngitâr i'n un rhad ac erbyn hyn wedi mynd i'r cŵn a'r brain, felly fe fydden nhw'n prynu gitâr acwstig drydan ddeuddeg tant newydd i fi – un Hagstrom. Er mawr syndod i fi, fe ddaeth hyn i gyd yn wir.

Erbyn hyn, ro'n i'n aros 'da myfyriwr drama, Susan Triesman, o Lunden. Roedd hi'n ferch hyfryd, beniog a dawnus iawn. Ces i wbod yn ddiweddarach ei bod hi'n perthyn i'r actores enwog Sarah Bernhardt.

Roedd 'da Sue fflat ar bwys y Brifysgol, a dyna lle y dechreues i sgrifennu caneuon. Ro'n i wedi sgrifennu 'Walter's Song', a ddaeth yn nes ymlaen yn 'Cân Walter', ac 'I saw a Field' yn Solfach rai blynyddoedd cyn hynny. Ond ysgrifennes i 'Did I Dream', fy record sengl gynta, yn fflat Sue ym Manceinion. Es i â'r geiriau i swyddfa Reese Edwards a chware'r gân iddo fe. Ddiwrnod neu ddau'n ddiweddarach, roedden ni yn stiwdio Tony Pike yn Llunden yn ei recordio hi, 'da John Paul Jones – ddaeth wedyn yn aelod o Led Zeppelin – yn cynhyrchu. Baled syml oedd y gân – cân serch – ac fe ychwanegodd e *ensemble* tanne ati hi mewn sesiwn ddiweddarach.

Dyma fynd â fi wedyn i lofnodi cytundeb 'da Decca, lle cwrddes i â Dick Rowe, un o'r penaethiaid. "We love your record here at Decca, Mike. You're going a long way in the music business," medde fe. Smociwr sigârs arall. Roedd e newydd wrthod y Beatles – fi oedd y bachan lwcus!

Aeth Reese Edwards â fi i gwrdd ag Andrew Loog Oldham, rheolwr y Stones – oedd wedi mynd i'r un ysgol ag e. Aeth â fi hefyd i gwrdd â Vicky Wickham, cynhyrchydd *Ready Steady Go*, ac i wneud clyweliad. Roedd e'n trial fy ngwthio fi yn y farchnad bop am y gore. Ro'n i'n gweld hyn i gyd yn smaldod, fel 'se fe heb fod yn digwydd go-iawn, ond y gwir amdani oedd ei fod e'n waith caled, a minne'n teithio bron bob dydd ac yn chware yn neuaddau dawns Mecca a chlybiau bît bob nos, ar fy mhen fy hun 'da dim ond gitâr drydan ddeuddeg tant. Do'n i ddim yn gyrru bryd hynny mwy nag ydw i nawr, felly trene a bysys amdani – ac awyren lawr i Lunden os o'n i ar frys. Gwnes i beth gwaith ar gyfer teledu rhanbarthol – Granada, Tyne Tees, Border, STV a HTV– er mwyn hybu'r record, ond doedd y rhaglenni rhwydwaith mawr ddim ar gael, a heb hynny, doedd dim gobaith i record sengl fynd i fri o ddifri.

Chwareais i yn holl glybie R&B mawr Manceinion, Leeds, Sheffield, Lerpwl, Hull a Birmingham, oedd hefyd yn anodd achos, ar y pryd, roedd y bŵm bandie'r felan yn ei anterth, oedd yn prysur droi'n fŵm canu'r enaid. Roedd Tin Pan Alley yn dala mantais yn arw ar beth fuasai'n ffurf

Chwarae Hagstrom deuddeg tant a gefais ym Manceinion yn 1965 ar ôl arwyddo i Decca

ar gerddoriaeth lawer mwy sylfaenol – canu'r felan o ran ei gogwydd – ac roedd 'da chi fandie fel The Spencer Davis Group, The Yardbirds a The Animals yn cynhyrchu sothach siartie pop digywilydd. Roedd y peth Britpop yn ymledu'n fyd-eang yn sgil y Beatles a'r Stones a Charnaby, Carnaby Street. Roedd y dynion busnes wedi clymu ac ailbecynnu popeth yn dwt – cân di bennill fwyn i'th nain, fe gân dy nain i tithe. Roedd ffortiyne'n rowlio ym mhob cyfeiriad – gan mwya i gyfrifon banc dynion busnes Iddewig sydd wedi rheoli byd cerddoriaeth erioed, a'r fasnach ddillad sy'n mynd law yn llaw ag e.

Roedd bod â record sengl ar y farchnad, hyd yn oed os nad oedd hi yn y siartie, wastad yn beth da i ganwr; galle'r asiant ei defnyddio i dwyllo hyrwyddwyr i hurio artist doedd e heb glywed sôn amdano fe mwy na thebyg. Ces i lawer o waith ar gorn 'Did I Dream'. A chafodd Reese Edwards lawer o gyhoeddusrwydd i fi yn y wasg ym Manceinion ac mewn rhacs rhanbarthol fel y *Western Mail.*

Un diwrnod, fe gafodd e ganiad gan TWW yng Nghaerdydd, y cwmni oedd yn dal y drwydded ddarlledu ar gyfer Cymru a'r Gorllewin cyn dyddie HTV. Ro'n i yn y swyddfa ar y pryd.

"Euryn Ogwen Williams – do you know him?"

"No," medde fi, "can't say I do."

"He wants to know if you sing in Welsh," medde Edwards.

"Oh, yes, I used to years ago. I can remember some old folk songs, I think."

Yn fuan wedyn, ro'n i ar drên i Gaerdydd, yn ymarfer caneuon gwerin Cymraeg ro'n i heb eu canu ers o'n i'n grwt soprano (gallech chi wneud hynny ar drêns y dyddie hynny – roedd 'da nhw'r cerbyde preifat ffein 'na oedd am y dim â bod yn wrthsain). Ro'n i wedi dysgu neu ailgofio pump o ganeuon erbyn i ni gyrraedd Cardiff General, fel roedd hi'n cael ei galw ar y pryd. Tacsi lan i Gaeau Pontcanna, a dyna'r tro cynta i fi gwrdd ag Esmé Lewis roeddwn i wedi gwrando'n awchus ar ei recordiad o ganeuon gwerin Cymru amser maith yn ôl pan o'n i'n fachgen ysgol yn Solfach.

Aeth hi drwy'r caneuon 'da fi, a dwi'n cofio canu 'Ar y Bryn Roedd Pren' a 'Dau Rosyn Coch' a recordies i'n ddiweddarach i Warner Bros, 'Ar Lan y Môr', a dwy gân arall. Cafodd rhain eu recordio mewn dwy sesiwn, a'u darlledu ar raglen nos o'r enw *Y Dydd*. Weles i mohonyn nhw ym Manceinion a ches i ddim recordio dim mwy ar gyfer *Y Dydd*. Ond, am eu bod nhw'n meddwl ei fod e'n syniad mor dda i gael tamed bach o gerddoriaeth ar raglen newyddion a materion cyfoes gyda'r nos, fe gafon nhw fyfyriwr ifanc o Gymro oedd yn y Coleg Pensaernïaeth yng Nghaerdydd i fynd yn fy lle i: Dafydd Iwan Jones! Rhaid bod hynny'n rhatach na gorfod talu fy ffi a 'nghoste mawr i.

Roedd Reese Edwards wastad yn trial cael cyhoeddusrwydd i fi trwy 'nghysylltu â phobol oedd yn llygad y cyhoedd, fel Jimmy Savile, neu actores o 'Coronation Street' o'r enw Jennie Moss, a Mandy Rice-Davies, oedd mewn cabaret yn y gogledd yn syth ar ôl sgandal Profumo. Merch sioe o Pontiets oedd Mandy yn wreiddiol, ac roedd hi wedi hurio awduron proffesiynol yn Llunden i lunio cabaret ar ei chyfer hi, yn cynnwys caneuon a jôcs lled anweddus oedd a wnelo nhw â helynt Profumo. Roedd hi'n gwneud yn dda iawn pan gyflwynodd Richard fi iddi ar ôl un o'i sioeau. Gwahoddodd fi i'w gwesty ym Manceinion ac es i lan un bore ar ôl iddi fy ffonio i. Roedden ni'n cyd-dynnu'n dda, a bydden ni'n mynd mas am bryde o fwyd a diodydd, ac, ambell waith, fe fyddwn yn ei rhwyfo hi o gwmpas y llyn cychod mewn parc ym Manceinion; roedd hi fel 'se hi'n cael blas ar fod yn anhysbys yng nghwmni canwr gwerin ifanc shwl-di-mwl, a bydde hithe'n rhoi'i charpie sala amdani hefyd. Gwallt byr oedd 'da hi ac, fel arfer, bydde hi'n gwisgo wigie ecsotig a dillad drud a geme. Pan oedd hi 'da fi, bydde hi'n gwisgo jîns a siaced â zip a doedd neb fel 'sen nhw'n ei nabod hi. Roedd hi wrth ei bodd 'da hyn.

Ces i chwalfa nerfol tua'r adeg 'ma. Ro'n i'n meddwl 'mod i wedi cael trawiad ar y galon pan ges i wasgfa un pnawn yn Undeb y Myfyrwyr, a dyma fynd â fi mewn ambiwlans i'r Manchester Royal Infirmary. Daeth Edwards yno a dweud wrth y meddygon 'mod i ar gyffurie, oedd yn gelwydd. Fel roedden nhw ar fin 'nhaflu i mas, cyrhaeddodd Mandy mewn Rolls Royce limo 'da'i *chauffeur* mewn lifre.

"This boy's mine," medde hi yn ymosodol iawn. "He's coming with me. Fuck off, Richard. You're a little bastard." Ac wrth y *chauffeur*, "Pick him up, George, and follow me."

Aeth â fi i westy da, bwco stafell i fi, a fy swatio yn y gwely. Daeth meddyg a diagnosio trawiad fasofagol – sef bod rhan bwysig iawn o'r system nerfol yn diffygio. Ro'n i wedi bod yn gorweithio ac yn yfed gormod – ar fy nhraed tan berfeddion nos yng nghlwb Mr Smith, lle bydde George Best, y pêl-droediwr, yn mynd trwy'i bethe drwy'r nos yng nghanol ei harîm. Bydde Jimmy Savile yn cymowta yno hefyd. Lle crand oedd e, a dim ond am 'mod i'n nabod pobol o'n i'n cael mynd i mewn. Fyddwn i byth yn gwisgo 'ngharpie gore – dim o'r fath beth! Anfonodd Mandy'r meddyg bob dydd am bythefnos nes i mi gael fy nghefn ataf, ac fe dalodd hi'r bilie i gyd. Ro'n i'n ddiolchgar iawn iddi – mae hi'n fenyw dan gamp. Dwi heb ei gweld hi byth ers hynny, ond bydde'n dda 'da fi gael ad-dalu ei charedigrwydd hi.

Ar ôl y chwalfa yma, ro'n i'n teimlo'n wan ac ar bigau'r drain, yn becso y gallai e ddigwydd eto. Roedd sŵn a bwrlwm y ddinas yn drech na mi a chydig y byddwn i'n mynd mas. Roedd hynny'n broblem – roedd yn rhaid i fi ennill bywoliaeth. Phoenodd Richard Reese Edwards mohono i. Dwi'n credu bod Mandy wedi rhoi pryd o dafod iddo fe, ac falle bygwth y brodyr Kray arno!

Roedd celc 'da fi felly ro'n i'n iawn am dipyn. Symudes i mewn 'da Dave – myfyriwr fydde'n rhoi pàs i fi lawr yr M1 i Lunden yn ei Triumph Spitfire coch. Roedd stafell sbâr 'da fe, felly o leia roedd 'da fi le tawel mewn fflat ym mhentre deiliog Withington. Roedd 'na dafarn boblogaidd, The Red Lion, yn union rownd y gornel. Ro'n i'n magu nerth ac yn gallu byta'n fwy normal. Roedd y chwalfa wedi difetha fy system dreulio i'n lân ac ro'n i'n ffaelu bwyta'n iawn am sbel.

Es i'r Coleg Celf un diwrnod i glywed Pete Brown yn darllen

barddoniaeth. Doedd 'da fi fawr o feddwl o Pete Brown na'i farddoniaeth; trial neidio ar drol y 'Liverpool Scene' oedd e, Roger McGough, Brian Patten, Adrian Henri *et al.* Doedd 'da gofalwr y coleg fawr o feddwl ohono fe chwaith pan gafodd e Brown mewn cwpwrdd brwshys yn caru 'da myfyrwraig. Dyma pryd y cwrddes i â Tessa Bulman, fydde'n fam i Wizzy a Bethan, fy merched hyna. Llaw ffawd mae'n rhaid, achos taswn i heb fod yn y Coleg Celf y diwrnod hwnnw mae'n debyg na fydden ni ddim wedi cwrdd erioed. A bydde'n bywyde ni wedi dilyn hynt cwbwl wahanol.

Brodor o Carlisle oedd Tessa, ac roedd hi'n ddeunaw oed ar y pryd. Roedd hi'n astudio cerflunweth ac yn un o'r myfyrwyr gore yn yr Ysgol Gelf; yn ddigon da i Elizabeth Frink, oedd yn diwtor ar ymweliad, fod wedi rhoi ei phump ar geffylau hededog Tessa. Roedden ni'n deall ein gilydd i'r dim a, chyn hir, symudes i mewn i'w fflat hi ar Cheatham Hill. Ro'n i'n dechre mynd nôl i'r clybie gwerin o gwmpas Manceinion, a chyn hir, fe ges i waith yn y clwb mwya a mwya poblogaidd yng ngogledd Lloegr, The Manchester Sports Guild. Fi oedd y llywydd ar nosweithie Sul, pan oedd rhaid i fi ganu cân neu ddwy, wedyn cyflwyno'r brif act, a allai fod yn Bill Monroe's Bluegrass Boys, Julie Felix, The McPeake Family, The Dubliners, Ian Campbell, Alex Campbell, Sonny Terry & Brownie McGhee, Lightnin' Hopkins, Ewan MacColl a Peggy Seeger neu Jesse (San Francisco Bay) Fuller! Ac felly ymlaen! Dyddie gwych, a phrofiad da i fi. Cyhoeddusrwydd tan gamp hefyd!

Agores i 'nghlybie fy hun yn ddiweddarach: un yn Bolton yn y Pack Horse ar nosweithie Sul a'r llall yn y Shakespeare yn ymyl Piccadilly ar nosweithie Gwener. Ro'n i'n gwneud arian da o'r diwedd, ac roedd Tessa'n dishgwl ein plentyn cynta ni. Symudon ni i fflat drws nesa i'r J & J Club, clwb R&B answyddogol y brifysgol, oedd yn cael ei redeg gan Chris Wright a Terry Ellis. Roedd hi fel bedlam yno – Geno Washington, Victor Brox Bluestrain, Spencer Davis, The Yardbirds, John Mayall ('da Eric Clapton ar y pryd) – roedd y rhan fwya o'r bandie R&B gore'n chware yn y J & J, ac fe allech chi fynd i mewn am bum swllt!

Pan aned Isobel Eiliona, fe brynes i fasged wial anferth ar Stockport Road, a dyma Tessa, sy'n arbenigwraig 'da pheiriant gwnïo, yn ei leinio hi 'da *gingham* lliw lelog. Dyma grud Wizzie. Pan fydden ni'n mynd i'r J & J Club, fe fydden ni'n ei phaso hi dros wal yr ardd a bydde'r merched yn y stafell gotie'n gwarchod tra oedden ni'n dawnso i beth o'r gerddoriaeth ore gafodd ei chware ym Mhryden erioed. Fe aned Wizz yn ysbyty Withington, a thra o'n i'n ymweld â Tessa yno, es i am brawf ar fy llygaid a chael bod arna i ffotoffobia, rhywbeth na wyddwn i amdano fe. Anhwylder ar y llygaid yw e lle mae gormod o oleuni'n cael ei ollwng i mewn, a byddwn i'n cael pen tost, yn enwedig mewn haul llachar. Ces i bapur am lensys tywyll a dwi'n eu gwisgo nhw byth ers hynny.

Roedd cael babi yn newid ein bywyde ni gryn dipyn ac fe feddylion ni am symud 'nôl i gefen gwlad o lle roedden ni'n dau'n hanu. Yn ystod yr adeg yma, chwareais i lawer o'r clybie gwerin o gwmpas Lloegr (doedd dim llawer i sôn amdanyn nhw yng Nghymru – yn ddiweddarach y daeth hynny). Chwareais i hefyd yn ail a thrydedd Ŵyl Werin Caergrawnt. Roedd yr ail yn gofiadwy oherwydd presenoldeb Rev. Gary Davis, *guru* gitâr *ragtime* 'da Gibson J200. Cawr o ddyn dall, ond dyna i chi ganwr, dyna i chi bresenoldeb! Bydde'n iste yn y babell gwrw drwy'r pnawn, yn dangos castie a thricie i gitaryddion *ragtime* am jochie o wisgi. Teithies i Lunden drannoeth i berfformio 'da fe nos Sul yn y Marquee Club yn Wardour Street. Dim ond Gary Davis a fi oedd ar y rhaglen y noson honno, ac roedd e'n gig wych – gwell na'r ŵyl hyd yn oed. Roedd dau o bobol ifanc 'da fe yn dywyswyr – Richard a Linda Thompson, er mawr syndod i mi.

* * *

Roedd Eleanor a Jonah Raskin wedi graddio ill dau – hi mewn Astudiaethau Americanaidd a fe mewn Llenyddiaeth Saesneg. Fe wnaeth Ian Chisholm – oedd wedi 'nghyflwyno i i gerddoriaeth Bert Jansch, oedd yn dal yng Nghaeredin ar y pryd – raddio hefyd mewn Ffiseg, ac aeth e i weithio i'r BBC yn Llunden. Daeth tro ar fyd; roedd pobol yn symud – a minne hefyd. Ond i ble?

(Mae Ian Chisholm yn gweithio yn y BBC yn Llunden, hyd y gwn i. Erbyn hyn, mae Eleanor Raskin yn gyfreithiwr yn Albany yn yr Unol Daleithiau, ac mae Jonah yn awdur llyfre lawer ac yn Athro ym Mhrifysgol Sonoma, California.)

Yn sgil digwydd cwrdd â Charlie Bethel y bore iasoer hwnnw ar ôl gêm rygbi ryngwladol yng Nghaerdydd, fe ges i'r modd a'r cyfle i raddio fel canwr gwerin a gitarydd. Manceinion, yn ôl pob tebyg, oedd canolbwynt y byd canu gwerin a'r felan ar y pryd; yn sicr, roedd 'na fwy o glybie a chynulleidfa fwy nag unman arall yn Ewrop. Licwn i sôn am rai o'r canwyr gore glywes i yno: y diweddar Harry Boardman, canwr traddodiadol mawr; Little Tommy Yates; Frank Duffy, oedd hefyd yn llywydd yn yr MSG; a Mary Little o Stockport. Ac yna dyna'r clybie fel y Twisted Wheel, The Oasis, The Yungfrau a'r Manchester Cavern oedd yn safleoedd lansio gwych i gerddor. Peth rhyfedd bod yn rhaid i fi fynd i hen dre mor frwnt i ddwyn ffrwyth. Hir oes i Fanceinion!

Pennod 11

'Dychwel tuag Adref'

Roedd meddylie lu yn hwylio trwy 'mhen i a minne'n cerdded lawr rhiw Solfach y diwrnod hwnnw ddiwedd y gwanwyn. Do'n i ddim wedi bod gartre ers blynydde, ond daeth yr un hen deimlad drosto i eto wrth gerdded lawr y twnnel deiliog gwyrdd hwnnw. Y clawdd mwsoglyd uchel ar ochor y Gribyn yn doreth o flode gwyllt, rhedyn, draenen ddu a draenen wen, gludlys coch a gwyn, cawnwellt, ysgaw, cwlwm cariad cywir, rhosod gwyllt a chegiden fenyw; roedd y cyfan yno o hyd a heb newid. Ogleuon cyfarwydd y blode, suo clêr a chân adar. Islaw, ar ochr dde'r dyffryn, roedd prysgwydd gwyllt a sŵn cyfarwydd yr afon yn crychdonni yn y gwaelod. Awyr las, las, a niwlen o fwg coed yn crogi uwchben.

Croeses i'r bont wenithfaen ar bwys yr hen efail oedd wedi mynd â'i phen iddi a'r odyne calch lle byddwn i'n mynd 'da Dada i wylio Johnny Jenkins, y gof, yn pedoli ceffyle flynydde lawer ynghynt. Mae'r efail heddiw, a minne'n sgrifennu hyn, wedi ei hailwampio'n dŷ mawr, un o'r myrdd o dai gwely a brecwast yn y Solfach sydd ohoni. Fydde hi ddim wedi taro'n penne ni'r brodorion i ailwampio'r hen adfail yna yn ddim byd; pobl o bant oedd yn gwneud pethe felly. Roedd tŷ Tommy Bevan ar ochor dde'r bont yn dal i sefyll bryd hynny, a throies i'r dde lan y lôn gul i Gornel Pwmp a Prengas. Islaw'r hewl, roedd perllanne a gerddi rhwng murie cerrig uchel, a'r afon yn llifo tu draw trwy goed.

Ro'n i wedi rhentu Rose Cottage gan Saesnes mewn oed – un o'r gwladychwyr cynta. Roedd hi wedi mynd yn rhy hen i fyw ar ei phen ei hun ac wedi mynd i fyw 'da'i merch yn Hwlffordd. Roedd Tessa a'n merch newydd ni wedi teithio o Fanceinion ar y trên rai dyddie ynghynt gyda'n holl olud bydol ni mewn un bag, a Wizzy yn ei basged olch.

Ro'n i wedi chware mewn gig yn Llunden, ac wedyn un arall yng nghlwb gwerin Swindon y noson cynt. Rhaid taw dydd Sadwrn oedd hi.

Roedd Rose Cottage yn fach iawn – un lan, un lawr, cegin fechan yn y cefen, gwely blode bach yn y ffrynt a bwa gwladaidd dros y drws a rhosod a barf yr hen ŵr yn goch ac yn biws drosto fe. Gyferbyn, roedd 'na glwyd bren yn y wal yn arwain at risie serth, drysni o ardd, a'r afon. Roedd Dai'r Bom – fy hen ffrind ysgol – yn byw yn Chapel House drws nesa. Mae e'n un o'r bobol leol ola yn Prengas. Roedd hi'n grêt gweld Tessa a Wizz eto; roedden ni'n deulu clòs y dyddie hynny. Rhaid bod hwn yn brofiad gwahanol iawn i Tessa. Roedd hi'n hanu o Carlisle yn Cumbria ac wedi treulio'r rhan fwya o'i hoes yno cyn mynd i Fanceinion yn ddwy ar bymtheg oed i goleg celf lle'r astudiodd hi am ddwy flynedd. Eto i gyd, merch o'r wlad oedd hi, wedi'i magu 'da cheffyle a chŵn.

Ro'n i'n wan o hyd ar ôl y chwalfa nerfol, ac un o'r pethe cynta wnes i oedd mynd at y meddyg, Pat Gillam, oedd yn arfer bod yn y Llynges Frenhinol, a'i dad yn llawfeddyg yn Ysbyty Hwlffordd yr un pryd ag oedd fy mam yn nyrsio yno. Archwiliodd e fi, hymian a haian a rhoi potel o dabledi bach gwynion i fi. Tabledi Vallium. Yn ddiweddarach, es i weld un o hen gydweithwyr nyrsio fy mam (Anti Beryl Vidler), ac fe argymhellodd hi hen feddyginiaeth at fy salwch i. Rhaid bod Anti Beryl wedi dod i'r casgliad 'mod i wedi bod yn yfed gormod, felly rhoddodd hi resipi haidd perlog, mêl a lemon i fi. Roedd gofyn berwi'r haidd perlog mewn crochan anferth 'da'r lemon a'r mêl, a'i yfed e cyn boethed ag y gallech chi'i odde. 'I garthu'r cyfansoddiad.' Yfes i beint o'r ddiod yma bob bore am ddwy flynedd, ac fe weithiodd e. Gwaetha'r modd, fe weithiodd presgripsiwn Dr Gillam hefyd, ac fe ddes i'n gaeth i Vallium am wyth mlynedd. Ac roedd angen dau i roi'r gore i'r hen gast!

Hwn fydde 'nghyfnod mwya creadigol i fel cyfansoddwr caneuon. Roedd 'da fi fwy o ddiddordeb mewn chware'r gitâr a chanu caneuon wedi'u casglu neu eraill o ffynonelle traddodiadol. Richard Reese Edwards, fy rheolwr yn yr hen ddyddie ym Manceinion, oedd wedi cychwyn hyn yn wreiddiol ac, yn ddiarwybod, fe ymunes i â lluoedd y canwyr a chyfansoddwyr caneuon protest yng nghwmni Tom Paxton, Phil Ochs, Ewan McColl, Woody Guthrie a Dylan, ymhlith eraill.

Ychydig o arian oedd 'da Tessa a fi, felly fe brynes i lif fwa a cherdded mas 'da hi bob bore lan hewl Felinganol lle mae coedwig binwydd ffein yn tyfu o hyd. Roedd 'na lwyth o goed yn gorweddian yno wedi'u chwythu lawr gan stormydd a dyna oedd ein coed tân ni. Roedd hyn yn llesol, ac yn gaffaeliad i feithrin fy nghyhyre i tra oedd yr awyr iach yn glanhau fy sgyfaint.

Roedden ni'n ffodus bod radio dransistor 'da ni, ac, er mawr syndod i fi, roedd un donfedd yn siarad Cymraeg ac yn darlledu o Gaerdydd. O bryd i'w gilydd, fe fydden nhw'n chware cerddoriaeth – cerddoriaeth uffernol, hen ganeuon pop Americanaidd wedi'u cyfieithu'n anghelfydd i'r iaith Gymraeg a'u canu gan gantorese digon i godi gwrid arnoch chi, y ces i'r fraint o gwrdd â nhw'n ddiweddarach.

Un bore, fe benderfynes i sgrifennu cân yn Gymraeg er nad o'n i wedi siarad yr iaith ers blynydde! Cyfieithiad o 'Walter's Song' oedd fy nghynnig cynta i. Ro'n i wedi clywed sôn am athro, W. R. Evans, oedd yn byw yn Abergwaun. Roedd e hefyd yn fardd, ac wedi sgrifennu sawl cân ddoniol oedd wedi cael eu cyhoeddi a'u darlledu ar y radio. Ro'n i wedi sgrifennu drafft cynta o 'Cân Walter' ond do'n i ddim yn fodlon iawn arno fe. Doedd e ddim yn gwneud cyfiawnder â'r gwreiddiol, roedd hyn yn bendant, am nad oedd 'da fi ddigon o grap ar y Gymraeg ac am mai glas-delynegwr o'n i. Es i dŷ W.R. un nos Sul ac fe dynnodd e'r gân yn grïe a'i hasio hi drachefn. A dyna 'Cân Walter'. Fe wnaeth e ennyn brwdfrydedd yno' i, a rhoi cychwyn ar dipyn o agoriad llygad diwylliannol.

Ddeuddydd neu dri'n ddiweddarach, fe ysgrifennes i 'Tryweryn' – cân syml iawn ym mhob ffordd, ond cân mor gryf nes ei bod hi'n cyffwrdd calonne pobol. Ac felly y dylai hi fod! Ro'n i wedi taro ar bwnc llosg oedd wedi digio enaid cenedl y Cymry.

Toc wedi hynny, fe gefes i enwe cwmnïe recordio yng Nghymru:

Cambrian, Dryw a Welsh-Teldisc. Roedd asetad (disc demo) 'da fi o hyd o sesiwn yn lle Tony Pike a Mike Meeropol (gitarydd o Efrog Newydd), a threfnes i'w chware i Mrs Olwen Edwards oedd yn rhedeg Teldisc. Doedd dim diddordeb 'da hi, ond nid felly'r BBC! Ro'n i hefyd wedi eu ffonio nhw a chael apwyntiad 'da Meredydd Evans, pennaeth adloniant ysgafn yng Nghaerdydd ar y pryd. Yn y General Accident Building, Ffordd Casnewydd, y daeth menyw o'r enw Ruth Price i gwrdd â fi a 'ngwahodd i i'w swyddfa ar y pedwerydd llawr, lle gwrandawon ni ar y caneuon. "Cer i nôl Hywel," medde hi wrth ei hysgrifenyddes – pishyn o'r enw Glenys. A wele'n llamu i'r stafell ŵr ifanc tal iawn mewn siwt lwyd dda, crys pinc a thei blodeuog. "Dyma Hywel Gwynfryn," medde Ruth. "Fe gyfieithith e dy ganeuon di." A dyma Gwynfryn, oedd yn eitha newydd i'r BBC, yn gwenu o glust i glust 'da'r wên Langefni ddantrwth 'na. Ac ro'n i'n gwbod yn syth y bydden ni'n cyd-dynnu.

Canlyniad hyn i gyd oedd sbot ar y teledu – ar raglen gerdd o'r enw *Hob y Deri Dando*. Roedd y sioe yma – fel y rhan fwya o sioeau cerdd BBC Cymru – yn cael ei recordio mewn hen gapel a ailwampiwyd yn stiwdio, ar Broadway, y Rhath, yng Nghaerdydd. Fe ganes i 'The Vulture and the Dove' – oedd wedi'i hailenwi yn 'Yr Eryr a'r Golomen' – a 'Love Owed' – neu 'Ond Dof yn Ôl' erbyn hynny – a gafodd ei recordio'n ddiweddarach ar albwm Warner Bros, *Outlander*.

Toc wedi 'ny, gofynnodd Dennis Rees o Recordiau'r Dryw i fi wneud record estynedig o bedair cân yn eu stiwdio nhw yn Abertawe. Dyma'r union stiwdio lle recordiodd Dylan Thomas ei recordie barddoniaeth enwog yn y pum dege.

Roedd y record yn llwyddiant annisgwyl ar unweth. Gofynnwyd i fi berfformio gyment ar hyd a lled Cymru fel y bu'n rhaid i fi gael ffôn! Daeth y gigie'n fflyd – cyngherdde bychain, y teledu, y radio a nosweithie llawen. Dyddie cyffrous, a dyddie o newid, pan ddechreues i ddysgu 'nghrefft.

Roedd 'na fand yng Nghymru o'r enw Y Blew fydde'n chware ac yn canu yn arddull y Spencer Davis Group. Ond roedd hi'n anodd iawn recordio cerddoriaeth roc yng Nghymru ar y pryd achos doedd dim recordie aml-drac a'r desgie cymysgu sy'n mynd 'da nhw. Hyd yn oed yn y BBC, recordwyr tâp mono oedd yn y stiwdios, felly doedd dim sain stereo 'da ni hyd yn oed. Dyna pam y dewises i arddull gerddoriaeth symlach o lawer – sain acwstig 'werinol'. Roedd hi'n haws o lawer ei recordio ar yr offer oedd ar gael. Ro'n i'n hoff o'r sain yna ta beth; roedd hi'n mynd 'da fy arddull i'r dim ac yn haws ei hatgynhyrchu mewn perfformiade byw.

Doedd ein bywyd ni yn Solfach wedi newid dim, ac ar wahân i'r ffôn, roedden ni'n byw bywyd syml iawn, yn gwylio Wizzy'n tyfu, yn torri boncyffion bob bore ac yn iste o flaen y tân bob nos, heb deledu. Roedd Tessa'n gwneud ei cherflunweth a minne'n peintio ac yn tynnu tipyn o lunie pan do'n i ddim yn ymarfer pigo'r gitâr.

Yr haf hwnnw yn '67, fe benderfynes i ffurfio band roc; roedd fy mrawd, oedd yn astudio'r gyfraith yn yr LSE yn Llunden, yn chware'r gitâr fas ac fe hysbysebon ni am ddrymiwr yn *The Melody Maker*. Cyrhaeddodd Dougie â chês bach yn ei law, ac ynddo bâr o sane a thrôns a fest sbâr. Poteli o dabledi oedd gweddill ei gynnwys. Cyrhaeddodd ei ddrymie ar drên hwyrach. Roedd e newydd gael ei ryddhau o ysbyty meddwl ond roedd e'n ddrymiwr tan gamp yn null Phil Seaman a Max Roach; jazz modern. Ambell waith, fe fydde fe'n iste ar lawr am orie yng nghornel y stafell fyw, a 'sech chi'n dweud, "OK, Dougie? Are you alright?" fe fydde fe'n dweud, "Yeh, man. I'm just talking to Lester." (Lester Young, y sacsoffonydd bebop mawr.) Neu fe fydde fe'n sgwrsio'n fud â Dizzy Gillespie neu Charlie Parker. Ond roedd Dougie'n ddrymiwr ardderchog a doedd dim ots 'da fe chware stwff Dylan, y Beatles, Otis Redding neu Frank Zappa.

The Buzz oedd enw'n band ni. Roedd e'n hwyl, heb fawr i'w wneud â 'ngherddoriaeth inne, na fydden ni byth yn ei chware. Ro'n i ar ganol proses greadigol ac roedd hi'n anodd gwybod sut roedd pethe'n swnio go-iawn heb recordydd tâp. Yn ddiweddarach, fe fenthyces i recordydd stereo chwarter trac Sony gan ffrind o forwr oedd wedi'i brynu fe yn Hong Kong – doedden nhw ddim ar werth yma ar y pryd – a ches i hwyl fawr o dan flanced yn y stafell wely yn gwneud demos aml-drac.

Darllenes i yn *The Melody Maker* am y Beatles yn cychwyn Apple a bod 'da nhw siop a swyddfa yn Baker Street. Yn ôl yr erthygl roedd y Beatles yn awyddus i glywed caneuon gan bobol anhysbys fel fi a'u bod nhw am helpu cerddorion a chyfansoddwyr caneuon. Felly fe olyges i'r tapie demo yn ddau dâp tua deg cân a'u hanfon nhw i Lunden. Ddigwyddodd dim byd am wythnose, felly ffones i Apple. Dwedodd rhywun fod miloedd o dapie wedi dod i law ac y bydden nhw'n trial ffindo f'un i. Roedden nhw'n swnio'n *blasé* a didaro. Ffonies i eto wythnos yn ddiweddarach, a dwedodd y llais eu bod nhw wedi ffindo'r tapie ond doedd 'da nhw ddim modd i'w chware nhw. Ro'n i wedi dwbwl-tracio ar y chwarter modfedd a doedd dim recordydd chwarter modfedd 'da nhw. Tasech chi'n ei chware ar beiriant cyffredin, fe glywech chi ddau drac yn mynd ymlaen a'r ddau arall wysg eu cefne, sain grêt ond bod y geirie'n gwbwl annealladwy! Doedd dim i'w wneud ond mynd â'r peiriant at Mohamed!

Roedd ffrind 'da fi ar y pryd o'r enw Giles Chaplin oedd yn byw mewn plasty wedi mynd â'i ben iddo ym mrynie Preseli. Roedd e'n arfer ein gyrru ni i gigie yng nghefen agored ei lorri fechan lwyd. Cwrddes i ag e mewn gig un noson a dwedodd ei fod e'n mynd â'i gariad i Lunden ac y cawn fynd 'da nhw ond bydde'n rhaid i fi iste yn y cefen. Felly yn y cefen yr eisteddes i, yr holl ffordd o Solfach i Baker Street, oedd yn fwy na thri chan milltir!

Roeddwn i wedi gwisgo'n eitha trwsiadus yn siwt gyfweliad fy mrawd a chôt fawr ddu. Dwedes fy hanes wrth y derbynnydd yn *Apple* ac, ymhen tipyn, fe ges i 'nghyfeirio i stafell lan llofft lle roedd boi gwyn smart a chroten ddu ymfflamychol yn iste yng nghanol miloedd o dapie sain mewn bocsys; doedd chwarewyr casét ddim wedi'u dyfeisio ar y pryd. Roedd y ddau dderyn yma'n deipie nodweddiadol ym myd adloniant Llunden;

Ger yr allt uwch ben Prengas, Solfach yn niwedd y '60au

Solfach, 1968

roedd rhai ohonyn nhw'n gymwynasgar, ond, yn ôl fy mhrofiad i, negeswyr a chynffonwyr oedd y mwyafrif! Roedden nhw'n ffaelu ffindo 'nhâp i, felly bwries iddi a ffindo'r ddau focs ymhen tipyn. Rhois i un ar y chwarter trac, ac fe synnon nhw braidd 'mod i wedi dod â'r peth yr holl ffordd o Gymru, er nad oedd dim llefeleth 'da nhw lle roedd Solfach na pha mor bell bant oedd e. "Dylan-ish," medde'r boi yn y crys persli pinc. "Tim Hardin," medde'r groten ddu (des i wybod yn ddiweddarach taw Doris Troy oedd hi, oedd, ar y pryd, yn un o'r cantorion oedd yn cefnogi yng nghyngherdde Dusty Springfield). Roedden nhw mor ddidaro nes i mi benderfynu hel fy mhac. "Don't go," medden nhw ag un llais, ond rhy hwyr. Roedd Stevens mas drwy'r drws a bant tua Soho am ddiod. Ro'n i wedi gwastraffu digon o amser ac roedd syched mawr arna i.

Pan es i adre i Rose Cottage, ro'n i'n teimlo braidd yn siomedig ac yn meddwl tybed be wnawn i nesa. Unweth eto, ro'n i'n llenwi f'amser yn torri coed, pysgota tamed bach, chware'r gitâr ac yn sgrifennu mwy o ganeuon. Ro'n i hefyd yn gwneud tipyn go lew o gigie o gwmpas cefen gwlad Cymru. Roedd y peth pop Cymraeg fel 'se fe'n mynd o nerth i nerth yn ei ffordd fach blwyfol ryfedd ei hun, ond roedden ni fel 'sen ni'n byw mewn byd gwahanol – ychydig o Gymraeg oedd i'w glywed yn Solfach, ac roedd hynny i'w weld yn amlwg.

Un diwrnod, roedd yn rhaid i fi fynd i Gorwen, lan sha'r north ar yr A5. Yn hen bafiliwn yr Eisteddfod roedd y gig. Do'n i ddim wedi bod yn yr ardal yna o'r blaen. Bodies i lan 'da'r gitâr Harmony Sovereign ffyddlon a ges i gan Pete Townsend o The Who ar ôl iddo fe 'i falu fe'n deilchion un nosweth. Roedd f'ewyrth Syd, oedd yn saer coed tan gamp, wedi'i glytio fe i fi.

Roedd y lle dan ei sang; do'n i erioed yn fy myw wedi chware i gynulleidfa mor anferth yng Nghymru. Roedd pawb yn siarad Cymraeg, a chlywes i 'run gair o Saesneg nes i fi gwrdd â blonden fach bert tu ôl i'r llwyfan. "Dwi wedi'i gweld hi o'r blaen," meddylies i, ac yna sylweddoli taw Heather Jones oedd hi, ond ei bod hi wedi lliwio'i gwallt. Ro'n i

Cyffro byd pop diwedd y '60au

wedi'i gweld hi unweth o'r blaen ar *Hob y Deri Dando* 'da grŵp o ferched oedd yn edrych ac yn swnio fel côr ysgol a Heather yn iste yn y blaen yn strymio'i gitâr. Roedd ei thad hi 'da hi fel arfer; bydde fe bob amser yn ei gyrru hi i'r gigie a fe oedd ei *chaperon* hi. Gyda hi roedd 'na fachan tal pryd tywyll golygus oedd yn siarad Cymraeg naturiol, sef Geraint Jarman. Roedd 'da nhw ddiddordeb mawr yn fy ngherddoriaeth i a holon nhw fi lawer ynghylch fy mywyd a lle ro'n i'n byw ac yn y blaen. Roedd Geraint yn yr ysgol o hyd a dwedodd taw bardd oedd e am fod. Roedd Heather yn fyfyrwraig ar ei blwyddyn gynta yng Ngholeg Caerllion yn astudio i fynd yn athrawes. Ro'n i'n eu hoffi nhw a'u brwdfrydedd ifanc, ac fe rois i wahoddiad iddyn nhw ddod i aros 'da ni yn Rose Cottage.

Fe fyddwn i'n mynd i Gaerdydd yn bur fynych a chwrddes i â Geraint yno sawl gwaith. Bydde fe'n mynd i glwb barddoni mewn tafarn o'r enw The Marchioness of Bute yn eitha amal ar nosweithie yn ystod yr wythnos. Peter Finch, bardd arall yn ôl ei ddymuniad, oedd yn rhedeg y clwb. Es i yno unweth 'da Geraint, a chanu dwy neu dair cân; roedd yn lle digon di-lol a chartrefol, heb fod yn annhebyg i glwb gwerin, ac yn llawn pobol walltog a barfog iawn.

Daeth Heather a Geraint hefyd i Rose Cottage, ac, un nosweth o flaen y tân, trodd y sgwrs at y diffyg caneuon Cymraeg newydd, y diffyg cyfeiriad a safon cyffredinol. Roedd y bobol yn y BBC a HTV yng Nghaerdydd yn gwneud eu gore siŵr o fod, ond roedd hi fel nad oedd gan neb y weledigaeth, y ddawn na'r profiad i roi trefn ar raglen gerddoriaeth gredadwy. Cafon ni dipyn o hwyl am ben y grwpiau merched amatur y bydde chwilotwyr talent y BBC yn dod o hyd iddyn nhw'n trydar mewn nosweithie llawen, neuadde pentre a festrïoedd dyffrynnoedd gleision Shir Gâr a Cheredigion neu ym mynyddoedd creigiog Gwynedd. Y Gemau, Y Perlau, Y Pelydrau ac yn y blaen; a'r Hogia – Hogia'r Wyddfa, Bryngwran, Llandegâi, a llawer eto rif y gwlith. A'r rheini'n strymian gitare Japaneaidd rhad ac yn canu trosiade Cymraeg o ganeuon Eingl-Americanaidd poblogaidd oedd yn hen fel pechod. Roedd y grwpie yma dan ddylanwad 'Triawd y Coleg', grŵp o fyfyrwyr o Brifysgol Bangor dan arweiniad Meredydd Evans, oedd bellach yn bennaeth adloniant ysgafn y BBC yng Nghaerdydd. Roedden ni i gyd yn nabod ac yn meddwl y byd o Merêd, oedd yn amlwg yn benderfynol o gynhyrchu rhaglenni lled-dda o gerddoriaeth Gymraeg ac roedden ni hefyd yn nabod pobol eraill yn HTV oedd yn cynhyrchu rhaglenni cerddoriaeth Cymraeg. Roedd Geraint a finne ein dau yn awyddus i sgrifennu mwy o ganeuon Cymraeg – roedd yno arian parod. Sgrifennu yn Saesneg oedd yn mynd â 'mryd i'n benna, ond nid peth hawdd fydde gadael fy ôl ar Lunden.

Un noson yn Rose Cottage, roedden ni'n iste o gwmpas y tân yn gwneud parodïe o gerddoriaeth y grwpie canu ecsentrig hyn. Trawodd Geraint ar enw – Hogia Brynsultana – ond bydde hynny'n golygu y bydde'n rhaid i Heather wisgo lan fel bachgen. Awgrymes inne 'Bara Menyn', ac fe gytunon nhw, gan dorri'u bolie'n chwerthin. Y cynllun wedyn oedd i fi ffonio cynhyrchydd teledu a dweud 'mod i wedi clywed grŵp newydd ffantastig ym Mhrifysgol Aberystwyth neu rywle oedd wedi sgrifennu caneuon newydd grêt. Ac fe gytunes i gan bowlio chwerthin a mynd i'r gwely, a dyna fu.

Fore drannoeth, fe ffonies i Euryn Ogwen Williams, cyfarwyddwr yn HTV, a chware'r cast arno fe. Llyncodd e'r abwyd fel gwybedyn Mai – groen, cyrn a charne. Daeth Heather a Geraint lawr stâr a dychryn braidd o glywed be o'n i wedi'i wneud. Dwedes i y bydden ni'n dwyn y maen i'r wal ta beth ond y bydde'n rhaid i ni gael siâp ar rai o'r parodïe greon ni'r noson cynt – dim ond dwy neu dair cân, dyna'r cwbwl – fe fydde hi'n hawdd! Sgrifennon ni bedair cân gynta Bara Menyn y bore hwnnw.

"Be am y rhaglen deledu? Be ddwedan nhw pan gawn ni'n dal, a gweld taw dim ond jôc yw e?"

"Peidiwch becso," medde fi. "Fydd dim ots 'da Ogi. Ta beth, mae'r caneuon yn well na'r rhan fwya o'r cachu maen nhw'n ei ddarlledu."

Wythnos yn ddiweddarach, fe wnaethon ni raglen yn HTV. Fel cangen Fai mewn dillad anghyffredin. Roedd 'da Heather het wen anferth 'da chantel llydan a ffrog laes, roedd Geraint yn gwisgo mwstásh *Zappata* ffug ac yn chwifio gwn, ac roedd fy ngwallt i wedi'i byrmio! Roedden ni'n taro deuddeg mae'n rhaid; daeth llu o lythyre a galwade ffôn wedi 'ny, yn ein gwahodd i berfformio ledled Cymru. Cipiodd Dennis Rees o Recordiau'r Dryw ni i'r stiwdio, a'r peth nesa, roedd record gynta Bara Menyn yn gwerthu fel pys.

"Be am fy marddoniaeth i?" llefodd Geraint.

"Be am 'yn ymosodiad i ar Joan Baez?" nadodd Heather.

"Be ffwc yw'r ots?!" meddwn inne.

Ar ôl y record gynta, daeth *Rhagor o'r Bara Menyn*, ac fe werthodd hwn fel slecs hefyd, a dod â mwy o waith fyth i ni. Roedd y jôc wrth y pentan wedi troi'n un o'r grwpie canu mwya llwyddiannus yng Nghymru, a'r cwbwl o fewn dau neu dri mis. Falle taw jôc oedd Bara Menyn ond roedden ni'n bachu arian mawr. Gwnaethon ni gannoedd o gyngherdde, dwsine o sioeau teledu a radio ac roedd y recordie, er mawr gywilydd i ni, yn cael eu chware'n ddi-baid ar Radio Cymru. Dwi'n rhoi'r bai ar hiwmor, gwin, tamed bach o fwg drwg, ac awyr Solfach.

Roedd Bara Menyn yn hwyl, hwyl, hwyl. Doedd dim byd tebyg iddo fe wedi bod yng Nghymru o'r blaen. Roedden ni'n wirion ac yn bryfoclyd yn ein dydd – yn ddigri ac yn ffasiynol, yn ifanc ac yn olygus. Doedd pobol ddim yn gallu'n dirnad ni'n iawn – na ninne chwaith – ond, heb yn wybod i ni, fe gychwynnon ni rywbeth newydd mewn cerddoriaeth Gymraeg a ddilynwyd cyn hir gan grwpie fel Y Tebot Piws a'r Dyniadon Ynfyd Hirfelyn Tesog.

Roedden ni'n rhan o'r don gerddorol fwya a welodd Cymru ers emynau'r Diwygiad Methodistaidd. Yn y cyfamser, roedd y symudiad gwleidyddol mwya ers rhyfel Owain Glyndŵr hefyd ar gychwyn. Ac fe fydden ni i gyd yn chware'n rhan ynddo.

Perfformiad cyntaf Bara Menyn yn stiwdio HTV

Pennod 12

'Take Something with You'

(Er cof am Gary Farr and the Psychedelics)

Un diwrnod yn 1967 fe alwodd Kevin Westlake draw i Rose Cottage. Fe oedd y Gwyddel o Hwlffordd oedd yn chware'r drymie 'da fi flynydde'n ôl yn y band cynta yn y Trewern Arms yn Nanhyfer. Do'n i ddim wedi'i weld e ers hynny er i mi glywed iddo fynd i'r coleg celf yng Nghaerdydd. Buan roedd Kevin wedi danto yno ac wedi mynd i Lunden i chwilio am waith fel drymiwr. Roedd e'n amlwg wedi bod ar led ym myd cerdd ac roedd e wedi llwyddo i fachu gwaith gyda band Little Richard oedd ar daith ym Mhryden.

Roedd un o'r *entrepreneurs* mwya ym myd cerdd Llunden wedi gweld Kevin yn chware. Rwsiad oedd Georgio Gomelski, a fe oedd wedi hybu artistiaid canu'r felan fel Muddy Waters, Sonny Boy Williamson, Bo Diddley a Howlin' Wolf ymhlith llu. Roedd e hefyd wedi rheoli'r Rolling Stones, Jeff Beck ac Eric Clapton yn eu dyddie cynnar.

Roedd pethe'n newid yn gyflym ym myd cerddoriaeth fodern, yma ac yn America fel ei gilydd. Ar y pryd, Llunden oedd y ceffyl blaen oherwydd dylwanwad y Beatles a'r Stones. Roedd y cwmnïe recordio mawr wedi penderfynu bod y bŵm R&B mwy neu lai wedi'i ddihysbyddu, a taw roc seicedelig fydde'n mynd â hi nesa. Roedd Warner Bros, CBS, RCA ac yn y blaen yn prysur sefydlu labeli atodol a elwid yn 'Independents'. Rhyw sbin oedd hyn yn benna er mwyn cael gwared ar y ddelwedd hen ffasiwn drom oedd 'da nhw ymhlith y brîd newydd ifanc o brynwyr recordie. Roedd hi hefyd yn dro brîd newydd o gynhyrchwyr recordie oedd wedi dod i'r fei yn llwyddiannus iawn yn y byd; pobol fel Andrew Loog Oldham, rheolwr y Stones, a sefydlodd ei label Immediate fel un o is-gwmnïe Decca, oedd newydd golli'r Beatles ac am fynd 'nôl ar y trywydd a bachu rhywfaint o beth oedd ar gael. Yn ogystal, roedd y peth hipi yn cychwyn o ddifri yn San Francisco ac yn graddol afael yma mewn ffordd esoterig – ymhlith cerddorion Llunden a'u ffrindie a'u cariadon yn benna. Roedd y sgrifen ar y mur a'r cwmnïe recordio mawr, a hyd yn oed y bancwyr masnachol diflas o barchus, yn gallu'i darllen hi'n eglur.

Roedd Georgio Gomelski yn yr Unol Daleithie wedi dod o hyd i rai o gantorion enwoca'r felan rioed, ac wedi dod â nhw i Ewrop ar deithie er mawr lawenydd i gynulleidfa fawr o selogion ifainc canu'r felan – gan gynnwys fi, na freuddwydiodd erioed am gael eu gweld nhw yn y cnawd. Roedd llawer ohonon ni'n meddwl bod cychwynwyr R&B cyfoes – Muddy, Howlin' Wolf, Sonny Boy a John Lee Hooker – wedi hen fynd i'w cadw, neu wedi marw. Roedd teithie pecyn R&B Georgio yn wreiddiol, yn gynhyrfus, yn hyfryd o real ac yn gwerthu pob sedd! Felly hefyd ei glybie yng nghyffinie Llunden – The Crawdaddy a Klooks Kleek – a ddefnyddiodd ar y dechre i hyrwyddo'r artistied chwedlonol hyn ym myd canu'r felan.

Gwnaeth Georgio fargen 'da'r cantorion hyn o Mississippi: bydden nhw'n hedfan draw ar eu penne'u hunain a bydde fe'n trefnu bandie pick up i'w cefnogi nhw ar daith. Roedd aelode'r bandie hyn yn cael eu codi o garfan fechan o gerddorion ifainc Llunden oedd yn frwd dros ganu'r felan ac wedi clywed y recordie 45 rpm gwreiddiol oedd ar werth dim ond yn America ar y pryd. Ymhlith y cerddorion hyn roedd Eric Clapton, Jeff Beck, Charlie Watts, John Mayall, Brian Belshaw, Jim Cregan, Georgie Fame, Brian Golding ac yn y blaen. Roedd hygrededd mawr 'da Georgio yn y byd cerddorol yn Llunden ac, wrth daro bargen â Polydor Records (un o is-gwmnïau'r label clasurol mawr yn yr Almaen ar y pryd, sef Deutschgramoffon), fe sylfaenodd e'r label annibynnol Marmalade.

Ac roedd Kevin Westlake wedi torri'i enw 'da Marmalade.

Roedd ffrind arall o Hwlffordd, Peter Swales – mab Joffre Swales, arweinydd band lleol adnabyddus ac athro cerdd – hefyd yn gweithio i Marmalade fel cynorthwy-ydd cynhyrchu. Roedd Georgio wedi ffurfio band seicedelig newydd The Blossom Toes roedd ei aelode wedi bod yn gweithio yn y Crawdaddy ac wedi teithio fel cerddorion cefnogi ar gyfer cewri canu'r felan o America. Kevin oedd y drymiwr, a'r lleill oedd Brian Belshaw, bas, gyda Brian Godding a Jim Kreegan ar gitare. Rhentiodd label Marmalade dŷ crand yn Chelsea ar gyfer y band. Roedd 6 Holmead Road ar bwys Fulham Road yn union gyferbyn â chae pêl-droed Chelsea – ac yno roedd The Blossom Toes yn byw yno 'da Peter Swales a Gary Farr oedd hefyd o dan gytundeb i Marmalade.

Daeth hi'n amlwg bod yn rhaid i fi adael Cymru unwaith eto a mynd lan i Lunden i fod yn y byd lle bydde 'na gyfle i 'nghaneuon i gael eu clywed yn y llefydd iawn. Siarsiodd Kevin fi fod pob math o bethe ar y gweill a bod hwn yn gyfnod da. Roedd 'na le i fi yn Holmead Road a dwedodd y bois eraill y cawn ni fyw yno heb dalu rhent. Marmalade oedd yn talu ta beth. Bu Tessa a fi'n trafod y cynnig yma ac roedden ni'n dau'n gytûn taw dyna'r peth gorau, petai popeth yn mynd yn iawn. PETAI fawr! Felly, yn drist iawn ac yn groes i'r graen, fe bacies i'r dillad roedd hi wedi'u cynllunio a'u gwneud i fi, estyn fy ngitâr a'i chychwyn hi drachefn ar yr un hen daith 'na ar y bys lan rhiw Solfach i orsaf Hwlffordd, gan adael Tessa a Wizz i ofalu amdanyn nhw'u hunain yn Rose Cottage. Dwi'n cofio dim am y daith honno heblaw 'mod i'n teimlo 'mod i'n cael fy rhwygo rhwng fy nheulu yn Solfach a meddwl am fyw yn Llunden – syniad amheus a diatyniad. Ro'n i dan deimlad ac yn agored i niwed yn mynd lan yr hen riw 'na.

Tŷ teras Sioraidd oedd 6 Holmead Road. Drws ffrynt bwaog, paent sglein coch llachar smart 'da ffenest linter, yn arwain i goridor hir. I'r dde, roedd stafell fyw eang lwydwyrdd 'da *chaise longue* o'i gyfnod, cadeirie 'da choese o gyfnod y Frenhines Anne a soffa anferth. Roedd y *skirtings* i gyd ac o gwmpas lle tân marmor gwyn yn euraid ac roedd rhaffe gwyrdd trwchus 'da thosle aur i dynnu'r llenni melfed llwydwyrdd. Arweiniai'r coridor at gegin eang 'da ffenest lydan a phatio fflags mawr yn y cefen. Lan llofft, roedd dau lawr eto 'da dwy stafell wely fawr a stafell molchi ar bob un. Roedd Kevin yn fy nisgwyl i ac fe gwrddodd â fi ger y drws wrth i mi gyrraedd mewn cab du o Paddington. "They're all down the pub. Stash your gear in the front bedroom on the first floor and we'll go for a drink."

Roedd The Rising Sun chwe drws i lawr ar gornel Fulham Road yn gyfleus iawn. Wrth y bar, safai criw o gerddorion trwsiadus: Big Brian Belshaw; Jim Kreegan a'i gariad o Awstria, Julia Sachan – oedd yn artist; boi pryd gole golygus iawn a chydnerth, Gary Farr – mab ieuengaf Tommy Farr, y paffiwr enwog o Gymru aeth am bymtheg rownd 'da Joe Louis a cholli teitl pwyse trwm y byd o drwch blewyn yn Yankee Stadium, Efrog Newydd ar y degfed ar hugen o Awst 1937. Roedden nhw i gyd yn byw yn Holmead Road – ar wahân i Brian Godding, oedd yn briod ag Angie, chwaer Julie Driscoll, cantores 'da'r Brian Auger Trinity, oedd hefyd yn artistiaid 'da Marmalade. Roedden nhw'n griw diddorol a ches i groeso 'da nhw a theimlo'n gartrefol yn eu cwmni nhw'n syth bin.

Wrth reswm pawb, roedd 'na chware cerddoriaeth byth a hefyd yn y tŷ. Roedd y Blossoms newydd orffen sgrifennu'u halbwm cynta *We are ever so clean* ac roedd ffrindie agos, The Action, oedd dan gytundeb i EMI, yn recordio albwm yn Abbey Road, 'da George Martin yn ei gynhyrchu. Yn ddiddorol ddigon, The Action oedd un o'r unig fandiau eraill a gynhyrchodd e yr un pryd â'r Beatles. Wedyn, roedd Reggie King, *mod* bychan bach oedd yn debyg i Rod Stewart, ac un o'i archelynion, o'r enw Rodent – oedd yn ganwr tan gamp ac yn gyfansoddwr caneuon. Bydde Reg yn dod â chymysgfeydd bras o'r sesiyne hyn i rif chwech. Roedden nhw'n ffantastig ac ymhell ar y blaen i unrhyw beth ro'n i wedi'i glywed hyd hynny.

Roedd Gary Farr hefyd yn sgrifennu caneuon ar gyfer ei albwm gynta gyda Marmalade. Roedd e'n chware gitâr Fender Palomino pert, ond fe'i newidiodd e cyn hir am Martin ddeuddeg tant oedd yn cyd-fynd yn well â'i arddull e – oedd yn ymosodol ac yn uchel! Bydde fy mhlycio i'n cyd-daro i'r dim â'i blycio fe a bydden ni'n treulio orie'n iste'n goesgroes ar lawr yn llunio trefnianne ar y gitare – ac ynte 'da llyfr nodiade'n caboli'r geirie neu hyd yn oed yn sgrifennu caneuon newydd. Wrth gwrs, fe ofynnodd e i fi chware ar yr albwm, sef teitl y bennod yma, *Take Something With You*. Ces i'r teimlad ei fod e'n chwilio am chwarewr bysedd a bod Kevin wedi 'nghyfeirio i ato fe. Felly y gwelwch chi'n amal ym myd cerddoriaeth, mae'ch enw chi'n mynd o'ch blaen chi. Roedd gweddill y cerddorion ar y sesiyne'n aelodau o The Action: Ian Whiteman, ffliwt ac allweddellau; Roger Powell (Quelch), drymie; Mike Evans (Ace) ar y bas, a Reggie King yn cynhyrchu – dyna roedd e'n glicer arno ac wedi bod isie'i wneud erioed, a Georgio a Gary roddodd y cyfle iddo. Chwaraeodd Martin Stone, prif gitarydd The Action, ar un trac pan o'n i'n ffaelu bod yno oherwydd cyngerdd maith yn Neuadd Brangwyn, Abertawe, 'da Bara Menyn (oedd, unweth eto, yn llawn dop).

Roedd sesiyne *Take Something With You* yn cael eu recordio yn stiwdio Polydor yn adeilad Lilly & Skinner, Oxford Street lle roedd swyddfeydd Marmalade. Wnaethon ni ddefnyddio dau beiriant pedwar trac Studer. Roedd y peiriannydd, Klaus, yn athrylith ac wedi cysoni dau beiriant pedwar trac, felly roedd wyth trac 'da ni a chymysgwr wyth trac oedd ymhell ar y blaen ar y pryd. Fe recordion ni hanner yr albwm yno, wedyn symud i Advision oedd wedi gosod recordiwr wyth trac go iawn – y cynta yn Llunden.

Estyniad oedd y sesiyne o weithgaredde'r stafell fyw yn Holmead Road. Gwin, cwrw, mwg drwg du o Nepal, a'r gerddoriaeth yn llifo'n ddiymdrech. Doeddwn i rioed wedi chware 'da chystal cerddorion o'r blaen, a dyma lle dylai cerddoriaeth fodern fynd yn naturiol, a chefnu ar holl ganu pop afiach y byd adloniant. Roedden ni'n chware trefnianne campus o alwon gwych 'da geirie deallus ac ystyrlon – heb ymffrostio, heb ddotie a heb y malu cachu! A'r cwbwl yn cael eu chware gydag ysbryd anturus.

Roedd Cat Stevens yn byw groes yr hewl i ni ar Fulham Road ac roedd e'n recordio ar yr un pryd. Yn gyfrinachol. Wydde neb be oedd e'n ei wneud, a châi neb fynd i'r stiwdio (Olympic oedd hi, dwi'n credu) pan oedd e yno'n recordio. Ta beth, boi preifat a meudwyaidd iawn oedd e, na fydde fyth yn mynychu'r barre, y bistros a'r clybie lle bydde'r cerddorion blaenllaw'n treulio'u horie hamdden – yn orie mân y bore'n benna.

Roedden ni i gyd yn ffrindie 'da band Steve Winwood, Traffic, oedd yn byw mewn pentis ar bwys gorsaf awyr Cromwell Road yn Earls Court – lle tebyg i Holmead Road 'da ffrindie'n gwag-swmera, yn chware cerddoriaeth ac yn smoco hash drwy'r prynhawn cyn mynd lawr i stiwdios Pye i recordio drwy'r nos – parti arall! Roedd 'da nhw le yn Berkshire hefyd y bydden ni'n ei alw 'the cottage'. Encilfa gefen gwlad i fod, ond bod y partïon lawr 'na'n wylltach fyth nag unrhyw beth yn Llunden. Brummies oedd aelode Traffic i gyd, neu o gyffinie Caerwrangon, ac roedd ffrind ar y cyd 'da ni fydde'n dod i Rose Cottage. Gordon Jackson oedd ei enw fe ac roedd e hefyd dan gytundeb i Marmalade. Gwnaeth e un albwm o'r enw *Thinking Back* y chwareodd Traffic arno fe, a gwnaeth y rhan fwya ohonon ni ryw fath o gyfraniad fel lleisie cyfeilio, gitâr rhythm, offerynne taro ac yn y blaen. Dyddie gwyllt.

Trefnodd Pete Swales i fi weld Georgio. Doedd dim demos 'da fi; fel ro'n i wiriona, ro'n i wedi'u gadael nhw yn Solfach a doedd 'da fi ddim ffordd o'u chware nhw iddo fe gan fod Nick Golding – y morwr roddodd fenthyg y Sony chwarter trac i fi – wedi cymryd ei fenthyg e'n ôl ar ôl cael ei ddimobio ac wedi symud i fyw i Norwich. Felly aeth y cyfan i'r gwellt. Roedd Georgio'n gwbod 'mod i'n rhan o fand Gary a doedd Gary ddim am i fi adael. Felly aeth bywyd yn ei flaen fel arfer ac aros ar dâp fu hanes y caneuon, mewn dau focs gwyn ar silff lyfre yn Rose Cottage.

Fe wnes i lawer o gigie 'da Gary Farr, a chyrhaeddon nhw'u hanterth yng Ngŵyl Ynys Wyth ym 1969. Brawd Gary, Ricky – aderyn brith heb ei ail – ac *entrepreneurs* eraill oedd wedi trefnu'r digwyddiad yma; mam a thad pob gŵyl yn Ewrop byth ers hynny. Ac, wrth gwrs, roedd hi yn yr un flwyddyn â Woodstock. Yr wthnos wedyn, a dweud y gwir, a hedodd crugyn o rafinied oedd yn Woodstock draw i'r digwyddiad yma. Dylan and The Band oedd y prif atyniad.

Yn ôl yn Holmead Road, roedd pethe'n newid yn ddramatig. Roedd Barry Jenkins, drymiwr The Animals, wedi symud i mewn 'da'i ddrymie a'r cwbwl, a hefyd ganwr a chyfansoddwr caneuon o America, Shawn Phillips, oedd dan gytundeb i RCA. Cawsai Barry Jenkins amser caled yng Nghaliffornia – llawer gormod o LSD – ac roedd ei ben e yn rhywle arall – lan ei din e, synnwn i damed. Roedd golwg fel ffacir Indiaidd ar Barry – dyn sanctaidd, fel meudwy gwallgo anniben, 'da gwallt a barf hir wasgarog a chadwyn o fwclis am ei wddw. Symudodd e i'r un stafell â Gary, Kevin a fi a bydde fe'n iste'n goesgroes pan nad oedd e'n cysgu, yn cerfio patryme ar hen Gibson SGs – rhyw chwyrliade crymion seicedelig-Geltaidd. Gwnaeth e un i Eric Clapton ac un arall i Jimi Hendrix, ymhlith eraill.

Canwr mawr oedd Shawn Phillips, o Fort Worth, Texas – heb ei ail, heblaw falle am Dino Valente. Hipi ecsotig oedd Shawn, 'da gwallt gole hollol syth at ei ganol, clogyn melfed llaes 'da brodwaith aur, a gemwaith Navajo arian a glasfaen am ei wddw a'i arddyrne. Bu'n byw yn Palermo yn yr Eidal, yn meithrin ei gerddoriaeth ac yn myfyrio, ac roedd e wedi dod â'i focs myfyrio gydag e, fymryn yn fwy na chist de 'da symbole tantrig a chabalistaidd lliwgar wedi'u peintio ar yr ochor allanol. Bydde fe'n iste yn y bocs 'ma am orie, yn llafarganu ac yn gwneud syne rhyfedd. Fe oedd y person cynta weles i'n snwffian heroin. Bob dydd bron, fe fydde fe'n mynd lawr i Farchnad Kensington oedd fel Harrods i hipis, yn llawn stondine'n gwerthu dillad pryfoclyd, gemwaith, arogldarth, recordie ac yn y blaen. Bydde fe'n iste ar lawr stondin ddillad dwyreiniol yn chware'i gitâr drwy'r dydd. Dwedodd e wrtha i fod ei dad e'n gaeth i heroin, a phan oedd e'n grwt fe fydde'n rhaid iddo fe 'i glymu fe i'r gwely pan oedd e'n mynd trwy *cold turkey*.

Roedd amryw o Americanwyr yn cyrraedd Holmead Road y dyddie hynny – band o'r enw Blue Cheer, ffrindie Kevin o LA oedd yn gwneud albwm yn Llunden. Roedden nhw wedi ennill eu plwy fel y band mwya croch ar y blaned a bydden nhw'n chwythu drymie clustie pobol 'sen nhw'n iste'n rhy agos at y cyrn sain! Roedd 'na ferched o LA yn rhentu'r tŷ drws nesa – grŵp lleisiol oedd yn trial cael cytundeb 'da Apple. Roedden nhw'n debyg i'r 'Mamas' ond eu bod nhw wedi gadael y 'Papas' gartre. Cwbwl dros ben llestri – anamal y gwelech chi nhw heb fwgyn mwg drwg mawr tew yn eu cege. Roedd y crotesi hyn yn wirioneddol wyllt, i gyd â gwisgoedd hardd o Foroco amdanyn nhw, melfed a satin wedi'u brodio â meini lled-werthfawr, gemwaith arian ac aur dwyreiniol wedi'i daenu arnyn nhw, digon o ryfeddod. Karen oedd y ceffyl blaen yn ôl pob golwg, â chrwt bach 'da hi i'w chanlyn. Roedd gwallt hir coch 'da hi a golwg Gwyddeles arni, ac roedd siop 'da hi yn LA lle'r oedd hi'n gwerthu gwaith llaw cyn-Golombiaidd, ffigurynne, mwclis a chrochenwaith wedi'u smyglo mas o Mexico. Roedd 'na un arall o'r enw Nicole, a briododd Steve Winwood ymhen hir a hwyr. Roedd hi'n gaeth i heroin a chafodd hi bentwr o arian 'da fe i fynd i wlad Groeg i gael ei chefen ati, a thua mis yn ddiweddarach yn ôl â hi, heb liw haul! Arch-grwpis oedd y crotesi hyn, a dweud y gwir, oedd wedi silffo'r rhan fwya o'r sêr roc mawr yn yr Unol Daleithiau. Ac roedden nhw'n gwneud yr un peth yn Llunden.

Roedd bywyd yn Holmead Road yn mynd o wyllt i wylltach, a'r cyffurie'n mynd dros ben llestri. Un diwrnod, rhoddodd rhywun tua mil meicrogram o asid yn fy nhe i. Trip a hanner, a thrip arall i'r ysbyty oedd fy hanes i, a gorfod cael fy llonyddu. Bellach, doedd ein tŷ Sioraidd gwych a chlyd yn ddim ond estyniad o'r stiwdio recordio. Roedd Poli Palmer, un o ffrindie Traffic, wedi symud i mewn 'dag organ Hammond a Mellotron anferth, ac roedd drymie Barry wedi'u gosod yn y stafell fyw 'da gitare, pentyrre Marshall a meicroffone ar standie – y llawr yn ddrysni o gêble a lîdie, a'r celfi mas y bac ar y patio yn nhawch Llunden!

Symudodd Reggie King i mewn 'da chrotes baranoid o'r enw Suzette oedd wedi cymryd gormod o asid ac yn diodde'r canlyniade. Iste ar fatres yn syllu i'r gwagle fydde hi gan fwya. Roedd gêm dwp 'da ni; pan fydde'r ffôn yn canu, fe fydde pawb yn llamu at y chwe estyniad ac yn dechrau canu 'Hello, who's there?' mewn cytgord chwe rhan.

"Gary! Where is Gary?" medde llais Georgio un diwrnod.

"Wocha want Jorjo man?" medde Gary – yr unig un ohonon ni roedd Georgio'n meddwl oedd yn rhyw fath o gyfrifol.

"Georgio's bringing down a bunch of Italian TV and film executives. There could be an European tour on here, so he wants us to impress them," medde Gary wrthon ni wedyn, gan chwerthin fel ynfytyn.

Roedd Georgio wedi ffonio siop ddiodydd yn Chelsea ac wedi archebu llwyth o lysh swagar a ninne i fod i'w godi fe'n ddiweddarach mewn tacsi. Hefyd roedd e am i ni fod â chrotesi – y math o hoedenne oedd yn gwisgo fel hysbyseb Carnaby Street. Ond doedd dim crotesi 'da ni – dim ond Suzette, oedd yn chwil ulw gaib, a Julia; allen ni byth â gwadd yr Americanese drws nesa – roedden nhw dros ben llestri – felly fe fu'n rhaid i fi fynd i rai o'r tafarne yn Fulham Road a Chelsea lle ro'n i'n nabod crotes o Gaerdydd oedd yn nabod merched hipi fan hyn a fan draw.

Yn ddiweddarach, gyrrodd dau limo Bentley du, hardd at ddrws y ffrynt a mas â Georgio, Rwsiad dwylath a phedair modfedd 'da gwallt du a barf mawr du fel Rasputin, ac ar ei ôl e, chwech o gynhyrchwyr ffilm Eidalaidd anhygoel o smart: tri dyn mewn siwtie smart a thair menyw gwmws fel Gina Lollobrigida mewn tair 'gwisg fach ddu' anhygoel o ddrud. Popeth yn iawn; mas â'r ddiod mewn gobledi crisial gosgeiddig wedi'u hurio o'r siop ddiodydd, ac aeth y parti i hwyl. Roedd y bois yn jamio ar eu hofferynne a'r crotesi'n dawnso. Yn sydyn, dyma un o'r crotesi o'r barre ar Kings Road oedd yn dawnso 'dag Eidalwr smart yn dechre tynnu amdani. O fewn eiliade, roedd hi'n borcyn ond am bâr o nicers du bychan bach, a dyna hi'n chwyrlïo yng nghanol y stafell o flaen yr holl Eidalwyr hyn. Roedd Georgio wrth ei fodd, ond digon trwynsur oedd yr Eidalese, ac roedd y dynion yn edrych yn annifyr ac isie gadael. I achub y sefyllfa, medde Georgio, "Right boys, we all go to the Speakeasy" – clwb yn y West End i gerddorion roc a chynhyrchwyr cwmnïe recordio a'u dilynwyr. Bydde bandie enwog yn chware 'na – Eric Clapton, Jimi Hendrix ac yn y blaen. Lle dethol, a drud. "You boys follow on in taxis," medde Georgio, gan hebrwng yr Eidalwyr i'r Bentleys.

* * *

Penderfynodd Gary symud mas i dŷ tawelach yn Caterham, Surrey ac fe ofynnodd i fi fynd 'dag e er mwyn ymarfer ar gyfer yr albwm newydd. Erbyn hyn, ro'n i moyn rhoi'r gore iddi a mynd 'nôl i Solfach; roedd y trip asid 'na landiodd fi yn yr ysbyty wedi rhoi sgytwad i fi ac ro'n i angen cael fy nhraed dana i. Ond fe arhoses i – allwn i mo'i siomi fe wedi dod cyn belled â hynny. Daeth ei diwedd hi rai dyddie wedyn pan ddangosodd Tim Hardin ei big – am i Gary sgorio heroin drosto fe; roedd e'n gaeth a dim siâp arno fe o gwbwl ac angen dôs. Doedden ni'n gwneud dim 'da'r stwff. Ta beth, bant â Gary yn galon i gyd a 'ngadael i'n iste yn yr ardd yn trial hiwmro'r boi 'ma oedd, ac sy'n dal i fod, yn un o f'arwyr i. Roedd e'n druenus, yn ysgwyd ac yn crynu ac yn siarad dwli. Ar ôl i Gary ddod 'nôl 'da'r cyffur, fe gafodd ei bigiad ac, ymhen pum munud, roedd e'n ddyn gwahanol ac aethon ni i gyd i'r Rising Sun am ddiod a sgwrs am gerddoriaeth fel 'se dim byd wedi digwydd!

Erbyn hynny, gangsters 'da chefnogaeth y Maffia oedd yn rheoli'r rhan fwya o'r byd cyffurie yn Llunden. Nid "Hey, man, we've just come back from Nepal, would you like some of this?" mohoni o gwbwl. Roedd pethe'n mynd yn ddifrifol ac ro'n i am gefnu arnyn nhw. Ro'n i'n becso am Tessa a Wizz a doedd dim cytundeb recordio 'da fi byth; ro'n i wedi mynd yn ddyn sesiwn ar recordie pobol eraill a dyna i gyd, ac yn Solfach roedd fy ngherddoriaeth i o hyd. Roedd yn rhaid i fi adael Llunden; ro'n i'n ei gweld hi fel hwren anferthol oedd yn mynnu'ch ffafre chi'n gyfan gwbwl, a tasech chi ddim yn ildio iddi, fe fydde hi naill ai'n eich dinistrio chi neu'n eich gwneud chi'n analluog neu'n eich llowcio chi! Penderfynes i fynd gartre i Solfach am byth, er 'mod i'n ymarfer ar gyfer albwm arall 'da Gary o'r enw *Strange Fruit*. Gyda llaw, Richard Thompson o Fairport Convention gymerodd fy lle i.

Ces i hyd i ddillad ar hyd y lle: hen siaced gafalri las 'da botyme pres a phâr o drowsus melfaréd Jim Creegan 'da copish cratsh a hat cowboi ddu.

Canes i'n iach i Gary dros beint neu ddau a gêm o ddarts mewn tafarn wledig yn Surrey, ac wedyn fe yrrodd e fi yn ei jîp i Paddington. Ro'n i wedi drysu'n lân; nid mynd sha thre oedd hyn – ro'n i fel pe tawn i'n ei chychwyn hi am ryw fywyd na wyddwn i ddim amdano, i'r tywyllwch y tu draw. Roedd rhywbeth o'i le; fe allwn i deimlo'r farddoniaeth yn llifo ymaith, yn chwalu i frithlaw Llunden ac ôl-fflachiade asid.

Pennod 13

Caerforiog

Pan fydda i ar drên, bydda i fel arfer yn iste ar bwys y cerbyd bwyta a'r bar. Y dyddie hynny, roedd yr holl brif drene'n cynnwys cerbyde bwyta, byrdde wedi'u gosod 'da llieinie damasgwe dwbwl fel pin mewn papur, cyllyll a ffyrc arian ar gyfer pryde o fwyd tri neu bedwar cwrs. *Maitre d'* mewn gwisg ffurfiol yn llywyddu, a gweinwyr mewn lifre. Roedd hi'n daith wyth awr o Paddington i Hwlffordd ac i'w gweld yn fwy diflas a syrffedus nesa'n y byd roedden ni i'r gorllewin. Mae 'run peth yn gwmws nawr. Ar ôl Caerdydd mae'r trên fel malwen mewn triog ac, ar ôl gadael yr 125 yn Abertawe, mae hi fel wagen wartheg – awr a hanner i fynd trigen milltir. Mae teithie trên wastad yn brofiade sy'n fy symbylu i; dwi wedi sgrifennu llwythi o ganeuon ar drene, felly fe fydda i'n cario llyfr nodiade a phin sgrifennu fel arfer.

Es i ar y trên canol dydd yn Paddington, ar ôl gwylio Gary yn saethu bant yn ei jîp tolciog. Aeth fy meddwl i, dan hymian, mas o fwrllwch Llunden, trwy dyfiant trefol blêr Reading a Swindon a tharanu mlaen lawr tracie dur, disglair tua'r gorllewin gwyllt, a chyrraedd Hwlffordd tuag wyth o'r gloch. Diffeithwch – dim bys na thacsi'n aros y tu fas i'r orsaf. Roedd hi'n awr nes i'r bws nesa gyrraedd, ac felly es i i'r dafarn agosa – y Milford Arms.

"Oes rhywbeth yn digwydd ffordd hyn heno?" gofynnes.

"Clwb gwerin lan yn y Lamb," oedd yr ateb, heb unrhyw fath o ddiddordeb.

Ro'n i'n teimlo'n benysgafn, wedi palo a mas o le. Tybed ai canlyniad pwl pedwar mis yn Llunden 'da Gary Farr a'r Psychedelics oedd hyn? Felly fe godes i 'ngitâr ac ymlwybro trwy'r caddug i'r Lamb, gan chwilio am gynhesrwydd a cherddoriaeth.

Mewn stafell gefen fach dywyll roedd y clwb gwerin. Ddealla i fyth pam maen nhw'n diffodd y goleuade i gyd, ac felly roedd hi yma, gydag un bylb deg watt ar hugen yn pelydru'n bŵl mewn cornel lle roedd y cantorion yn perfformio. Fe gwates i 'ngitâr y tu ôl i'r drws rhag ofn i'r trefnydd feddwl taw canwr o'n i. Dyrned o bobol oedd 'na, ac eisteddes i yn y cefen mewn lle cul rhwng bar bychan a'r pared heb i neb sylwi arna i.

Cychwynnodd yr adloniant yn ara gydag ychydig o gantorion lleol ag angen gwersi canu'n amlwg arnyn nhw, heb sôn am ysbrydoliaeth, yn plycio gitare rhad yn dila. Dechreues i feddwl am Tessa a bys Solfach, ac ro'n i wrthi'n rhoi clec i 'mheint yn barod i fynd pan gerddodd hi drwy'r drws 'da dau berson ro'n i'n eu nabod o Solfach – un yn foi o'r enw Dickie a'r llall yn ferch ro'n i'n ei nabod. Roedden nhw mewn hwylie da, yn chwerthin trwy'r trwch ac yn amlwg am gael noson i'r brenin. Roedd pobol yn troi'u penne ac yn eu hishtio nhw fel y bydden nhw yn y dyddie hynny cyn meicroffone.

Sylwodd Tessa ddim arna i ac eisteddon nhw i gyd i lawr. Daeth Dickie at y bar i godi diodydd, a phan welodd fi'n iste yno yn y cysgodion dan fy hat ddu, roedd e wedi'i synnu ar ei draws. Gwyddwn ar unweth fod rhyw ddrwg yn y caws. Ddwedes i ddim gair o 'mhen – do'n i ddim yn ei nabod e'n dda iawn gan ei fod e rai blynydde'n iau na fi. Aeth e'n ôl at y merched 'da llond hambwrdd o ddiodydd; fe allwn ei weld e'n dweud wrthi hi 'mod i 'na ac fe allwn i deimlo'r chwithigrwydd. 'Dyma i ni brofiad rhyfedd,' ro'n i'n meddwl. Allwn i ddim gadael nawr yn ôl fy mwriad; gan bwyll piau hi.

Yn ystod yr egwyl, aethon nhw i gyd at y bar 'run fath â'r rhan fwya o'r gynulleidfa fach. Roedd Tessa'n swil i gyd ac yn dweud ei bod hi'n synnu 'ngweld i ac yn gofyn pam nad o'n i wedi ffonio i ddweud 'mod i ar fy ffordd. Gofynnodd y ferch arall i fi pryd cyrhaeddes i, a dwedes wrthi. Cynigiodd Dickie godi diod i fi a chynnig pàs gartre i fi.

"Ro'n i ar fin dala'r bys," meddwn inne.

Wizz a fi yng Nghaerforiog, 1969

"Man a man i ti aros fan hyn nawr a dod gartre 'da ni," medden nhw.

Doedd Tessa ddim wedi'i lluchio'i hun i 'mreichie i na dim byd rhamantus; doedd hi ddim hyd yn oed wedi rhoi cusan i fi. O dan yr amgylchiade, do'n i ddim yn dishgwl dim byd felly.

"Shwt aeth pethe yn Llunden?" gofynnodd hi.

Ac ar amrantiad, dyma fi'n cael rhyw agoriad llygad. Sylweddoli beth oedd y teimlad rhyfedd ddaeth drosta i yn Llunden ar y ffordd at y trên – rhyw fath o *déjà vu*. Yr eiliad honno, ro'n i ar ryw fath o derfyn lle mae dau realiti cwbwl wahanol yn cwrdd. Mae realitïe'n cwrdd byth a hefyd, ond ambell waith maen nhw'n ffaelu cydblethu ac yn gallu cyd-fodoli am gyfnod byr yn unig. 'Run peth â theitl un o ganeuon serch Gary, 'Two separate paths together'. Blinder, ôl-fflach, sgytwad. Es i i 'nghragen.

"Rown ni drefn ar hyn yn y bore." Ro'n i'n crynu!

Roedd Rose Cottage yr un sidangod gynnes ag erioed, yng ngole'r tân, gwynt mwg coed a chawl. Tynnodd Tessa hanner llond potel o wisgi mas. "Dyna beth od – dyw hi byth yn yfed wisgi," meddylies inne.

Gwnes i ryw esgus ar ôl bwyta dyshgled o gawl a mynd lan llofft i'r gwely. Gallwn eu clywed nhw lawr llawr yn chwerthin ac yn tynnu coes, yn bur feddw, ac yna rhaid 'mod i wedi syrthio i gysgu ar fy mhen. Pan ddihunes, roedd yn rhaid i fi wneud yn siŵr ddwywaith lle ro'n i. Fe glywn i'r gwynt y tu fas i'r ffenest; roedd hi'n fore oer, llwyd a thonne o darth y môr yn hyrddio lan y cwm. Roedd fy mhen i yn rhywle arall, a syne a gwynt Llunden heb eto ddarfod. Fe glywn i Tessa islaw yn y gegin yn gwneud te a gallwn i wynto'r tost a'r marmalêd.

Gwisges a mynd lawr llawr. Daeth Tessa i mewn i'r stafell fyw 'da hambwrdd a bwyton ni ar ein glinie yn yr hen gadeirie breichie.

"Lle mae Wizz?"

"Fydd hi 'nôl amser cino. Mae hi'n cysgu 'da Nana Betty ar nos Wener i fi gael mynd mas am ddiod. I'r clwb gwerin fyddwn ni'n mynd fel arfer – sdim diawl o ddim y digwydd yn Solfach y dyddie 'ma."

"Fu 'na erioed?"

"Smo'r cantorion yn dda iawn. Pam na faset ti'n canu?"

"Dwi ar fy ngwylie," medde fi'n wamal, ond chwarddodd hi ddim. "Beth am Dickie?"

"O. Dim ond ein gyrru ni i'r clwb am ddiod mae e."

Des i wybod yn ddiweddarach bod Dickie a Tessa'n canlyn ers sbel ers i fi fod gartre ddwetha. Buan y mae'r adar corff yn casglu, wedyn y jacalied. Tipyn o gam gwag ydi gadael gwraig neu gariad ddeniadol mewn lle fel'ny, lle does dim llawer o ddarpar wragedd. Dwedodd hi wrtha i fod hen forwr wedi ymddeol oedd yn byw gyferbyn ac wedi hwylio 'da Wncwl Harold wedi bod yn galw draw yn feddw 'da photeli o wisgi a sane neilon. Roedd e mhell dros oed yr addewid!

"Yr hen gythrel brwnt!" meddwn i.

Roedd Tessa'n meddwl ei fod e'n ofnadwy o ddigri. "Dyna shwt rai ydyn nhw – ewn – a newidian nhw ddim."

Cyrhaeddodd fy mam 'da Wizz ganol dydd ac roedd hi'n synnu 'ngweld i ond wrth ei bodd. A neidiodd Wizz ar fy nglin i gan sgrechen "Dada, Dada!" Roedd hi'n ddwyflwydd a hanner, yn blentyn bach hardd.

Tra o'n i i ffwrdd, roedd Tessa wedi cael ceffyl ffein – rhagfarch o waed pur Seisnig. Copper Knight oedd ei enw fe ac roedd e wedi cael ei rasio dan reole'r helfa genedlaethol dan yr enw Piccadilly. Dim ond pymtheg dyrnfedd o uchder oedd e ac yn rhy ara i'r trac rasio, felly roedd e wedi cael ei werthu fel ceffyl hela a rasys o fan i fan yn ne Sir Benfro. Roedd e'n geffyl hardd ac mae e ar glawr fy record *Outlander* 'da Wizz a fi ar ei gefen e. Fe ddaethon ni'n ffrindie mawr a chael anturiaethe lawer. Roedd gast labrador ddu 'da ni hefyd, o'r enw Nofus (No Fuss). Cafodd hi'i bridio gan fy nghefnder, Gerald, yn Nhyddewi. Fe fydden ni'n mynd mas yn amal am dro ar gefen y ceffyl, a Nofus yn ffrwstio o gwmpas fel sgowt Apache.

Ces i ddiod wedyn 'da fy mam ac roedd hi bron â marw isie dweud wrtha i am Tessa a Dickie. Dwedes inne wrthi nad o'n i am glywed. Doedd dim gofyn bod yn Sherlock Holmes i weld hyd a lled y sefyllfa. Hi oedd piau penderfynu; bydde'n rhaid iddi hi ddewis, ac os na fydde'r dis o 'mhlaid i, bydde rhaid i fi fynd nôl i Lunden. Roedd fy mam i'n dal i gredu yn y dweud hen ffasiwn 'Odi fe'n ddigon o ddyn i ymladd?' Neu ddryllie gyda'r wawr hyd yn oed! Roedd hi'n dal i fod braidd yn gyntefig a llwythol lawr 'na. Ond ro'n i ar y valium ers dros flwyddyn, ac mae'n siŵr bod yr hwyl dawel yma o blygu i'r drefn yn dilyn o gymryd y cyffur yn rheolaidd deirgwaith y dydd.

Roedd ar Tessa angen cae ar gyfer y ceffyl, felly fe wnes i drefniade 'da Trevor Morris o fferm Llys-y-coed ar hewl Felinganol. Y cae gawson ni 'i ddefnyddio oedd yr hen gae Dardanelles lle roedd milgi Dada, Old Bill, yn lladd cwningod pan o'n i'n grwt. Roedd Tessa lan yng Nghroesgoch yn prynu bwyd i'r ceffyl pan gwrddodd hi â ffarmwr oedd â hen ffermdy i'w osod o'r enw Caerforiog, ddwy filltir lan y cwm o Solfach. Fe gerddon ni lan 'na drannoeth gan ddilyn y cyfarwyddiade, lan y rhiw serth heibio i'r capel Baptist a'i fynwent oedd wedi tyfu'n wyllt – a oedd ar un adeg yn blwy cynta'r pregethwr enwog Jubilee Young, a lle roedd fy nheulu i gyd wedi'u bedyddio mewn pwll yn y buarth. Maen nhw i gyd wedi'u claddu 'na hefyd! Wedyn, i'r chwith ar y gyffordd ar ben y rhiw, a'r troad cynta i'r dde. Roedd rhodfa hir yn arwain at fuarth mawr agored, ag adeilade gwenithfaen ar y dde a'r hen ffermdy canoloesol ar y chwith yng nghanol lawnt hanner crwn â mur o'i chwmpas. Yn y cefen, roedd gardd fawr 'da choed fale yn edrych lawr dros gaeau sy'n treiglo'n raddol lawr at afon Solfach yng ngwaelod y cwm. Roedd Caerforiog i'r dim i ni – yn rhad i'w rentu ac yn gwmws beth roeddwn i wedi breuddwydio amdano fe ar ôl yr holl flynydde hynny'n crwydro dinasoedd a threfi Lloegr. Y tu mewn, ar y llawr isa, roedd 'na gegin anferth, cil pentan 'da ffwrn Aga a hen sgiw, ac ar bwys y drws cefen roedd 'na gegin arall 'da sinc ddofn hen ffasiwn. Roedd tair stafell fawr arall ar y llawr isa a'r lle i gyd yn ole braf ac yn cael digon o awyr iach trwy'r digonedd o ffenestri yn y tu blaen a'r cefen, ac arweiniai dwy res o risie at bum stafell wely oddi ar landin ar y llawr cynta.

Cyn pen dim, fe adawon ni Rose Cottage a buon ni wrthi fel lladd nadredd yn glanhau ac yn peintio yng Nghaerforiog. Cae mawr y tu ôl i'r ardd oedd cartre Copper, a daeth y lawnt yn y tu blaen yn lle chware i Wizz. Roedd Tessa yn ei helfen – roedd lle 'da hi i wneud ei cherflunweth a lle arall i gynllunio a gwnïo'i dillad. Ro'n i'n dal i wneud gigie o gwmpas Cymru ac yn chware ambell gig yn Llunden 'da Gary Farr. 'Dyma'r bywyd,' meddyliwn – llonydd, hedd a thawelwch llwyr. (Dyma'r ffordd i'r bywyd iach!) Fydde neb yn dod i Gaerforiog heblaw'r postmon a'r gwas fferm, oedd yn gofalu am y moch a'r lloi yn y tai mas. Agores i gyfri 'da groser yn Hwlffordd fydde'n danfon ein harcheb ni mewn fan bob wthnos.

Yn y gegin fawr fewnol roedden ni'n byw, lle roedd bord ffermdy fawr a hen gadeirie a meincie. Codes i boster anferth o Bob Dylan ar y pared a hwnnw wedi'i roi i fi gan fy ffrind o Americanes, Eleanor Raskin o'r Bronx. Teils coch a brown oedd llawr y gegin, yn hawdd iawn eu glanhau. Uwchben y gegin roedden ni'n cysgu, ac roedd y stafell wastad yn dwym oherwydd y ffwrn Aga oedd yn llosgi drwy'r amser. Fe fydden ni'n pobi'n bara'n hunen o flawd gwenith cyflawn Allinson's yn y ffwrn, ac yn gwneud cwrw a gwin cartre.

Roedd arna i angen rhyw gludiant ar wahân i'r ceffyl, felly fe brynes i sgwter ail-law 'da 'mrawd, Martin, ac anfonodd e fe lawr o Swydd Gaerloyw ar lorri British Rail. Daeth hyn yn ddifyrrwch – Tessa a Wizzy'n fy ngwylio i'n trial mynd ar gefen y blydi peth o gwmpas y buarth caregog llawn tylle ac yn cwympo oddi arno fe byth a hefyd. Unweth, es i dros y cyrn i bwll anferth yn llaca i gyd ar wastad fy ngwyneb. Rhaid ei fod e'n edrych fel stynt pictiwrs ac roedden nhw'n g'lanne chwerthin!

Pan aeth y newyddion am Gaerforiog ar led ymhlith ein ffrindie ni, fe fydde 'na lawer yn galw heibio. Daeth Geraint a Heather lawr, a fan honno y cafon ni sesiwn tynnu llunie Bara Menyn, diolch i ffotograffydd lleol, Denis Larcombe o Niwgwl. Roedd Caerforiog yn lle tan gamp i fod yn greadigol – yn dawel ac yn dangnefeddus, 'da golygfa hardd lawr dyffryn Solfach, ond roedd hefyd yn lle gwyllt iawn, heb ei drin erioed, na phobol erioed wedi byw ynddo fe – dim ond adar ac anifeiliaid gwyllt a da'n pori.

Daeth Gary a Kevin Westlake i'n gweld ni. Ysgrifennodd Gary gân neu ddwy, ac enw un ohonyn nhw oedd 'Down in the mud'. Roedd 'na lawer o ddiddordeb mewn pethe cyfriniol ymhlith yr hipis y dyddie hynny, ac roedd rhai ffrindie o Lunden am fynd i'r fan ym mrynie Preseli lle roedd cerrig gleision Côr y Cewri'n tarddu. Ro'n i'n gwbod lle roedd hwnnw – clogwyn o'r enw Carreg Meini ar bwys Mynachlog-ddu, lle ganed Waldo Williams. Un bore niwlog, fe'n cafon ni'n hunain yn cerdded ymhlith y cerrig. Roedd 'na feini hirion yn gorwedd ym mhobman, fel 'se rhyw frigwth chwyrn wedi sgrytian y clogwyn yn chwilfriw, neu falle grym nerthol o'r awyr fel lluched anferth. Roedd un o forthwylion naddu Tessa 'da fi, a phan dorres i ddarn, fe allech chi sawru gwynt sylffwr tanllyd. Daethon ni i gyd â darne 'nôl 'da ni – aeth rhai i Lunden ac mae rhai'n dal i fod yn yr iard yng Nghaerforiog, siŵr o fod.

Roedd Peter Swales yno a Kevin, Gary a Tessa. Erbyn hyn, roedd Peter yn gweithio i'r Rolling Stones yn eu swyddfa nhw yn Maddox Street yn Llunden. Cynorthwy-ydd personol Mick Jagger oedd e.

Ro'n i'n dal i wneud peth gwaith i'r BBC yng Nghaerdydd pan gwrddes i â chyfarwyddwr ifanc, Gareth Wyn Jones, oedd am ffilmio rhaglen ddogfen amdana i a 'mywyd. Cymeradwyodd y pennaeth rhaglenni y syniad o gael y cywaith 'ma yn rhan o bump o raglenni dogfen am Gymry cyfoes. Roedd un ohonyn nhw am waith gwneuthurwr drymie o Gasnewydd.

Daeth criw ffilmio i lawr am wthnos a ffilmio yng Nghaerforiog, Solfach a Thyddewi. Wedyn wthnos arall lan yng Nghaerdydd a Llunden. Y cwbwl wnaeth Gareth oedd ffilmio ein bywyd arferol ni o ddydd i ddydd. Yn amal, fe fyddwn i'n agor y drws ffrynt yn y bore a bydde 'na griw ffilmio yn yr iard a'r camera ar fynd. Camera Ariflex un milimedr ar bymtheg roedden nhw'n ei ddefnyddio. Mewn un olygfa, llwyddodd Gareth (a fu'n swyddog yn y Llynges Frenhinol) i gael gafael ar hofrennydd gan HMS Goldcrest ym Mreudeth. Ffilmion ni ar y Traeth Mawr lle cychwynnodd Sain Padrig, medden nhw, am Iwerddon yn yr oesoedd tywyll, ac fe ffilmiwyd Tessa'n carlamu ar gefn Copper trwy frig y don. Ces inne 'nghodi mewn harnes ar gwt gwifren a fy hedfan, dan siglo trwy'r awyr, lan i gopa Carn Llidi – carreg frig sy'n edrych dros y traeth – lle gollyngon nhw fi. Hedodd yr hofrennydd o gwmpas yn ffilmio, wedyn ces i 'machu ar y wifren eto a hedfan 'nôl trwy'r awyr at y tywod.

Mewn golygfa arall, roedd fy mrawd, Irving, a finne'n chware cân offerynnol o'r enw 'Hwiangerdd Mihangel'. Cafodd hi 'i ffilmio gefen nos, a ninne'n iste ar greigie yn y dŵr. Pan weles i'r blaenbrintie'n ddiweddarach yng Nghaerdydd roedd yr adlewyrchiade'n anhygoel.

Ymhlith y rhai eraill a ymddangosodd yn y ffilm roedd Heather a Geraint, Gary Farr a Mighty Baby yn Llunden, a Syd Barrett o Pink Floyd fydde'n dod i'n gweld ni yng Nghaerforiog.

Yn nes ymlaen, ffraeodd Gareth 'da'r BBC a mynd i weithio yn Singapore, gan adael y ffilm heb ei golygu. Beth amser wedyn, rhoddodd y BBC ganiatâd i gyfarwyddwr arall olygu portread pum munud ohona i mas o gesys ffilm Gareth, a chafodd beth oedd yn weddill ei daflu mas. Wyth rîl o ffilm un milimedr ar bymtheg oedd yn gofnod o'n bywyde ni yn 1969! Bachan drwg, Rhydderch Jones!

Roedd Gary wedi cael gwahoddiad i chware yng ngŵyl Ynys Wyth ar ddiwrnod olaf Awst 1969. Bob Dylan and The Band oedd ar ben y rhaglen, a llu o sêr rhyngwladol yn eu cefnogi nhw: Tom Paxton, Richie Havens, Pentangle, Emerson, Lake & Palmer, Traffic, Family ac eraill. Roedd pawb ishe chware yn y gig 'na. Roedd Tessa am ddod gyda fi gan ei bod hi'n dwlu ar Bob Dylan. Ar y degfed ar hugen o Awst fe recordies i *Disc a Dawn* yng Nghaerdydd, a rhoddodd un o'r technegwyr ro'n i'n ei nabod, oedd yn byw ar arfordir y de, bàs i ni i'n gwesty yn Portsmouth, chware teg iddo. Yn y bore, fe yfon ni siampên 'da brecwast o hadogied cochion, cyn mynd ar y fferi am Ynys Wyth.

Roedd safle'r Ŵyl yn anferth 'da ffens sinc dal o'i gwmpas. Roedd y man y tu ôl i'r llwyfan yn fawr hefyd a phebyll yno ar gyfer yr artistied a'r bandie. Roedd 'na loc i'r wasg yn union o flaen y llwyfan, a llwyth o garafane o gwmpas yr un lle. Y system sain yno, medden nhw, oedd y fwya a gydosodwyd rioed. Roedd maint y digwyddiad yn ddigon i godi ofn arna i. Ro'n i ar bige'r drain yn meddwl am chware ar y llwyfan 'na gyda dim ond gitâr acwstig. Yn ddiweddarach, fe gwrddon ni am *sound check*, â Gary'n canu ac yn chware gitâr ddeuddeg tant, Andy Lee ar y gitâr fas a Roger Powell ar y drymie Conga. Roedd popeth yn swnio'n grêt, ac yn uchel! Roedd Gary yn ei hwyliau yn canu'n dda iawn. Cyrhaeddodd Julie Driscoll a dod yn ffrindie 'da Tessa ar unweth, ac fe dreulion nhw drwy'r dydd 'da'i gilydd.

Pan ddechreuodd y torfeydd gyrraedd, newidiodd yr awyrgylch yn glou. Weles i rioed gyment o bobol; pob cenedl, a phobol o bob cwr o Ewrop ac America. Roedd llwyth o bobol wedi dod o Ŵyl Woodstock a gynhaliwyd ger Efrog Newydd y penwthnos cynt. Roedd bandie ac artistied yn hedfan mewn hofrenyddion i'r man y tu cefen i'r llwyfan, a gweles i The Who yn cyrraedd mewn hofrennydd ro'n nhw wedi'i logi am y dydd. Yn ddiweddarach, aethon ni mas i fan y wasg i wylio Richie Havens yn perfformio; roedd e'n ffantastig gyda dim ond dau gitâr acwstig a dyn mewn tyrban piws a gwisg Arabaidd hir yn chware drymie Congaidd. Cyflwynodd Ritchie Havens e fel Daniel Ben Zebulon.

Roedden ni ymlaen ar ôl Tom Paxton, a berfformiodd ar ei ben ei hun 'da gitâr Martin D28. Ro'n i wedi bod yn iste'r tu cefen i'r llwyfan 'da Family a Traffic, yn cael llymed a smôc. Es i lan y ramp ar ochor y llwyfan a chael cip ar y gynulleidfa; yn ôl i lawr â fi ar fy mhen. Roedd 'na fôr o bobol mas 'na am a welech chi. Roedd hi'n llethol. 'Alla i ddim ymdopi â hyn,' meddylies.

"OK, we're on now," medde Gary. A'r peth nesa, roedd Ricky Farr yn ein cyflwyno ni ac ymlaen â ni. Tynnes fy hat dros fy llygaid fel 'mod i'n ffaelu gweld y gynulleidfa anferthol, a bwrw i'r gerddoriaeth. "I don't know why you bother, child; this old world won't change because you're tryin'," canodd Gary, ac roedd e i gyd yn wir. Ar ddiwedd y set, fe gafon ni gymeradwyaeth frwd gan gynulleidfa o chwarter miliwn o bobol. Hanner awr wedi pedwar y pnawn oedd hi.

Pan ddaethon ni oddi ar y llwyfan, rhoddodd Gary drwyddede cefen llwyfan newydd i ni. Oherwydd rheole diogelwch caeth, roedd y trwyddede'n cael eu newid cyn i Bob Dylan and The Band gyrraedd. Roedd unrhyw un oedd heb drwydded berthnasol yn cael blaen esgid 'da'r dynion dangos drws; roedd rhai pobol oedd eisoes wedi chware'n cael eu cicio mas, oedd yn annheg ro'n i'n meddwl. Doedd Dylan ddim moyn gormod o bobol tu cefen i'r llwyfan pan gyrhaeddai, medden nhw. Roedd e wedi bod yn aros mewn plasty lawr yr hewl lle roedd e wedi cynnal parti ar gyfer y Beatles, y Stones, Eric Clapton ac yn y blaen.

Daeth The Band i'r llwyfan o'r diwedd – ddwyawr yn hwyr. Doedd yr awyrgylch yn debyg i ddim erbyn hynny, a rhaid ei bod hi tua deg o'r gloch y nos. Doedd y sain ddim yn iawn a doedden nhw ddim yn chware'n dda; ro'n nhw'n edrych fel 'sen nhw'n chwil ulw ar gyffurie. Yn ystod y set, roedd y bois diogelwch yn taflu pobol mas o le'r wasg i wneud lle i resi o gadeirie ar gyfer John Lennon, Yoko Ono, gweddill y Beatles, y Rolling Stones, The Who a'u gangie nhw. Roedd y rhai oedd yn weddill – a ninne'n eu plith nhw – yn cael eu gwthio lan at yr atalfa ddiogelwch.

Daeth Dylan mlaen mewn siwt wen, ac roedd ynte hefyd yn gaib ar gyffurie; ro'n i'n flin drosto fe, ac wedi fy siomi hefyd – roedd e'n berfformiad uffernol. Y tro dwetha i mi ei weld e oedd pedair blynedd ynghynt, ar ei ben ei hun yn y Manchester Free Trade Hall, ac roedd e'n wych bryd 'ny.

Awr cyn i The Band chware, aeth Gary a finne i chwilio am Ricky i gael arian i'n talu ni'r cerddorion. O'r diwedd, fe ffindon ni fe mewn carafán yng nghefn y llwyfan. Roedd y llawr yn drwch o fwndeli o arian a Dylan a'i reolwr, Al Grossman, ar eu glinie yng nghanol yr holl arian 'na, yn cyfri'u siâr!

Roedd hi'n ffradach wedi i Dylan fynd oddi ar y llwyfan ar ôl set fer a gwael. Doedd y trefnwyr ddim wedi gwneud trefniade digonol 'da'r cwmnïe fferis a chael a chael oedd hi i ni adael yr ynys ar y fferi ola, oedd yn beryglus o orlawn. Cafodd cannoedd ar filoedd o bobol eu gadael yn sownd ar yr ynys drwy'r nos. Dwedes i wrth Tessa nad awn i fyth i gyngerdd roc arall tra byddwn i byw! Aethon ni yn ein hole i Sir Benfro ar y trên yn eitha penysgafn 'da phenne mawr siampên. Yno, ar ben y drws, pan gyrhaeddon ni roedd Wizz fach a Betty fawr, wrth eu bodde i'n gweld ni unweth eto.

Beth amser yn ddiweddarach, ro'n i nôl yn Llunden yn aros am Gary tu allan i stafell y cyhoeddwr cerddoriaeth a'r asiant Bryan Morrison. Dyma 'na ddyn tawel ei lais 'da gwallt cyrliog ac yn gwisgo pwlofer *Fair Isle* llawes byr a throwsys melfaréd llwyd yn gofyn i fi a allai e helpu. Roedd e i'w weld yn fachan iawn, a dwedes i wrtho 'mod i'n aros am Gary Farr oedd yn y swyddfa, a 'mod i yn ei fand e. "Do you write songs?" gofynnodd, ac atebes i 'mod i wedi ysgrifennu tipyn go lew. Gofynnodd e a licwn i recordio tapie demo, a chyn pen yr awr, ro'n i yn Central Sound Studio yn Denmark Street, jyst rownd y gornel, lle rhois i tua wyth cân ar dâp. Enw'r dyn oedd Ian Samwell a, heb yn wybod i fi, fe sgrifennodd record lwyddiannus gynta Cliff Richard, 'Move It'. Roedd e hefyd wedi chware'r gitâr fas 'da'r band a drodd yn ddiweddarach yn The Shadows a The Drifters. Wyddwn i ddim chwaith taw chwilotwr talent oedd e a dyn A&R ar gyfer Warner Brothers Records.

Yn ôl yng Nghaerforiog, des i mewn ar ôl bod am dro ar gefen y ceffyl un diwrnod i glywed gan Tessa bod galwad ffôn wedi dod o Lunden. Dwedodd hi taw rhywun doedden ni ddim yn ei nabod oedd 'na – ysgrifenyddes Ian Ralfini, pennaeth Warner Brothers. Tybies ei bod hi wedi camddeall, siŵr o fod, neu bod rhywun yn chware cast arna i. Ffonies i'r rhif a medde llais merch, "Ian Ralfini's office. Who's speaking, please?" Dwedes wrthi, a gofynnodd allwn i fynd i Lunden ar unweth gan eu bod nhw am i mi arwyddo cytundeb 'da Warner Brothers. Jyst fel 'na, fel huddug i botes. Roedd hyn yn rhy dda i fod yn wir. Dwedes i taw newydd gyrraedd gartre o Lunden y noson cynt o'n i ac y gallwn i ddod lan y diwrnod wedyn, a dyna fu.

Yn ôl ar y blydi trên eto! Yn ôl i Paddington ddrewllyd. Yn sownd mewn Hackney du yn y traffig ar Hyde Park Corner. Cafodd y gyrrwr hyd i'r adeilad ar New Oxford Street ac es i lan yn y lifft a 'nghyflwyno fy hun yn y dderbynfa lle roedd pishyn bryd gole'n iste wrth y ddesg. Ces i'n hebrwng i iste a chael cynnig siampên. Wedyn, mas â dyn mewn siwt smart iawn â golwg Eidalwr arno fe, 'da dwy gynorthwywraig hardd. Ian Ralfini oedd hwn – pennaeth Warners yn Ewrop. Roedd Ian Samwell yn ei swyddfa eisoes, a wastraffodd Ralfini ddim eiliad cyn cynnig cytundeb i fi.

"We think the demos you made at Central Sound are great. We want you to make more if you've got the songs."

"Oh yeah, I've got a load of songs, but I'll have to think about this a bit."

"We'll give you a fifty thousand pound advance on royalties if you sign now."

Edryches i ar Ian Samwell – roedd gen i ffydd ynddo fe am ryw reswm – rhoddodd e nod fach, a meddwn inne, "Give me the contract." Torres i fy enw yn y fan a'r lle ac wedyn daeth 'na fwy o siampên.

"Where are you staying?" medde Ralfini. "You'll have to stay for a few days to tie things up. We'll book you a hotel. Send for a car for Mike, please."

Daeth Sammy lawr yn y lifft 'da fi – roedd e am gael sgwrs. Roedd Bentley y tu fas 'da *chauffeur* a yrrodd ni i'r Savoy Hotel. Daeth Sammy i mewn ac aethon ni i'r bar am ddiod.

"They're very excited about your songs at Warners," medde fe. "They're a very big company and expanding, but you'll have to get a publisher if you haven't already got one." Doedd dim cyhoeddwr 'da fi. Doedd dim math o gorff 'da fi, dim ond fy llais a fy ngitâr.

Drannoeth, es i swyddfa Warners i godi siec am £50,000, ac wedyn i Lupus Music lle cychwynnodd y cyfan, lle cwrddes i â Bryan Morrison oedd yr un mor eiddgar i gael f'enw i ar gytundeb fel sgrifennwr i'w gwmni cyhoeddi Lupus Music. Gadewes i'r lle hwnnw yn gyfoethocach o £10,000 wedi dewis cael siec arall yn lle blaendal cyhoeddi! Yn syth ar draws yr hewl wedyn i Barclays Bank, Berkeley Square – banc Morrison – lle agores i gyfri 'da'r trigen mil. Wedyn, 'nôl i'r Savoy i gwrdd â Gary Farr am gino. Roedd arna i angen gitâr newydd, ac felly bant â ni i Charing Cross Road lle ces i Martin 0018 ail-law hardd yn siop gerdd Selmers, a'i brynu fe mewn cês am £95. Yna ymlaen i orsaf Paddington eto a 'mhen yn y cymyle, cael hyd i gerbyd gwag a chware'r Martin yr holl ffordd i Hwlffordd. Dalies i dacsi tu fas i'r orsaf ac roeddwn i gartre erbyn hanner awr wedi hanner nos. Roedd Tessa ar ei thraed o hyd.

"Ni'n mynd i fod yn gyfoethog!" bloeddies, gan ddawnso o gwmpas y gegin. Dwi rioed wedi ennill y Pŵls na dim byd felly, ond rhaid ei fod e'n deimlad tebyg. Fe wyddwn i fod y caneuon yn dda, ond roedd e'n galondid mawr ac yn hwb aruthrol i wbod bod un o gwmnïe recordio mwya'r byd yn meddwl hynny hefyd!

Ffoniodd Sammy drannoeth i ddweud ei fod e'n gwneud trefniade i recordio mwy o demos yn Central Sound ac y bydde'n rhaid i fi fynd 'nôl i Lunden cyn hir i drafod cyflogi cerddorion a chadw amser stiwdio i recordio'r albwm cynta. Dwedodd Sammy ei fod e'n meddwl bod sengl cryf iawn 'da ni – cân ar y demo cynta o'r enw 'Great Houdini'. Roedd e'n meddwl ei fod e'n syniad da i fi recordio 'Houdini' cyn gynted ag y bo modd. I'r dim o'm rhan i.

"Arglwydd mawr," medde fi wrth Tessa, oedd wrthi'n newid cewyn Wizzy. "Dwi'n credu'n bod ni wedi cyrraedd y top!"

"A dwi'n credu 'mod i'n disgwyl," medde hithe!

Pennod 14

Outlander: cyrraedd y brig

Ffoniodd Sammy rai dyddie'n ddiweddarach, a dweud ei fod e wedi cadw amser stiwdio i fi yn Central Sound. Ychwanegodd fod 'na gerddorion licie fe i fi gwrdd â nhw. Roedd cariad 'da Sammy oedd yn gantores – Linda Lewis – ac roedd y bois hyn yn ei band hi. Roedd Sammy a Linda'n byw mewn fflat ar Haverstock Hill yn Hampstead, ac yno y byddwn i'n aros pan o'n i yn Llunden.

Arhoses i yng Nghaerforiog am ddiwrnod neu ddau, yn torri coed, yn cymoni ac yn mynd am dro ar gefen Copper. Roedd Cyngor Celfyddydau Cymru wedi 'nghyflogi i fynd ar daith 'da band cerddoriaeth arbrofol o'r enw Indo Jazz Fusions. Arweinwyr y grŵp yma oedd John Mayer, cerddor clasurol Indiaidd oedd wedi troi at gerddoriaeth y gorllewin, a sacsoffonydd jazz enwog o'r Caribî, Joe Herriott. Roedd John Mayer wedi ffurfio grŵp o gerddorion clasurol Indiaidd ac wedi ychwanegu Herriott a Chris Taylor ato fe; roedd Taylor yn un o ffliwtwyr cerddorfaol mwya blaenllaw Pryden ar y pryd. Roedd y daith hon ar 'y ngwartha i, felly roedd yn rhaid i fi fod yn barod.

Roedd lle wedi'i gadw yn Central Sound ac mewn clwb yn ne Llunden lle cawn i ymarfer ar gyfer fy albwm gyda Warner Bros, a'r tro nesa yr es i i Lunden, fe gwrddes i â'r cerddorion roedd Sammy wedi cael hyd iddyn nhw ar gyfer y sesiyne recordio. Brodor o Lerpwl oedd Mike Snow, y chwarewr allweddellau, a fuase mewn bandie yno 'run pryd â'r Beatles. Chwarewr gitâr fas o Jamaica oedd George Ford, ac roedd ei frawd e, Emile Ford, wedi cael llwyddiant 'da chân o'r enw 'What do you want to make those eyes at me for?' Roedd Dennis Elliot, y drymiwr – serch taw dim ond ugen mlwydd oed oedd e – yn un o'r goreuon yn Llunden, ac roedd Bernie Holland yn gitarydd anhygoel oedd yn chware Fender Strat mewn dull bysedd. Hanai Bernie o Ystradgynlais yn ne Cymru. Fe gwrddon ni i gyd mewn sesiwn demo yn stiwdios Central Sound a daeth un o'r tracie recordion ni yn drac cefndir i'r gân enwog 'Y Brawd Houdini', y trydedd record a gâi ei rhyddhau gan *Sain*.

Tua'r adeg yma, fe fyddwn i'n taro ar grwt ifanc o Gaerdydd o'r enw Huw Jones, oedd yn un o ffrindie Heather ac yn aelod o'r un Aelwyd Urdd Gobaith Cymru lle bydden nhw'n canu 'da'i gilydd. Myfyriwr yng Ngholeg yr Iesu, Rhydychen, oedd Huw ac roedd yn ysgrifennu caneuon. Roedd hon yn adeg cythrwfl gwleidyddol mawr, ac roedd Cymdeithas yr Iaith Gymraeg – a ffurfiwyd ym 1962 gan, ymhlith eraill, Emyr Llewelyn, John Daniel, Hywel Davies, Neil Jenkins a Cynog Dafis – wrth wraidd trefn o wrthdystio gwleidyddol, gan mwya'n ymwneud â safle simsan yr iaith Gymraeg yn yr oes oedd ohoni. Doedd pobol ar y cyfan ddim yn gwbod bod peryg i'r iaith farw! Roedd Dafydd Iwan, un o gyd-sylfaenwyr cwmni Sain a ffrind i Huw Jones, eisoes wedi'i garcharu am beidio â thalu dirwy ac fe sgrifennodd Huw gân brotest amdano fe, sef 'Paid Digalonni'.

Byddwn i'n mynd i dafarn yng Nghaerdydd o'r enw The New Ely lle bydde twr o fyfyrwyr o Gymry'n yfed, yn cymdeithasu ac yn canu trwy'r nos. Un noson, fe ganodd Huw 'Paid Digalonni' yno, ac fe wnaeth e gyment o argraff arna i nes i mi ofyn iddo fe ddod i Lunden drannoeth i recordio'r gân. Roedd amser stiwdio wedi'i gadw i fi bob amser gan Warners yn Central Sound. Dyna fu, a chyfeilies inne iddo fe ar gitâr acwstig. Rhyddhawyd y record ar garlam ac fe werthodd hi'n dda. Gofynnodd Huw i fi'i helpu fe a Dafydd i gychwyn cwmni recordio Cymraeg, ynghyd â dyn busnes, Brian Morgan-Edwards, trysorydd Plaid Cymru. Roedd Brian yn byw yn Ninian Road, Caerdydd, ac fe agorodd Sain eu swyddfa gynta mewn stafell ffrynt fawr yno. Roedd Brian yn gweithio yn Llunden yn gwerthu cyfrifiaduron ac roedd e bant yn amal, gan adael ei wraig, Rona, wrth y llyw. Byddwn i'n cael stafell ffein yn nhop y tŷ pan o'n i yng Nghaerdydd.

Es yn fy mlaen i gynhyrchu record gynta Sain, *Dŵr*, oedd wedi'i sgrifennu a'i chanu gan Huw Jones a'i recordio yn Llunden. Fi ac aelodau Mighty Baby oedd y band. Roedd hi'n arllwys y glaw y diwrnod hwnnw ym 1969 ac, ymhen hir a hwyr, fe ddechreuodd y stiwdio ollwng – mewn sawl lle mewn gwirionedd. Dyna lle roedden ni'n torri'n bolie'n chwerthin tra oedd Huw'n canu "Dŵr, dŵr, dŵr" a'r glaw'n piso trwy'r to i bump neu chwech o bwcedi ar lawr y stiwdio! *Dŵr* oedd y record Gymraeg gynta i gael ei recordio ar recordiwr aml-drac a'i chymysgu mewn stereo go iawn. Roedd hi'n gam mawr ymlaen o ran recordio sain yn yr iaith Gymraeg ac fe werthodd hi fel pys.

Fy mhroblem nesa i oedd cael hyd i stiwdio addas i recordio fy albwm ar gyfer Warners. Ro'n i'n lico Central Sound – stiwdio hen iawn yn Soho a sefydlwyd gan dad Freddie Winrose, a oedd yn un o sylfaenwyr recordio sain yn Llunden. Stiwdio bedwar trac sylfaenol oedd hi, yn shibwchedd ac yn syml, ac roedd rhywun yn cerdded yn syth i mewn iddi oddi ar Denmark Street. Roedd y stiwdio wedi'i gwasgu rhwng The Giaconda, caffi Eidalaidd a The Tin Pan Alley Club, sef clwb yfed dethol iawn yn llawn o bobol o'r diwydiant cerddoriaeth, hen garcharorion a chrocodeils Soho.

Awgrymodd Gary Farr y dylwn i drial Morgan, stiwdio wyth trac newydd sbon danlli yng nghanol Llunden. Sammy oedd y fficsiwr 'da Warner Bros, ac fe ofynnwyd iddo gynhyrchu fy albwm cynta i – oedd yn iawn o'm rhan i. Fe gafon ni olwg ar Morgan a phenderfynu cadw amser yno i recordio 'Houdini'. Roedd ein hymarferion ni yn dal i fod yn Central Sound ac mewn un lle arall. Yn ystod yr ymarferion hyn, recordiwyd fersiwn o 'Great Houdini' a fersiwn o 'Old Joe Blind', oedd yn gân newydd ro'n i wedi'i sgrifennu yng Nghaerdydd. Aeth y sesiyne yn Morgan i'r gwellt ac ailgymysgfa ydi'r fersiwn o 'Old Joe Blind' ar albwm Outlander o'r demo ymarfer yn Central Sound 'da ffidil John van Derrick wedi'i gollwng i mewn yn ystod yr ailgymysgu. Ac mae 'Y Brawd Houdini' ar Sain 3 yn ailgymysgfa o'r fersiwn demo o Central Sound wedi'i ailgymysgu

Arbrofi ar ddiwedd y 60au

a'r canu Cymraeg wedi'i ychwanegu. Doedd 'Great Houdini' ddim ar *Outlander*; allen ni ddim cau pen y mwdwl ar y gân honno fel y record sengl roedd Warners am iddi fod, er i ni roi cynnig arni dro ar ôl tro. Felly dim ond y fersiwn Gymraeg sydd wedi goroesi!

Recordies i rai caneuon Cymraeg yn Central Sound hefyd gyda Heather a Geraint a Bill Lovelady, gitarydd tan gamp o Lerpwl oedd yn byw yn Llechryd yng Ngheredigion ar y pryd. Cafodd y recordie hyn eu rhyddhau ar label Newyddion Da yn ystod Eisteddfod Rhydaman ym 1970.

Ond chafon ni fawr o hwyl ar gael hyd i stiwdio i recordio *Outlander*. Y tro yma aethon ni i Olympic Studio Glyn Johns, lle roedd y Stones yn recordio. Ar y pryd, ro'n i'n gwneud fy ngore glas i gael trefn ar y gerddoriaeth. Roedd Sammy wrth ei fodd 'da gitâr acwstig, harmonica a chaneuon lleisiol, fel 'Love Owed' ac yn y blaen, a minne â mryd fwy ar arbrofi 'dag offerynne eraill. Wedyn, fe ges i syniad tan gamp. Beth am ddefnyddio'r cerddorion Indiaidd? Awgrymes i hyn wrth Sammy na wydde'n iawn am beth o'n i'n sôn, a dyma awgrymu felly ei fod e'n gwrando ar albwm Indo Jazz Fusions. Roedd y gerddoriaeth yma ymhell iawn o fyd pop a roc a cherddoriaeth gyffredin y dydd. Doedd Sammy'n ffaelu cysylltu cyweirio'r gitâr Aeoliaidd â'r gerddoriaeth glasurol Indiaidd, ond fe lwyddes i'w ddarbwyllo fe yn y diwedd ac, yn ei dro, fe ddarbwyllodd ynte Warners i estyn cyllideb sesiyne *Outlander* i wneud lle i John Mayer fel trefnydd ac i dri cherddor arall: Dewan Motihar, sitar, Keshav Sathe, tablas a Chris Taylor, ffliwt. Roedd Chris Taylor yn un o'r ffliwtwyr roedd y galw mwyaf amdanyn nhw yn Ewrop ar y pryd.

Ar y pryd, Trident oedd y stiwdio ddiweddara oll; roedd yn eiddo i fanc Siapan, a chanddi ddesg Americanaidd wedi'i gwneud ar archeb a recordiwr wyth trac. Roedd y lleoliad i'r dim, ar bwys Wardour Street yn Soho rownd y gornel o'r Ship, un o'r prif fanne cyfarfod i gerddorion roc. Aeth Sammy â fi i weld y lle ac i gwrdd â Malcolm Toft, y prif beiriannydd. Roedd Trident yn iawn gen i; yn ddrud iawn, ond Warners oedd yn talu.

Y dyddie hynny, fe fydden ni'n recordio gefen nos fel arfer. Bydde rhai o'r sesiyne'n para tan orie mân y bore – neu drwy'r nos ambell waith – ac wedyn bydden ni'n cael brecwast mewn caffi yn Soho tua saith neu wyth o'r gloch. Pry'r dydd ydw i wrth natur ac ro'n i'n cael hyn yn dipyn o straen. Ond ro'n i mor hapus ac roedd hi'n gyment o ollyngdod i fi ein bod ni wedi cael hyd i stiwdio lle gallen ni i gyd gyd-daro. Allwn i ddim ymdopi ag Olympic, oedd yn hen sgubor fawr o le 'da pentyrre Marshall ar hyd y lle ym mhobman, gwifre spaghetti a blyche llwch gorlawn. Daeth Syd Barrett lawr yno un noson pan o'n i ar fy mhen fy hun yno 'da gitâr acwstig, ac ro'n i'n falch pan gyrhaeddodd Syd y tresmaswr 'da'i gariad, mynd â'r gitâr, iste ar lawr a dechre chware iddo fe'i hun. Ro'n i wedi recordio trac y noson honno, o'r enw 'One Night Wonder', ac mae e ar *Ghost Town,* Tenth Planet Records. Ar lawr y bydde Syd wastad yn iste; doedd dim celfi yn ei stafell, dim ond estyll pren moel neu rai wedi'u peintio'n oren neu'n las, ffôn gwyn a Fender Telecaster. Fi oedd un o'r ychydig oedd yn cael mynd yno; dwi'n credu 'i fod e'n hoffi bod ar ei ben ei hun lawer o'r adeg. Ambell waith, fe fydde'n chware'i Telecaster heb ei chwyddo. Dro arall, syllu trwy'r ffenest neu i'r gwagle fydde fe. Doedd Syd ddim fel 'se fe moyn llawer mewn bywyd, dim ond bod ar ei ben ei hun 'da'i feddylie. Roedd e'n foi golygus iawn, wastad 'da merch hardd ar ei fraich pan oedd e mas neu'n gyrru'i Mini Cooper yn dene fel styllen ac yn gwisgo dillad ecsotig fel siwtie satin croendynn, cryse sidan ffriliog, sgarffie hirlaes a bŵts croen neidr!

Ond roedden ni'n cael hwyl ar y sesiyne yn Trident ac yn cwpla tracie sylfaenol mewn un neu ddau dro yn unig. Mewn dau dro y gwnaed 'Yorric', a 'Sailor and Maddona' mewn un tro, heb ddim cymathu; beth glywch chi ar y record ydi band yn chware'n fyw. Wedyn, daeth y tracie 'da band Linda Lewis: 'Rowena', 'Leftover time' (un recordiad eto) a 'Ghost Town'. Defnyddiwyd demo Central Sound o 'Old Joe Blind' ar gyfer y record sengl a'r albwm, a ches i ddim credyd cynhyrchu! Gwnes i'r holl dracie eraill ar fy mhen fy hun, gan ddefnyddio dwy gitâr – Martin

0018 a Hagstrom Jumbo. Fe werthes i'r Hagstrom yn ddiweddarach i Huw Jones ac aeth y Martin i Heather a chael ei ddwgyd o'i char hi.

⋆ ⋆ ⋆

Project nesa Sammy oedd band o'r enw America – rhyfeddod un llwyddiant ('Horse with no name'). Band Americanaidd arall oedd 'da fe ar y pryd oedd Daddy Long Legs. Es i i rai o'u sesiyne nhw yn Trident. Roedd pawb yn recordio yn y Trident erbyn hynny – gan gynnwys y Beatles. Roedd Malcolm Toft yn un o beirianwyr sain gore'r byd ar y pryd.

Aeth y cylch arferol o glybio, partïo, recordio a meddwi ar gyffurie yn ei flaen yn ddi-ball a nefoedd oedd cyrraedd 'nôl yng Nghaerforiog i ymlacio a magu egni. Roedd cerddorion oedd â'u cartrefi yn Llunden yn dechre crwydro tua'r wlad; ro'n i yno'n barod ac wedi hen ennill fy mhlwy. Roedd Tessa a'r plant yn hapus ac yn dda eu byd – ganed Wizz ar y diwrnod y curodd Lloegr Orllewin yr Almaen yng Nghwpan y Byd a ganed Bethan ar y diwrnod y glaniodd yr Iancs ar y lleuad – dim ond cyd-ddigwyddiad!

Dysgodd y profiad 'da Warner Bros lawer i fi am y broses recordio sain, a hefyd am y ffordd o fynd o'i chwmpas hi i gasglu recordie ynghyd o ran bandie. Es i yn fy mlaen i gynhyrchu sawl albwm; a dweud y gwir, fi gynhyrchodd y rhan fwyaf o fy recordie Cymraeg fy hun. Fi hefyd drefnodd y sesiyne tynnu llunie a chynllunio'r rhan fwyaf o'r clorie 'da help hen ffrind, Eddie Lloyd Davies o Fynydd Helygain; roedd siop argraffu 'da fe yn y Rhyl.

Cafodd Warners reolwr i fi; ro'n i'n gwbwl ddidoreth yn hynny o beth, ac felly y daeth Alistair Taylor i'r fei – brodor o Lerpwl oedd wedi dod i Lunden 'da Brian Epstein a gweithio yn Nems am flynydde. Yn ddiweddarach, fe ddaeth e'n gynorthwy-ydd personol i John Lennon. Ond ddigwyddodd fawr o ddim pan oedd e 'da fi. Y cwbwl dwi'n ei gofio ydi mynd i lwythi o dai bwyta a chael ciniawe busnes maith yn Soho neu Mayfair. Ychydig o fusnes fydden ni'n ei wneud ac fe ddantodd

Warners arna i ar ôl i *Outlander* beidio â gwerthu'n dda iawn. Methodd y record sengl am ein bod ni'n ffaelu cael y BBC i'w chware hi ar yr awyr. Roedd John Peel a Jimmy Savile ill dau yn pallu'i chware hi, ac ychydig o obaith sydd 'da record heb ei fod ar restr chware'r BBC. Clywes i'n ddiweddarach fod Warners yn cynllunio i ryddhau *Outlander* yn America, fase wedi bod yn beth da falle, ond pwy a ŵyr – mae gofyn am ymgyrch gyhoeddusrwydd fawr i lansio albwm.

Recordies i ddim i Warner Bros wedyn, er 'mod i'n sgrifennu pŵer o ganeuon. Bach o ddiddordeb ro'n nhw'n ei ddangos mewn gwirionedd. Aeth Sammy i America a doedd dim cynhyrchydd 'da fi bellach. Yr un hen stori amdani – yn f'ôl ar y trên nos i Solfach.

Felly, gadewes i Warners, er 'mod i'n dal i fod dan gytundeb tair blynedd. Mae f'atgof ola i'n ddigri: Ian Ralfini, y bòs, yn rhuthro lan a lawr y coridor yn gweiddi, "Somebody get Derek [Taylor, swyddog cyhoeddusrwydd y Beatles gynt, oedd bellach yn rheolwr projecte ar gyfer Warner Bros] to stop smoking that effing grass – we're gonna get busted soon!" Roedd y Stones yn gadael, y Beatles wedi gwahanu, Hendrix wedi marw; fydde'r byd pop yn Llunden fyth 'run peth eto. Nid dyna ddiwedd fy nghyswllt cerddorol i 'da Llunden wrth gwrs – roedd 'na uffern o lot i ddod o hyd.

Pennod 15

Carol-Ann & Sgitsoffrenia

Menyw o Texas oedd Carol-Ann Maw, o driongl Austin-Houston-Dallas, ac fe gwrddes i â hi yn Hampstead yn niwedd 1969. Merch hipi hardd oedd hi, â chroen Mecsicanaidd lliw hufen, corff main, hyfryd a gwallt hir tywyll oedd yn cyrlio mewn cudynne hyd at ei chanol. Roedd hi'n gyfeillgar ac yn hael iawn, 'da gwên fawr, ac yn gwisgo 'da steil.

Pan gyrhaeddes i fflat Sammy y diwrnod hwnnw, roedd hi'n dipyn o ffrae, oedd yn beth anarferol gan fod Sammy'n ddyn syber iawn, oedd bron byth yn codi'i lais, ac roedd hyn yn beth rhyfedd. Roedd Carol-Ann ar y ffôn, a ces i 'nghyflwyno iddi fel roedd hi ar gychwyn am gyfarfod, gan ddweud y bydde'n ei hôl yn hwyrach. Aeth Sammy a Linda i'r gegin ac fe allwn eu clywed nhw'n trafod rhyw broblem. Od iawn – chlywes i rioed wefr annifyr o gwmpas Sammy a Linda o'r blaen – a phan ddaeth Sammy'n ôl i'r stafell fyw, fe ofynnes iddo beth oedd yn bod. Heb oedi aeth at gwpwrdd wedi'i osod yn y pared, ac agor y dryse dwbwl i ddangos sawl bag bin boliog.

"That's the problem," medde fe. "Acid!" Roedd y bagie'n llawn o dripie asid yn nhrefn eu lliwie. Cannoedd ar filoedd ohonyn nhw!

"Are those hers?" gofynnes i'n syfrdan.

"She's responsible for them. I only offered to put her up for a while, not have the place turned into a dope emporium!"

Dyn digyffro oedd Sammy; do'n i erioed wedi'i weld e'n cynhyrfu gyment, ac yn grac hefyd. "The acid belongs to the Grateful Dead. She's got to get rid of them today!"

Ar ben hynny, roedd swyddfa'r heddlu drws nesa. Doedd Sammy ddim yn ddyn siriol.

Yn ddiweddarach, ar ôl sesiwn recordio faith, aethon ni'n ôl i'r fflat yn Haverstock Hill a dyna lle roedd Carol-Ann yn darllen ar y soffa 'da 'Sweet Baby James', James Taylor, yn chware yn y cefndir.

"That'll all be taken care of tomorrow," medde hi wrth Sammy. Popeth yn iawn, medde Sammy a mynd i ymuno â Linda yn y gwely – roedd hi tua dau o'r gloch y bore erbyn hyn. Do'n i ddim yn gwbod lle ro'n i'n mynd i gysgu, a'r ferch o Texas wedi bachu'r soffa, felly ffonies ffrind lawr yn Baker Street lle byddwn i'n aros ambell waith. Roedd Carol-Ann wrthi'n rowlio mwgyn drwg felly rhois i dâp o recordiade'r nosweth ar y peiriant. Fe gafon ni sgwrs am gerddoriaeth a smoco mwgyn drwg arall, ac wedyn i gysgu – hi ar y soffa a minne ar y carped, oedd yn iawn.

Fore drannoeth, fe allwn i eu clywed nhw yn y gegin 'da'r gwynt tost a choffi parod hwnnw sy bob amser yn f'atgoffa i o fyfyrwyr. Cyn bo hir, aethon nhw mas, a 'ngadael i 'da'r pedler cyffurie hardd 'ma. Aeth hi'n sgwrs rhyngon ni ac fe ges i ddeall ei bod hi wedi smyglo'r holl asid trwy faes awyr Heathrow, a Jerry Garcia a The Grateful Dead oedd piau e. Roedd hi'n arfer canlyn Pigpen, y chwarewr allweddellau, oedd wedi marw'n ddiweddar, ac erbyn hyn, roedd hi'n gweithio i deulu'r Dead fel eu swyddog symud cyffurie!

Nid dod â'r asid i Ewrop oedd ei phrif broblem hi, ond cael ei wared e unweth roedd hi yma. Doedd dim dolenne cyswllt o bwys 'da hi yn yr isfyd cyffurie yn Llunden. Roedd arni angen cyflwyniade ac fe wirfoddoles i'w helpu hi ar ôl profi'r asid, oedd yn beth ry'n ni'n ei alw'n 'glir'. Roedd hi i'w gweld yn ferch wirioneddol ffein, yn ei hugeinie cynnar, ar ddisberod yn Llunden 'da phroblem enfawr. Dwedes wrthi y câi hi gwato'r asid yn fy fflat i yng Nghaerdydd ac y byddwn i'n dod i gysylltiad â phobol allai gael ei wared e drosti. Roedd hi ar ben ei digon a dwedodd fod arni angen hoe fach o Lunden ta beth. Felly dyma ni'n gafael yn ein cesys a mynd â'r asid i Gymru ar y trên o Paddington.

Roedd motobeic Honda 'da fi tu fas i'r fflat yng Nghaerdydd a dwedodd Carol-Ann ei bod hi wrth ei bodd ar gefen beic, a bod ei chyn-sboner hi'n reidio beics. Gallwn i weld ei bod hi dan deimlad tu ôl i'r wên. Doedd ryfedd felly, a hithe'n iste hefyd ar hanner miliwn o dripie asid ag unman i'w rhoi nhw! Y noson honno, fe aethon ni ar gefn yr Honda i Swydd Henffordd i weld ffrindie cŵl oedd 'da fi yno.

Roedd 'da Carol-Ann a fi lawer yn gyffredin – roedd hithe'n llysieuwraig facrobiotig, ac yn dwlu ar astudio cyfriniaeth hen a newydd, a chrefydde. Bydde hi'n taflu'r I Ching bob dydd ac yn cario Llyfr y Meirwon Eifftaidd o gwmpas 'da hi, ymhlith gweithiau llên ysbrydol hynafol eraill. Ro'n inne'n aelod o Gymdeithas Ysbrydegol Pryden ac yn mynd i gyfarfodydd, seansau a defode eraill yn rheolaidd. Roedd llawer o bobol ro'n i'n eu nabod ddiwedd y chwedege yn astudio'r Cabala a dewiniaeth. Ro'n i mewn dyfroedd dyfnion fan hyn, ond wyddwn i ddim pa mor ddwfn.

Daeth Carol-Ann yn gydymaith parhaol, a bydde hi'n dod i gigie 'da fi, yn datrys unrhyw brobleme ac yn trafod â phobol Warner Bros – roedd hi'n broblem i fi siarad â nhw. Roedd digon o brofiad 'da hi fel un o deulu'r Dead, oedd hefyd yn recordio i Warners. Roedd Carol-Ann yn cyd-dynnu'n iawn â bosys y diwydiant recordio, ac roedd hi'n berson doeth a dynamig iawn. Pan oedd hi'n iau, fe fu'n ysgrifenyddes feddygol mewn adran ymchwil ym Mhrifysgol Houston yn Texas. Hanai o deulu parchus, a'i thad hi'n swyddog uchel yn Llynges Awyr yr Unol Daleithiau. Doedd ryfedd yn y byd gen i – byddwn i'n cwrdd â phobol o bob mathe o gefndiroedd yn y mudiad hipi, gan fod y diwylliant hwnnw'n chwalu gwahanfurie cymdeithasol, rhagfarne a systeme dosbarth.

Tra o'n i'n rhuthro o gwmpas yn gwneud recordiade teledu a gigie ac yn helpu Carol-Ann i gael gwared â'i chyffurie, roedd Tessa a'r merched yn byw'n dawel yng Nghaerforiog 'da'r ceffyle a'r anifeilied eraill – Nofus, y ci, a Bitw'r gath. Roedd Kevin a Karen o LA yno hefyd, a cherddorion o America o'r enw Emilly Muff. Ro'n nhw'n ffrindie 'da The Incredible String Band, Mike Heron a Robin Williamson, oedd wedi bod yn byw mewn hen dŷ ym mrynie Preseli. Roedd claddgell Pentre Ifan yn union dros wal yr ardd! Roedd Heron a Williamson wedi dewis Califfornia ac wedi gadael Cathy a Janet (Emilly Muff) 'da chydig iawn o arian ac unman i fyw. Cwrddon nhw â Carol-Ann mewn gig Family yn Llunden ac fe'u gwahoddes inne nhw i aros yng Nghaerforiog, gan fod angen lle arnyn nhw i gael trefn ar eu cerddoriaeth. Symudon nhw i mewn i ddwy stafell ym mhen pella'r tŷ. Merched tawel, meddylgar oedden nhw, 'da llond llwyth car o offerynne cerdd ac ychydig iawn ar wahân i hynny. Fe fydden nhw'n byw ar bowlied o reis y dydd ac roedden nhw i'w gweld yn gwneud eu dillad i gyd o wlân a hen lenni. Treulien nhw'r rhan fwyaf o'u hamser yn darllen, yn ysgrifennu ac yn chware'u cerddoriaeth. Prin y gwyddech chi 'u bod nhw yno ac roedd eu cerddoriaeth nhw'n dawel ac yn acwstig heb fod yn annhebyg i The Incredible String Band, 'da Cathy'n chware offerynne chwyth a Janet ar y gitâr a'r harmoniwm Indiaidd.

Am wn i roedd ymwelwyr yn meddwl bod Caerforiog yn rhyw fath o gomiwn, ond nid felly roedd hi. Beth oedd Caerforiog go iawn oedd... wel, dim ond cartre'r teulu oedd e, 'dag ambell i ffrind yn aros 'da ni, yn byw bywyd syml ac iach iawn, yn cynhyrchu peth wmredd o gerddoriaeth, cerflunweth, peintiade a barddoniaeth. Fe fridion ni geffyle ffein hefyd a chŵn Labrador duon. Trueni iddo fe i gyd ddod i ben mor drist, mor drasig, ac mor gynnar.

Yn anochel, a dweud y gwir, fe gafodd Tessa hyd i fil gwesty ym mhoced fy nghôt i yn enwe Mr a Mrs Stevens. Dyna sut y daeth y garwriaeth fer i'r fei. Yn rhyfedd iawn, doedd dim ffrwydrad – dyna wnâi Tessa pan oedd hi'n grac fel arfer, ac roedd tymer ffyrnig 'da hi – ond fe fynnodd hi'n dawel 'mod i'n dod â Carol-Ann i Gymru i gwrdd â hi. Lloriodd hyn fi'n llwyr. Rhaid cofio bod ein dull ni o fyw, yn enwedig ein bwyd ni, wedi'i lunio er mwyn lleddfu pwysau, gostwng tyndra bywyd, a hybu natur a phersonoliaeth dawelach. Do'n i rioed wedi bod mor ddigyffro nac mor iach cyn hynny a ches i fod y ffordd o feddwl 'you are what you eat' yn wir i ryw radde, ond bod *lle* rŷch chi'n byw yn hollbwysig hefyd. Allwn i ddim ymdopi â swydd lawn tyndra fel diddanu na theithie amal i Lunden nawr fel y gallwn i yn y chwedege!

Cwrddes i â Carol-Ann yn Llunden wthnos yn ddiweddarach a chytunodd hi i ddod i Gaerforiog i gwrdd â Tessa. Roedd hi wedi bod yn brysur yn cyflawni ei rôl yng nghynllun Jerry Garcia i wneud y byd i gyd yn gaeth i LSD, ac erbyn hyn roedd llawer o'r asid wedi'i gyfnewid am hashish a hwnnw wedi'i anfon 'nôl i'r Unol Daleithiau trwy'r post! Roedd hash da'n bum gwaith y pris yno. Does dim dwyweth fod Garcia'n deall ei bethe. Am wn i bod Carol-Ann yn mynd â'r arian yn ôl iddo fe'n bersonol; roedd hi byth a hefyd yn jetio'n ôl a mlaen. Er hyn, roedd 'na grugyn o gyffurie ac arian yn dal wedi'u cwato ar hyd y lle.

Cyrhaeddon ni Hwlffordd ar yr hen drên hanner nos un noson braf o haf ac roedd y tacsi lleol 'na yn disgwyl amdanon ni fel arfer. Mr a Mrs Lunn oedd y bobol tacsi, a'r ddau mewn tipyn o oed. Roedd Mrs Lunn yn fenyw syml, gorffol – ma nhw wedi marw erbyn hyn. Ro'n i'n meddwl tybed beth oedd i ddod wrth inni wibio trwy'r noson las tywyll a heibio i ddrysni o gloddie gwelltog o flode gwylltion ar yr hewl hir droellog i Gaerforiog.

Roedd y dramwyfa i'r fferm tua chan medr, yn llydan ac yn syth ac felly bydde unrhyw gar fydde'n cyrraedd wedi iddi nosi yn goleuo'r iard ar unweth. Trodd y tacsi'r gornel i'r dramwyfa ac yna parcio tu fas i ddrws y gegin. Roedd goleuade ambr cynnes, croesawgar yn disgleirio o'r ffenestri ar noson ddulas berffaith yng ngole'r sêr. Tales i Mrs Lunn ac fe droion ni tuag at y drws, a dyna lle roedd Tessa'n sefyll, â gwisg laes werdd amdani. Gwenodd ac edrych fel 'se hi'n falch o'n gweld ni. Aethon ni i'r gegin – stafell gynnes a chanddi ole tyner a nenfwd isel.

Roedd Tessa wedi bod yn iste dan y simne fawr yn darllen, ac roedd hi i'w gweld yn hapus ac yn ddigyffro. Am unweth, wyddwn i ddim beth i'w ddweud, ac ro'n i'n teimlo'n annifyr yn fy nhŷ fy hun. Eisteddon ni i gyd o gwmpas y tân, a gwnaeth rhywun de llysieuol. Roedd hen bot coffi enamel mawr – fel y rhai welwch chi mewn ffilmie cowbois – wastad yn twymo ar y ffwrn, ond ers y deiet Oshawa, roedd e wedi ymddeol yn barhaol. Doedd y noson honno ddim i'w gweld yn wahanol i unrhyw dro arall pan fyddwn i'n dod sha thre; ro'n i wedi dishgwl rhywbeth gwahanol, ac yn sicr rhyw newid yn yr awyrgylch, ond chlywn i'r un. Roedd Tessa a Carol-Ann yn siarad bymtheg y dwsin, ac i'w gweld yn tynnu mlaen yn grêt. Doedd dim golwg o'r ffrwydrad ro'n i'n ei ofni!

Cynigiodd Carol-Ann fwgyn o wellt roedd hi wedi'i dyfu yn nhir capitol y dalaith yn Austin, Texas, ac fe rannon ni hwnnw cyn mynd i'r gwely. Roedd Tessa wedi paratoi gwely i Carol-Ann ar y llawr cynta, nesa at ein stafell ni, felly i'r gwely â ni tua hanner awr wedi un. Es i'n syth i gysgu. Falle y deuai'r terfysg drannoeth. A dweud y gwir, fe gododd y terfysg yn ystod orie mân y bore, ond nid o'r math ro'n i wedi'i ddishgwl nac wedi'i weld rioed o'r blaen.

Dihunes gyda'r wawr a chlywed côr y bore bach yn uchel ei gloch; roedd hi tua phump o'r gloch a minne ar fy mhen fy hun yn y gwely. Ro'n i dal yn hanner cysgu, ond es i stafell y plant ar draws y landin, a gweld bod eu gwelye nhw'n wag. Cofies i Tessa ddweud eu bod nhw wedi mynd at Nanna Betty yn Solfach y diwrnod cynt. Wedyn, fe glywes i sŵn chwerthin islaw – roedd e i'w glywed yn dod o'r tu fas. Edryches i drwy ddrws stafell Carol-Ann, ond roedd hi'n dal i gysgu'n sownd. Es i lawr i'r gegin, a sylwi bod y drws yn y ffrynt ar agor a'r chwerthin yn dod o'r iard!

Trwy ffenest y gegin, fe weles i Tessa'n sefyll yn droednoeth yng nghanol yr iard a dim ond ei gŵn nos amdani. Roedd hi'n chwerthin yn orffwyll, a'i hwyneb yn lled dryloyw fel porslen, ac yn gam; nid wyneb Tessa mo hwn! Gwylies heb iddi 'ngweld i; roedd hi fel 'se hi'n sgwrsio 'da rhywun ro'n i'n ffaelu'i weld, yn paldaruo ffrwd o eirie, ac wedyn yn stopo fel 'se hi'n gwrando ar ateb, cyn dechre chwerthin yn wyllt eto. Ro'n i wedi gweld pobol hysterig o'r blaen ac roedd hyn yn hysteria heb os nac oni bai, ac yn rhywbeth mwy, oedd ymhell tu hwnt i 'mhrofiad i.

Es i mas trwy'r drws i'r iard, ond doedd hi ddim fel 'se hi'n sylwi arna i er taw dim ond deg troedfedd oedd rhyngon ni. Roedd hi'n syllu ar rywbeth arall – rhywbeth oedd yn anweledig i mi. Es i 'nôl i'r tŷ a dihuno Carol-Ann. "Come down and have a look at this, for Christ's sake," medde fi'n wylaidd.

Edrychon ni'n dau mas o ffenest y llofft a gallen ni 'i gweld hi'n hollol eglur – yn siarad, yn gwrando, ac yn chwerthin yn wyllt.

"Does she sleepwalk?" gofynnodd Carol-Ann.

"Never," meddwn inne. "I've never seen or heard of it." 'Se hi'n cerdded yn ei chwsg, does bosib na fydde'r sŵn roedd hi'n ei wneud wedi'i dihuno hi. A dweud y gwir, peth od nad oedd hi wedi dychryn yr adar. Roedd côr y bore bach yn dal mewn hwyl ac fe welwn i rai ohonyn nhw yn y perthi o gwmpas yr iard, a doedden nhw ddim fel 'sen nhw'n sylwi ar y sŵn arall oedd yno.

"We'd better try to get her in the house," medde Carol-Ann.

"No," medde fi. "No-one comes here. Let's just watch her for a while. She might snap out of it."

"But what the fuck is it?" medde Carol-Ann.

Doedd Tessa ddim yn sefyll yn stond mewn un lle – roedd hi'n symud o gwmpas dipyn go lew ar ei choese, ac, ar yr un pryd, yn gwneud cleme 'da'i dwylo a'i breichie, ac ambell waith yn chwifio'i breichie uwch ei phen. Roedd hi'n bendant yn rhannu sgwrs ddigri dros ben 'da un neu fwy o bobol do'n ni'n ffaelu'u gweld. Ond beth alle fod wedi ysgogi hysteria fel hyn? Ro'n i wedi dychryn, ac felly hefyd fy ffrind gwydn o Texas!

Aethon ni lawr i'r gegin.

"Is she on anything?"

"No," meddwn inne'n bendant. "Only that joint we had last night."

"No acid here?"

"No – not unless she got some from Kevin."

"I've never seen anyone like this on acid," medde Carol-Ann.

"It doesn't look like acid," meddwn i, fel arbenigwr. Doedd Tessa ddim hyd yn oed yn cadw aspirin; roedden ni ar ddeiet bwyd iach caeth iawn, a doedden ni ddim hyd yn oed yn yfed alcohol y dyddie hynny.

"Can't leave her out there," medde fi wedyn. "She's only wearing that thin nightgown."

Es i mas eto a sefyll yn ei hymyl hi, ond roedd hi'n dal i beidio â chydnabod 'mod i yno. Yn y diwedd, fe estynnes i fy llaw a'i chyffwrdd hi ar ei braich. Ac ar y gair dyma hi'n gwingo ac yn troi ata i â'i llygaid ar dân.

"Fuck off," sgrechodd. "Can't you see I'm talking with God?!"

Gwibies inne 'nôl drwy'r drws i'r gegin. Roedd Carol-Ann wedi gweld a chlywed y cwbwl trwy'r ffenest.

"The frightening thing was," medde fi, "when she reacted and turned on me, her eyes were blank – it was like she couldn't see me. She certainly didn't know who I was."

Erbyn hyn, ro'n i wedi penderfynu cadw llygad ar y sefyllfa a pheidio â gweithredu oni bai bod 'na beryg iddi'i niweidio'i hunan. Rhaid 'mod i mewn sioc o ryw fath. Dacw ni, yn y ffermdy diarffordd yma yng ngogledd Sir Benfro, tua hanner awr wedi chwech y bore, a dyna brofiad brawychus ro'n i'n gallu ymdopi ag e. Roedd hi'n amlwg fod Tessa'n hysterig, y gallai hi fod yn ymosodol a'i bod hi mewn byd arall lle doedd 'run ohonon ni'n gallu'i gyrraedd. Penderfynes taw'r peth gore i'w wneud oedd galw Pat Gillam, y meddyg lleol, cyn gynted ag oedd modd. Bydde'r feddygfa'n agor am hanner awr wedi naw, a dyna beth fydde'n rhaid i fi 'i wneud. Roedd pawb oedd wedi bod yn aros 'nôl yn Llunden, diolch i Dduw, a'r plant yn nhŷ fy mam.

Yn sydyn, roedd hi gyda ni yn y gegin, a doedd hi ddim yn chwerthin nawr. Roedd hi wedi sleifio i mewn yn dawel ac yn sefyll ar bwys y drws yn edrych arnon ni 'da gwên ryfedd, fel 'se hi ar ryw lefel uwch – 'run peth â chath sydd newydd benderfynu chware gêm 'da chorryn.

"You don't know anything," medde hi dan rwnian. "You can't see him, can you?"

Ac medde Carol-Ann yn dawel, "Who can you see?"

Roedd yr ymateb yn ffyrnig, a'i llygaid hi ar dân. "Shut up!" sgrechodd hi. "You're not here! Shut up! Shut up!"

Roedd yn rhaid i fi gael gafael ar Gillam ar unweth. Roedd yr ynni oedd yn dod ohoni'n drydanol ac roedd 'na wrid lled dryloyw fel corongylch yn dod mas o'i phen hi. Welswn i ddim byd tebyg erioed o'r blaen.

Cododd Carol-Ann yn dawel a mynd i'r gegin gefen i wneud te. Pan ddaeth hi 'nôl, arllwysodd y te a chynnig dishgled, a adewes i ar y ford gan 'mod i wedi drysu'n lân. Roedd Tessa'n dal i sefyll ar bwys y drws. Yn ystod y bregeth ola, roedd hi wedi symud ymhellach i'r stafell, a nawr roedd hi'n sefyll ar bwys y ford. Cynigiodd Carol-Ann fwgaid o de iddi, ond hyrddiodd Tessa fe mas o'i llaw hi 'dag ergyd anhygoel o ffyrnig. Hwyliodd y mwg trwy'r awyr a thorri'n deilchion yn erbyn y pared.

"She's dangerous," medde Carol-Ann fel roedd Tessa'n sgrechen yn hysteraidd i'r gwagle.

"Just don't touch her, don't go near her, I'm getting the doctor now!" meddwn inne gan ei chychwyn hi am y drws cefen lle roedd y ceffyl yn y cae.

Es i ar ei gefen e fel cath i gythrel am Solfach, tua dwy filltir i ffwrdd, lawr y rhiw gan mwya, a chyrraedd cyn i'r feddygfa agor. Gwyddwn y bydde Dr Gillam ar ei draed, a dwedodd wrtha i am ddod drwodd i'r gegin lle roedd ei wraig, Rose, yn hwylio'r plant ar gyfer yr ysgol.

"Be sy'n bod?" medde fe, yn meddwl 'mod i wedi mynd yn brin o valium, siŵr o fod, ac yn gwylltu!

"Mae rhywbeth gwirioneddol ryfedd yn digwydd yng Nghaerforiog. Weles i ddim byd tebyg erioed. Tessa sy…" Sylweddoles 'mod i'n crynu'n ddireolaeth. "Mae hi wedi colli arni."

Wyddwn i ddim beth i'w ddweud i ddisgrifio'r profiad ddaethai i'm rhan y bore hwnnw.

"Cer gartre," medde fe. "Ddo i lan bore 'ma, yn syth ar ôl orie'r syrjeri."

Ro'n i wedi drysu, wedi blino ac yn annifyr i gyd. Es i dŷ Bet i weld sut roedd y merched. Roedd hi tua naw o'r gloch erbyn hyn, a gofynnes i fy mam a fydde hi'n fodlon cadw'r plant am sbel, gan i Tessa fod yn dost yng nghanol y nos. Ddwedes i ddim mwy na hynny. Wedyn, 'nôl â fi ar gefen y ceffyl a sha thre.

Roedd hi'n ddiwrnod hyfryd, 'da haul braf, awyr las ac ychydig iawn o awel. Ro'n i'n cael tro braf ac wrthi'n cael fy nghefn ataf eto. Es i nôl y llaeth 'da Mrs Lloyd yn Felinganol. Ar wahân i'r hunllef lan yr hewl, fe allasai fod yn ddiwrnod arferol o haf a ninne'n mynd â'r plant lawr i'r traeth.

"She's upstairs," medde Carol-Ann pan gyrhaeddes i Gaerforiog. Es lan llofft, a gweld Tessa'n iste ar y gwely yn wynebu'r ffenest ffrynt, yn sgrifennu'n wyllt mewn llyfyr braslunie. Es i tu ôl i'r gwely ac edrych dros ei hysgwydd hi. Roedd y sgrifen yn fach fach, nid ei sgrifen arferol hi, ac yn frith o sgrafliade. Welswn i rioed mohoni'n gwneud dim byd fel hyn o'r blaen. Roedd hi'n ddrafftsmones ac yn gerflunydd hyfforddedig, yn un o fyfyrwyr gore ei blwyddyn yng Ngholeg Celf Manceinion, ond sgrafliade crotes bump oed oedd y rhain!

Aeth y bore'n ei flaen, a mlaen, ac ymddygiad Tessa'n mynd yn rhyfeddach fyth. Pylie gwyllt o sgrifennu a thynnu llunie, yn troi ar amrantiad yn sgyrsie 'da'r anweledig a'r anghlywadwy, ac yna rhuthro gwyllt o gwmpas y tŷ a'r iard, a Carol-Ann a finne'n ei dilyn rhag ofn iddi faglu neu rywbeth, ond roedd hi fel 'se hi mewn cod sidan.

O'r diwedd, daeth Dr Gillam am hanner awr wedi un ar ddeg. Clywodd Tessa'r car o'n blaene ni. A dweud y gwir, allen ni ddim na gweld na chlywed y car nes iddo droi i'r dramwyfa. Rhedodd Tessa lan y dramwyfa dan weiddi, "Pat! Pat! Pat! I'm coming! I'm coming!" A dacw hen Morris Minor du Dr Gillam yn sgerbydu dod lawr y feidr a Tessa'n dawnso o gwmpas yn ei gŵn nos.

'Shwt ddiawl oedd hi'n gwbod?' meddylies inne. Gweles wyneb Gillam wrth iddo fe ddod o'r car – fe drodd e'n wyn fel y galchen. Aethon ni i'r gegin, a Tessa'n dawnso o gwmpas fel roces fach.

"I think it's hypermania," medde fe. "I'll have to give her a shot of largactyl. Has she had anything?"

"Nothing," medde finne.

Agorodd ynte'i fag, a llenwi nodwydd hypodermig. Sylwodd Tesa ddim ar y pigiad yn mynd i mewn hyd yn oed. Dwedodd y doctor y bydde fe 'nôl ar ôl bod ar ei rownds ac y bydde'r pigiad yn ei hala hi i gysgu. Chafodd e ddim effaith o gwbwl; os rhywbeth, roedd hi'n gwaethygu. Tessa druan. Carol-Ann druan. Newydd gyfarfod Tessa roedd hi; rhaid ei bod hi'n gweld y felan.

Daeth Dr Gillam yn ei ôl tua dwyawr wedyn, a chafodd e'r un hen hanes – yr un chwerthin a sgrechen. Roedd golwg wedi blino arno, ac roedd yn amlwg yn becso a dan deimlad – roedd e'n meddwl y byd o Tessa, fe wyddwn i hynny. Dwedodd y bydde'n rhaid iddi fynd i'r ysbyty ond, cyn hynny, y bydde fe'n rhoi cynnig ar un bigiad arall o largactyl ac y bydde'n rhaid i fi 'i ffonio fe eto ymhen awr neu ddwy. Dwedodd na alle fe roi mwy o largactyl iddi wedyn ta beth ac roedd hi wedi cael digon erbyn hynny i hala ceffyl i gysgu.

Gadawodd y meddyg, ond roedd Tessa'n dal i gynddeiriogi, canu, chwerthin, siarad, sgrifennu. Doedd dim ocsigen yn yr awyr; roedd hi fel 'se Tessa wedi'i losgi fe i gyd. Ro'n i'n synnu nad oedd y cyffur yn ei hala hi i gysgu neu o leia'n ei thawelu hi. Roedd Carol-Ann a finne wedi ymlâdd erbyn hyn, ac roedd angen cwsg arnon ni. Felly ffones i Dr Gillam eto.

Awgrymodd y dylen ni anfon Tessa i'r ysbyty meddwl yng Nghaerfyrddin am ddiagnosis a thriniaeth fwy difrifol. Dwedodd y bydde fe 'nôl yn y man ac y gwnele fe beth alle y noson honno. A dyna beth wnaeth e, sef rhoi pigiad mawr o forffin iddi, ac wedyn bant ag e gan ddweud y bydde yn ei ôl yn y bore.

Fe weithiodd y morffin! Ond y cwbwl wnaeth e oedd tawelu Tessa ddigon i ni allu'i rhoi hi yn ei gwely. Doedd hi ddim wedi cael dim byd i'w fwyta na'i yfed ers dros bymtheg awr ar hugen, ac fe geision ni roi dŵr iddi fel roedd hi'n nofio mewn a mas o gwsg cyffuriedig. Eisteddon ni'n dau gyda hi a hepian cysgu yn ein tro. Roedd hi'n amlwg yn dost iawn.

Fore trannoeth, roedd hi ar ei thraed eto yn cynddeiriogi ac yn siarad, dawnso, chwerthin a sgrifennu. Ro'n i wedi gobeithio y bydde'r cyffurie a gafodd wedi sbarduno rhywbeth alle ddod â hi lawr oddi ar y lefel seicotig roedd hi arni, ond dim o'r fath beth! Roedd y peth yma'n rhy rymus – yn fwy grymus na'r tawelyddion a'r morffin gyda'i gilydd. Es i ar y ffôn gyda Pat Gillam a dwedodd e wrtha i y bydde'n rhaid iddi fynd i'r ysbyty. Er mawr ofid, fe gyrhaeddodd e'n ddiweddarach y bore hwnnw a'i gyrru hi'n bersonol i Ysbyty Dewi Sant yng Nghaerfyrddin.

Pennod 16

Isel

Cafwyd bod Tessa'n sgitsoffrenig cronig. I gymhlethu hynny, doedd hi ddim yn ymateb i therapi cyffurie – dim bod unrhyw gyffurie 'da nhw ar y pryd i drin sgitsoffrenia! Bennodd Tessa lan – fel y rhan fwya o bobol oedd yn wael eu meddwl y dyddie hynny – wedi'i chlymu i fainc a darn o rwber wedi'i saco rhwng ei dannedd hi a cherrynt trydanol foltedd uchel yn rhedeg trwy'i hymennydd hi nes iddi gael confylsiwn a llewygu!

Cofies iddi ddweud wrtha i unweth fod un o ffrindie gore'i theulu hi'n seiciatrydd ymgynghorol mewn ysbyty o'r enw Garlands ar bwys Carlisle, ac felly es i at Dr Gillam a gofyn a oedd modd symud Tessa yno. Aeth Gillam mas o'i ffordd i helpu, a chyn bo hir, fe gafodd Tessa'i rhyddhau o Gaerfyrddin ac roedd hi ar ei ffordd i Carlisle. Roedd hi'n sgytwad i fi fel roedd Tessa wedi colli'i phwyll dros nos, heb unrhyw rybudd.

Am ein bod ni'n byw tu fas i'r pentre mewn ffermdy yng nghefen gwlad, a dim ond ffrindie'n galw heibio, doedd neb yn Solfach – ar wahân i'r teulu Gillam a fy mam – yn gwbod dim byd am yr helynt. Yn ddiweddarach o lawer y dwedes i wrth eraill o'r teulu, a flynydde wedi hynny eto y ceisies i ddweud wrth y merched. Roedd rhieni Tessa'n gwbod, wrth gwrs, ond bod ei mam hi, fel arfer, yn gwadu unrhyw gyfrifoldeb. "Tessa's always been a problem child," medde hi.

Roedd hi a thad Tessa wedi anfon eu mab, Jolyon, i ysgol breswyl i fechgyn ar arfordir Cumbria. Roedd Tessa, aeth gydag e, i fod i aros 'da merch y prifathro mewn bwthyn ar dir yr ysgol. Merch dinboeth oedd honno, â'i gŵr hi ar y môr. Bydde'r fenyw 'ma'n cael carwriaethe 'da bechgyn y chweched, a fydde'n dringo trwy ffenest, ffenest stafell wely

Tessa, fel roedd hi'n digwydd, i ffwcio'u hathrawes. Un noson, fe ymosododd un o'r bechgyn ar Tessa, ac fe brofodd hi chwalfa emosiynol, ac, o ganlyniad, fe gafodd hi'i chaethiwo mewn stafell yn yr ysgol. Wnaeth y prifathro a'i wraig, oedd piau'r ysgol, ddim riportio hyn, am resyme amlwg. Tra oedd Tessa yn y stafell 'ma'n cael ei chefen ati, sleifiodd athro Saesneg ifanc i'w gwely hi'n gala borcyn a thrial ei threisio hi. Aeth Tessa'n benwan, yn hysterig, ond mae hi'n cofio'r brifathrawes yn ei llusgo hi lawr llawr gerfydd ei gwallt. Yna fe gafodd hi flaen esgid o'r ysgol. Am ryw reswm roedd ei rhieni hi'n rhoi'r bai i gyd ar Tessa. Des i i wybod, flynydde wedyn, fod mam-gu Tessa, oedd yn hanu o Doncaster, yn arfer mynd mas i yfed a hwrio yn y rasys, gan adael Ruth, mam Tessa, 'dag unrhyw un oedd yn fodlon ei chymryd hi. Mae 'na ryw hanes hefyd bod mam-gu Tessa yn sgitsoffrenig. Ta beth, fe ddihangodd Ruth trwy ymuno â'r fyddin pan oedd hi'n ddigon hen, a dyna lle cwrddodd hi â Richard Bulman, tad Tessa, oedd yn gapten 'da'r Peirianwyr Brenhinol. Fe briodon nhw, a chafodd Ruth ddringo lan yr ysgol gymdeithasol.

* * *

Roedd yn rhaid i fi fwrw iddi a gofalu am y plant. Bydde fy mam yn rhoi llawer o help llaw, ac yn rhoi cartre i'r merched am gyfnode maith, a dim ond babi oedd Bethan. Er mawr syndod i fi, fe arhosodd Carol-Ann, er ei bod hi wedi gwerthu'i holl gyffurie erbyn hyn. Bydde'n rhoi help llaw yn y tŷ, 'da 'ngwaith i a chyda'r plant. Roedd digonedd o gigie a gwaith teledu 'da fi, felly doedd arian ddim yn broblem.

Pan nad oedden yng Nghaerforiog, fe fydden ni'n aros yn y Sunbury Hotel ar Ffordd Casnewydd yng Nghaerdydd. Yn gyfleus iawn, roedd e drws nesa i glwb y BBC. Roedd yr Albanes oedd yn berchen arno y lle – Mrs Passmore – yn gymeriad, ac fe fydde'n rhoi'n brecwast i ni yn y gegin 'da'r staff. Roedd hi'n ein trin ni fel teulu ac yn hoff iawn o Carol-Ann.

Y dyddie hynny, roedd clwb y BBC yn lle bywiog iawn mewn hen dŷ Fictoraidd 'da grisie hynafol oedd heb ei altro lawer, ar wahân i'r barre yn y seler, ac, ar y llawr gwaelod, roedd 'na hen le tân crand ble roedd y prif far. Clwb Rygbi St Peter's yw e nawr, ac mae'n dal i fod 'run fath, mwy neu lai. Clwb i aelodau oedd e bryd 'ny – ac yn bendant 'Y' lle i gwrdd â phobol yn y byd darlledu. Roedd y rhan fwya o'r cynhyrchwyr a'r cyfarwyddwyr adloniant ysgafn, newyddion a materion cyfoes yn ffyddlonied, a bydde 'na wastad dipyn o barti yno bob min nos, ac yfed trwm hefyd. Roedd Carol-Ann yn tynnu mlaen yn dda iawn 'da phobol y BBC, ac roedd llawer ohonyn nhw'n ei nabod hi'n eitha da. Roedd hi wedi mynd yn gynorthwy-ydd personol i fi, ac yn dda iawn ar ei gwaith – fe alle hi deipio llythyre a delio â galwade gwaith yn bersonol neu dros y ffôn.

Prin y bydden ni'n mynd i Gaerforiog erbyn hyn, ac roedd yr holl bobol oedd wedi bod yn byw yno – Emilly Muff, Kevin Westlake a Karen Harvey, Hammer Films – i gyd wedi mynd 'nôl i America. Roedd y tŷ'n dechre edrych yn anghyfannedd, 'run peth â'r *Mary Celeste*. Awgrymodd fy mam ein bod ni'n rhoi'r gore i Gaerforiog ac yn gadael y plant 'da hi nes dele Tessa mas o'r ysbyty. O ganlyniad, gwerthwyd y ceffyle, a dim ond Nofus, y Labrador du, a Bitw'r gwrcath oedd ar ôl, a chafodd fy mam gartrefi i'r rheiny trwy'r RSPCA.

Roedd yr holl helynt yn fy llenwi i â thrymder, tristwch a phryder. Fydde bywyd fyth 'run fath eto; roedd y cyfan roedden ni wedi gweithio ato fe wedi mynd i'r gwellt, ar wahân i'r plant – oedd, diolch i'r drefn, yn rhy ifanc i ddeall. Byddwn i'n cael adroddiade rheolaidd o ysbyty Garlands trwy Dr Gillam. Cyn bo hir, fe ddechreuodd Tessa ymateb i'r driniaeth ond fe fydde'n cymryd amser maith, ac allen nhw ddim dweud faint.

Ymhen hir a hwyr aeth Carol-Ann yn ei hôl i America, a dalies inne i ganu a sgrifennu pan allwn i. Ond doedd fy nghalon i ddim ynddo fe ac ro'n i wedi dechre yfed eto – er nad yn drwm. Y cwbwl y byddwn i'n ei yfed oedd gwin pefriog, tebyg i siampên, o'r enw Kriter. Fe fyddwn i'n yfed Asti Spumante hefyd. Roedd eitha tipyn o fêts yfed 'da fi yn y clwb – Geoff Iverson, sydd wedi ymddeol i Gyprus erbyn hyn; Gareth Wyn

Jones; 'Napoleon'; Rhydderch Jones; Tecwyn Huws; a hen ffrind ysgol i fi o Solfach, Huw Thomas, sydd bellach wedi mynd bant i bysgota. Ro'n i'n ffrindie 'da'r rhan fwya o'r artistied hefyd – yr Hennessys, Iris Williams, Tony ac Aloma, Hogia'r Wyddfa, Mary Griffith a Hywel Gwynfryn. Ac roedd fy ffrindie yn Llunden 'da fi o hyd, er 'mod i'n treulio'r rhan fwya o'r amser yng Nghaerdydd a Solfach.

Ond roedd rhywbeth wedi digwydd i mi yn ystod y trawma yng Nghaerforiog. Ro'n i wedi colli hyder mewn cyfeiriade eraill, wedi cefnu ar y bywyd llysieuol, ac wedi colli gafael ar lawer o feysydd yn fy mywyd oedd wedi newid mor ddramatig mewn cyfnod mor fyr. Bydde'n rhaid i fi fod yn garcus – ond haws dweud na gwneud, ac ro'n i mewn sioc o hyd.

Roedd clwb y BBC yn gallu mynd yn eitha gwyllt ambell waith. Gormod o yfed, ac wedyn, ar ôl i'r bar gau, bydde'r parti'n mynd yn ei flaen i dŷ bwyta Indiaidd, ac wedyn i glwb nos neu gasino. Fe fydden ni'n treulio'r rhan fwya o'r orie mân yn yfed neu'n gamblo. Bydde rhai o berchnogion y clybie'n dod i glwb y BBC ambell waith, i hel cwsmeried. Roedd y rhan fwya ohonon ni'n ennill arian da ac yn chware'n galed hefyd.

Roedd 'na un boi du, tebyg i Muhammad Ali, o'r enw Cyril Clark, oedd yn berchen ar glwb yn nocie Caerdydd. Roedd tipyn go lew o bobol clwb y BBC yn meddwl bod yfed yn y docie, lle roedd y bobol damed yn fwy lliwgar, braidd yn *risqué* – cachu rwtsh, wrth gwrs. Mân droseddwyr neu buteinied oedd llawer o'r rhai y bydden ni'n cwrdd â nhw yn y clybie nos, â'u bryd nhw ar fachu'n harian ni.

Des i'n ffrindie agos iawn 'da Hywel Gwynfryn, oedd ddim wedi bod 'da'r BBC ers fawr o dro. Roedd gwahoddiad estynedig i fi aros yn ei fflat e yn Llandaf. Roedd e newydd briodi ag Eirianedd Ormond Thomas – 'Tos', fel bydden ni'n ei galw hi. Y bardd a'r gwneuthurwr ffilmie John Ormond Thomas oedd ei thad hi. Roedd hi'n ferch swynol a hardd iawn, ac yn gerddor da hefyd. Helpodd Hywel fi lawer yr adeg yna. Roedd e'n gwbod am fy sefyllfa i a rhoddodd lawer o gyngor da a chefnogaeth i fi fel ro'n i'n trial ailgodi fy mywyd. Bydde'n rhaid i fi gael hyd i gartre i mi a'r plant a Tessa pan fydde hi'n gwella, ac aeth Hywel â fi i weld gwerthwyr tai. Roedd e wrthi'n prynu tŷ mawr yn Llandaf ac yn meddwl ei bod hi'n syniad da i fi wneud 'run peth.

Aeth *Disc a Dawn* – fersiwn Cymraeg o *Top of the Pops* – drwy'r rhwydwaith tua'r adeg yna. Roedd hyn yn golygu 'i bod hi'n cael ei darlledu'n fyw ar holl rwydweithie rhanbarthol y BBC – hyd yn oed yn Llunden. Penderfynodd y cynhyrchydd, Ruth Price, ddefnyddio 'Y Brawd Houdini', fel arwyddgan, ac felly aeth fy mreindaliade i i'r brig go iawn. Roedd ei band ei hun 'da *Disc a Dawn,* a threfnydd cerddorol, sef Benny Lichfield. Byddwn i'n cwrdd â Benny yn rheolaidd yn y clwb, ynghyd â'r cerddorion eraill. Brodor o Gaerdydd oedd y drymiwr, Big John Tyler – cyn-aelod o'r Gwarchodlu Cymreig – a dyna i chi gymeriad! Fe alle John droi ei law at unrhyw beth – gwaith *chef,* teilwra, hyd yn oed chware'r acordion. Yn Cyril Crescent roedd e'n byw – yn union ar bwys y clwb – a'i fam ef oedd landledi'r Hennessys.

Dwi'n credu taw Ronnie Williams oedd cyflwynydd *Disc a Dawn* bryd hynny. Roedd cyfres rwydwaith 'dag e fel rhan o'r ddeuawd gomedi boblogaidd *Ryan & Ronnie* ar BBC 1 hefyd – doedd hi ddim yn llwyddiannus, ond roedd mynd mawr arnyn nhw yng Nghymru. Aeth Ryan yn berfformiwr solo yn y diwedd ac fe fu farw yn America. Aeth Ronnie yn ei flaen am flynydde fel actor a chyflwynydd, ac wedyn fe'i lladdodd e'i hun trwy'i daflu'i hun i enau afon Teifi yn Llandudoch drannoeth y Nadolig. Dwi'n credu bod a wnelo'r ddiod lawer â marwolaethe'r difyrwyr mawr hyn.

Roedd y cyflwynydd materion cyfoes, Vincent Kane, yn 'glwbiwr' arall. Cymro o Gaerdydd oedd Vincent, ond ei fod e'n casáu popeth Cymreig a Chymraeg. Ro'n i'n meddwl ei fod e'n beth od ei fod e'n gweithio i BBC Wales, ond rhaid bwydo pob ceg, am wn i. Roedd e'n hollol agored ei gasineb tuag at y Cymry ond chlywes i rioed mono fe'n cynnig unrhyw reswm oedd yn dal dŵr dros fod â'i lach ar 'bobol gwlad y gân'. Dwedodd wrtha i unweth, yn ystod dadl yn y clwb, y bydde fe'n ymladd hyd y diferyn ola o waed yn ei gorff i rwystro'i blant rhag cael addysg Gymraeg. Ces i gyfle'n ddiweddarach i wneud iddo fe edrych yn gwbwl ddwl ar ei sioe ei hun, *Kane on Friday*, a achosodd gryn dipyn o chwerthin.

Roedd 'na lawer o bobol bara a chaws yn gweithio yn y BBC – pobol na ddylsen nhw fod yn gweithio yng nghyd-destun darlledu creadigol. Yn y pot mêl roedd y bobol hyn. Mae'n dda bod digon o bobol ddawnus yno i gadw'r ddysgl yn wastad; gynta sylweddoles i taw dim ond gweision sifil oedden nhw, ro'n i wedi'i deall hi.

Ro'n i'n gweithio cryn dipyn i HTV hefyd – y cystadleuwyr ym Meysydd Pontcanna – ond doedd dim dwywaith taw *Disc a Dawn* oedd y rhaglen gerddoriaeth fwya poblogaidd ar deledu Cymraeg. Roedd hi'n nodweddiadol o'r byd pop Cymraeg, oedd wedi'i seilio i radde helaeth ar berfformwyr amatur, felly doedd ansawdd y gerddoriaeth ddim o safon uchel iawn. Ond roedden nhw'n gwneud eu gore, chware teg i dîm *Disc a Dawn*.

Roedd llawer o'r caneuon poblogaidd yn wleidyddol eu symbyliad. Dafydd Iwan oedd y canwr mwya poblogaidd, mae'n debyg, ond roedd 'na lawer o bobol oedd ddim yn ei lico fe oherwydd ei liwiau gwleidyddol – a hwnnw, heb os nac oni bai, o blaid Cymru a'r Cymry. Ffans Tony ac Aloma oedd y rhain, yn ôl pob tebyg – deuawd oedd yr un mor boblogaidd, 'da'u halawon bach tinciog a geirie oedd yn golygu affliw o ddim. Roedd Tony'n un arall o glwyfedigion alcohol, a bydde fe'n yfed poteled ar ben poteled o sieri. Doedd e ddim yn fodlon ei fyd. Ro'n i'n lico'i symlrwydd e ac roedden ni'n tynnu mlaen yn iawn er gwaetha'n gwahaniaethe amlwg. Mae e'n iawn nawr ac yn rhedeg gwesty yn Blackpool 'dag Aloma.

Roedd Cymdeithas yr Iaith Gymraeg yn weithgar iawn, ac yn denu mwy a mwy o aelode a dilynwyr yn llu. Ffred Ffransis oedd un o'r ceffyle blaen, ac mae'n dal i fod felly hyd heddiw. Ymunodd Carol-Ann, hyd yn oed, â Chymdeithas yr Iaith a hithe'n hanu o Texas! Roedd 'na brotestiade bron bob penwthnos, ardystiade a ralis, cyngherdde a gwylie. Yn wir, roedd Cymdeithas yr Iaith yn un o brif hyrwyddwyr cerddoriaeth Gymraeg, ac roedd hi hefyd yn cadw bois y newyddion a'r criwie ffilm yn brysur! Wedyn, roedd yr ymgyrch beintio. Pawb i'w gweld yn peintio arwyddion ffyrdd, a'r mwyaf eithafol yn mynd ymhellach fyth ac yn eu malu nhw. Roedd hyd yn oed yr arwyddion anferth hynny ar draffyrdd hyd yn oed yn cael eu tynnu'n dipie a'u gadael ar ochor yr hewl!

Roedden ni'n chware mewn cyngerdd unwaith yn Neuadd Brangwyn, Abertawe, a gofynnes i Huw Jones am bàs gartre i Gaerdydd. Rhaid 'mod i wedi cwympo i gysgu yn y cefen; pan ddihunes i, roedd y car yn stond mewn rhyw lôn dywyll ddeiliog. Es i mas am bisiad, ond doedd dim golwg o Huw Jones na'i fêt. Ar bwys y Jersey Marine roedden ni, heb fod ymhell o Bont Llansawel. Fe glywn i dwrw cloncian, felly fe gerddais draw at y bont a dyna lle roedd Huw Jones a'i fêt hanner ffordd lan arwydd ffordd anferth, yn ei thynnu fe i lawr fesul plât 'da sbaneri. Ro'n i'n ei weld e'n ddigri iawn ar y pryd – tamed bach yn Robin Hoodaidd, ond yn beryglus dros ben!

Dro arall, roedd 'na brotest anferth yng Nghanolfan Ddinesig Abertawe, lle heidiodd cannoedd o bobol yn cario arwyddion ffyrdd wedi'u dwgyd i neuadd y ddinas a'u gollwng nhw ar y grisie dan drwyne ciwed anferth o blismyn a'r heddlu arbennig 'da'u camerâu oedd ar hyd y lle ym mhobman ar y pryd. Roedd 'na amryw o weithwyr y BBC oedd yn aelode neu'n gefnogol i Gymdeithas yr Iaith, ac roedd rhai'n filwriaethus ar goedd hefyd. Yn y brotest honno yn Abertawe, gwelwyd Dr Meredydd Evans, pennaeth adloniant ysgafn, a Gwenlyn Parry o'r adran ddrama, a dwy fenyw hefyd o'r BBC yn mynd i swyddfa ganolog yr heddlu yn Abertawe dan gario arwydd ffordd fawr. Merêd oedd y llefarydd, ac medde fe:

"We are in possession of stolen property. What are you going to do about it?"

Edrychodd y Sarjant ar y grŵp 'ma o bobol ganol-oed, oedd yn amlwg yn barchus, a dweud, "Where is the stolen property?"

"Here it is – this road sign!"

Saco'r arwydd ar y cownter. Golwg anniddig ar y Sarjant, a chysgod gwên ar ei wyneb. 'They've had a few drinks,' oedd e'n feddwl. "Wait here, I'll fetch someone."

Gadael y stafell a dod 'nôl 'dag arolygydd. "Yes, what can I do for you?"

"We are in possession of stolen property. You must arrest us now!"

"I don't see any stolen property!"

A Merêd, yn gwylltu nawr, yn bwrw'r arwydd ar y cownter fel pregethwr Methodus yn mynd i hwyl. "This is the stolen property and we stole it!"

Arolygydd yr heddlu'n gweld y jôc, yn nabod Merêd a Gwenlyn, ac yn trial cwato'i chwerthin. "Well, where did you find it then?"

"We didn't *find* it, we fucking *stole* it! And we demand to be arrested."

Erbyn hynny, roedd sawl un yn y stafell gyhuddo i gyd yn chwerthin nes torri'u bolie. Hefyd, yn ddiarwybod i Merêd a'r criw, roedd criw ffilmio HTV wedi'u dilyn nhw i swyddfa'r slobs ac yn aros y tu fas, 'da'u camerâu'n barod.

Yn y pen draw, fe gafodd yr arolygydd lond bola ac am gael gwared â'r giwed, oedd yn mynnu eu bod yn euog. "Sergeant, will you take this sign to lost property?" Dyma achos i Merêd a Gwenlyn a'u ffrindie i gyd gythru am yr arwydd ac iddi fynd yn ornest dynnu. Yr heddlu enillodd, a dyma Merêd a'r criw'n cael eu hel o swyddfa'r slobs dan regi'n groch ac yn cael eu dala ar ffilm 'da HTV.

Gwaith myfyrwyr meddw oedd y rhan fwya o'r gwaith peintio a chwalu arwyddion. Roedd fy narpar-gariad i, Gwenllïan – merch Jack Daniel, llywydd dros dro Plaid Cymru tra oedd Saunders Lewis yn y carchar am losgi – yn beintiwr arwyddion. Un noson, roedd hi'n feddw gaib yn nhafarn y Glôb ym Mangor Ucha, ac aeth hi rownd y gornel i dŷ ei rhieni yn Menai View Terrace i nôl pot paent a brwsh. Doedd dim clem 'da hi lle roedd hi, ac roedd y canlyniad i'w weld yn glir am rai blynydde – slogan gwleidyddol wedi'i beintio mewn paent lliw hufen ar ei wal ffrynt ei hun! Bydded hysbys bod ei gonestrwydd gwleidyddol hi tu hwnt i bob amheuaeth – yn ddilychwin.

Dwi'n siŵr, ddarllenwyr, i lawer ohonoch chi gael hwyl fawr yn ystod y dyddie hynny! Fe gafon ni i gyd hwyl – ac fe weithiodd e i'r dim.

* * *

Grŵp oedd yn cynnwys myfyrwyr cerdd o Brifysgol Caerdydd oedd Y Dyniadon Ynfyd Hirfelyn Tesog. Fe fydden nhw'n ymddangos mewn gwisg ffurfiol ac roedden nhw'n gyfuniad o bedwarawd llinynnol a grŵp sgiffl. Roedden nhw'n cael eu harwain ar gyfeiliorn gan chwaraewr soddgrwth ecsentrig o'r enw Gruffydd Miles. A dyna i chi y Tebot Piws wedyn – y rhain hefyd yn fyfyrwyr yng Nghaerdydd, oedd yn cymryd arnyn nhw fod yn wallgo; fe aeth un o'r aelode'n wallgo yn y diwedd, ond mae e'n iawn nawr. O'u gwallgofrwydd cogio nhw, rywfodd, y daeth rhai o ganeuon hyfryta'r cyfnod, wedi'u sgrifennu gan Dewi Morris, Emyr Huws Jones a'r dyn gafodd chwalfa feddyliol – Alun Sbardun Huws. Wrth lwc, maen nhw i gyd yn fyw ac iach o hyd. Doedden nhw ddim yn yfed cymaint â rhai pobol ro'n i'n eu nabod.

Roedd 'na glwb y tu mewn i glwb yn y BBC yn Heol Casnewydd – 'The Cardiff Language Society', a ffurfiwyd gan Big John Tyler. Cydiodd y syniad fel slecs ac roedd y 'Borls & Turns' yn anhygoel o ddigri. Roedd yr aelode gwrywaidd i gyd yn gwisgo dillad ffurfiol 'da teis gwyrdd wedi'u boglynnu 'da cragen aur, a byddai'r merched yn gwisgo nicers gwyrdd 'da'r un emblem. Roedd 'na swyddog o'r enw'r 'Arch Winkle', ac un arall oedd yn arolygwr nicers swyddogol fydde'n cario coes brwsh 'da drych siafio ar un pen wedi'i droi fel y galle fe edrych lan sgerti'r Winkles benywaidd. Roedd pobol oedd ddim wedi gwisgo'n addas yn gorfod talu dirwy, a'r elw i gyd yn mynd i elusen. Roedd yn rhaid i fi dalu'r ddirwy unweth am ddangos fy mhig yn neuadd ddawns y pier ym Mhenarth wedi 'ngwisgo fel Fidel Castro. Roedd rhywun wedi rhoi ar ddeall i fi taw parti gwisg ffansi oedd e!

Roedd Rhydderch Jones o Aberllefenni ger Corris yn un o hoelion wyth y clwb. Fe fydde'n cyfarwyddo *Disc a Dawn*. Rhwng yfed yn y clwb, fe fydde Rhydderch hefyd yn cyfarwyddo fideos byrion ar gyfer y rhaglen mewn gwahanol lefydd o gwmpas Cymru. Gweithies i dipyn 'da Rhydd – fel roedd e'n cael ei alw'n hoffus – ac unwaith wnes i actio fel Wil Hopcyn yn stori y Ferch o Gefn Ydfa a ffilmiwyd yn y pentre'i hun ym Mro Morgannwg lle digwyddodd y stori. Hefyd wnes i actio Guto Nyth Brân, y rhedwr brynie enwog y dywedid amdano y gallai ddal aderyn ar ei adain neu redeg rasys yn erbyn ceffyle am fetie. Yn Llanwynno roedd hynny, yn y brynie y tu ôl i Bontypridd. Fe ffilmion ni yn Solfach a Thyddewi hyd yn oed.

Roedd Rhydd yn lico cael merched i ddawnso'n rhywiol ar ei raglenni – pa un a oedden nhw'n berthnasol ai peidio! Bydde fe'n dod â nhw 'nôl i'r clwb yn ddi-ffael ac yn gwthio diodydd arnyn nhw gan obeithio cael ei damed. Paladr o ddyn rhadlon oedd Rhydd, 'da barf oedd braidd yn flêr o ystyried ei fod yn gyn-filwr awyr.

Un tro, fe ffilmion ni un o 'nghaneuon i, 'Mynd i Bala ar y cwch banana', ar gwch bananas Geest go-iawn yn nocie'r Barri. Wrth gwrs, roedd Rhydd wedi cyflogi merched dawnso oedd yn prancio ar hyd y llong ym mhobman i gyfeiliant cerddoriaeth roc aflafar! Wedyn, fe gafon ni i gyd ein gwahodd i gaban y capten – Sgotyn – a welswn i rioed gyment o ddiodydd o'r blaen. Yr unig bobol gerddodd oddi ar y llong 'na oedd gyrrwr o'r enw Reg a finne, oedd yn cario cynorthwy-ydd Rhydd a Glen Forrester rhyngon ni. Rhoddodd y capten glwstwr anferth o fananas i ni, a gwahoddodd Rhydd swyddogion y llong i'r Clwb. Erbyn iddyn nhw gyrraedd, dim ond Reg a fi oedd ar ein traed – roedd y gweddill yn swatio mewn trwmgwsg.

Bu Rhydd farw mewn clwb ar bwys ei dŷ yn Llanisien – marwolaeth arall eto yn gysylltiedig â diod. Trwy gyd-ddigwyddiad ac yn ddiarwybod i mi, yn yr union glwb hwnnw y ces i 'mharti pen-blwydd yn hanner cant. Gobeithio bod ei ysbryd e'n cael blas ar y 'Craic'!

Un arall o selogion y Clwb oedd Derek Boote o Ynys Môn. Chwaraewr gitâr fas a gitâr sesiwn yn y BBC oedd Derek, a chwaraeodd ar recordie llawer o gantorion poblogaidd y dydd – Tony ac Aloma, Iris Williams a'r Hennessys, yn ogystal â Bryn a Margaret Williams a Ryan a Ronnie i enwi ond ychydig. Bydde Derek hefyd yn dod ar daith i'r nosweithie llawen lawer a gâi 'u cynnal mewn clybie rygbi a neuadde pentre ar hyd a lled Cymru. Fe fydde Alun Williams 'da ni fel cyflwynwr ac yn mynd trwy'i bethe ar y piano. Bydde Ryan a Ronnie yno, a finne, Heather Jones, yr Hennessys, Iris Williams ac yn y blaen yn eu cefnogi nhw. Yn y dyddie cynnar, fe fydde llanc tawel, diymhongar hefyd yn dangos ei big. Max Boyce oedd ei enw fe, ac roedd e'n dod o Gwm Nedd. Caneuon gwerin Cymraeg a ganai y dyddie hynny; yn nes ymlaen y daeth e'n enwog iawn am ei ganeuon rygbi.

Ar nosweithie Sadwrn y bydde'r sioeau byw hyn yn cael eu cynnal fel arfer, ac roedden nhw'n ofnadwy o ddigri. Wedyn, fe fydden ni i gyd yn ei throi hi am dafarne lle bydden ni'n dal i ganu ac yfed drwy'r nos. Wedyn, galw draw i'r Skinners yn Aberystwyth neu'r Red Lion yn Ninas Mawddwy amser cinio dydd Sul, a'r diweddar Elfed Evans a Danny the Red, yn y drefn honno, yn eu cadw – dau slochiwr adnabyddus.

Cymeriad diddorol arall oedd John Morgan. Un o gyfarwyddwyr HTV oedd John, ac felly hefyd ei ffrind mawr e, Wynford Vaughan Thomas. Newyddiadurwr gwleidyddol oedd John, yn hanu o Abertawe, a daeth e'n olygydd y *New Statesman*. Roedd John ynghlwm â phob mathe o gymeriade diddorol yn y byd adloniant a'r byd gwleidyddol yn Llunden, ac roedd e'n gythrel am ei wisgi. Ar un adeg, roedd sioe sgwrsio gyda'r nos 'da John ar HTV – *John Morgan at 10.30*, wedi'i seilio ar raglen David Frost. Roedd cynulleidfa stiwdio fyw yn sioe John, a'r ddwy res flaen yn llawn o bobol wedi'u gwahodd yn arbennig. Yna, bydde 'na banel o arbenigwyr a phobol enwog yn eistedd o gwmpas John, ac yn dal pen rheswm am achosion llosg a dadleuon cyhoeddus. Ces i 'nghyflogi i sgrifennu cân amserol i gychwyn pob rhaglen. Byddwn i'n cael gwybodaeth gan ymchwilwyr neu'n casglu 'ngwybodaeth fy hun.

Terry de Lacey oedd cynhyrchydd y sioe, ac fe fydde'n gwahodd y ddwy res flaen i stafell groeso ac yn gwthio diodydd arnyn nhw. Fel arfer, roedd y rhan fwya o'r bobol yn y rhesi hynny wedi'i dala hi'n dwll erbyn i'r sioe fynd mas yn fyw am hanner awr wedi deg nos Wener. Parti dan glogyn rhaglen deledu oedd *John Morgan at 10.30.*

Dwi'n cofio un noson pan taw hiliaeth oedd testun y rhaglen, a thipyn go lew o genedlaetholwyr Cymreig yn y gynulleidfa. Un ohonyn nhw oedd Neil Jenkins, un o'r aelodau fu'n gyfrifol am sefydlu Cymdeithas yr Iaith. Mae Neil yn feddwyn enwog ymhlith pethe eraill, ac yn un swnllyd iawn hefyd. Fel roedd y rheolwr llawr yn rhoi'r ciw i mi ar gyfer y gân gynta – cân gan Big Bill Broonzy o'r enw 'Black, Brown and White' – cododd Neil ar ei draed, gan sgrechen nerth ei ben. Sgrechen ar Enoch Powell roedd e, a'r panel yn gyffredinol. Ro'n i wedi cychwyn y pennill cynta, ac felly mlaen â fi: 'They was takin' them white men's numbers, but they was not takin' mine – and if Neil Jenkins doesn't sit down and shut up, I'm comin' over to beat his fuckin' head in!' Aeth y cwbwl mas ar yr awyr, a doedd dim botwm bipian 'da John. Drannoeth, ar strydoedd Caerdydd, fe ges i 'nghyfarch 'da sawl person oedd wedi gweld y sioe, a nhwthe'n ysgwyd fy llaw i ac yn curo 'nghefen i gan ddweud, "Da iawn ti, Meic – fyddwn inne wedi rhoi clipsen iddo fe hefyd!"

Bu John Morgan farw o ganser yn eitha ifanc, yn ei bumdege cynnar. Ffilmiwyd ei waeledd ola fe ar gyfer rhaglen ddogfen a rhoddwyd yr arian i ymchwil canser. Gadawodd e grugyn o bobol drist hefyd, gan gynnwys ei wraig, Mary, a'i fab, Aled.

Bydde John yn aros 'da Terry de Lacey yn ei dŷ ar bwys yr afon yn Ffynnon-Taf, lle bydden nhw wrth eu bodde'n cael partïon bach yn y tŷ ar ôl rhaglenni, a byddwn i'n cael gwahoddiad yn amal. Iste o gwmpas bydden ni fel arfer, yn sgwrsio ac yn claddu peth wmbredd o win a wisgi.

Dylai distylltai'r Ynys Hir fod wedi rhoi medal i John Morgan am gynorthwyo economi'r Alban!

Ro'n i yn swyddfa HTV un diwrnod pan ddaeth Terry De Lacey ataf. "Can you come up to the house tonight? John will be down from London, and I've got something to show you." Es i lan ar fotobeic roedd Carol-Ann wedi'i roi i fi'n anrheg ben-blwydd. Pan gyrhaeddes i, roedden nhw'n iste o gwmpas yn yfed wisgi a gin. "Open that," medde De Lacey, gan ddangos rhywbeth oedd yn edrych fel bocs dêts mawr. Y tu mewn i'r bocs, wedi'i lapio mewn doili, roedd hanner kilo o hash o'r math gore o Nepal. "There's another one here as well," medde Terry.

"Where did you get this?" medde fi.

"Some lunatic sent it from India in the fuckin' post. Can you get rid of it?" Roedd Terry wedi danto'n barod am fod rhyw ffrind hoyw iddo fe wedi'i wneud e'n gocyn hitio. Roedd 'na fwy na digon o hash yna i'w roi e yn y carchar 'se'r slobs wedi cael hyd iddo fe.

"Sure," medde fi, "no worries. I'll take it away now. How much do you want for it?"

"Just get it out of here, that'll do for me."

Y noson honno, aeth ei hanner e at Dave Edmunds a chafodd y gweddill ei rannu ymhlith ffrindie a'i smygu!

Pan ddaeth y boi hoyw nôl, roedd e'n benwan ac fe driodd e wasgu arna i. "Fuck off!" oedd y cwbwl gafodd e 'da fi. Erbyn deall, roedd e wedi dod 'nôl o India mewn awyren gan adael ei dad i yrru landrofer, ac roedd hwnnw wedi'i ddal ar ffin Twrci. Roedd y cerbyd yn llawn dop o *Sharash* du, a bu yn y carchar am flynyddoedd o ganlyniad!

* * *

Tua'r un adeg mi gwrddes i â merch hardd o Aberteifi ac fe ddechreuon ni ganlyn. Roedd tafarn 'da'i modryb hi ar bwys Caerfyrddin, The Stag and Pheasant – hen dafarn fin ffordd lle bydde Cayo Evans a bois y Free Wales Army yn yfed. Bydden nhw'n cyrraedd mewn lifre paramilwrol ac yn canu ac yfed drwy'r nos. Cymry di-Gymraeg oedd y rhan fwya ohonyn nhw, o Ferthyr, Llanelli ac Abertawe.

Fe fyddwn i'n aros yn y Stag 'da Jan (Madge Jenkins, ei modryb hi, oedd y landledi) – ac fe fydden ni'n talu am ein lle trwy roi help llaw yn y dafarn. Byddwn i'n chware cerddoriaeth yn y bar fin nos hefyd, ond fy mhrif swydd oedd coginio brecwast. Roedd Martin D28 'da fi a brynodd Carol-Ann i mi yng Nghaliffornia. Un noson gadawes i e yn y bar a mynd i 'ngwely'n gynnar. Erbyn bore trannoeth roedd e wedi'i ddatgymalu, a hyd yn oed y bont wedi'i chodi. Ac roedd y cnafon wedi'i lenwi fe 'da phiso am hwyl!

Roedd y rheiny'n ddyddie dedwydd iawn, ond roedd fy merched i'n tyfu lan 'da Betty lawr yn Solfach a Tessa'n dal yn ysbyty Garlands yng Nghumbria. Roedd problem fawr 'da fi o hyd. Cyn bo hir, a minne ar ymweliad yn gweld y plant lawr yn Solfach, fe ges i lythyr yn dweud y bydde Tessa'n cael ei rhyddhau cyn hir. Doedd dim byd mwy allen nhw 'i wneud drosti. Tybed oedd hyn yn golygu ei bod hi'n well?

Pennod 17

Diwedd y Chwe Degau

Yn Llunden ro'n i – yn aros 'da Gary Farr gan 'mod i'n dal i chwarae ambell i gig 'da fe. Roedd chwaraewr gitâr fas tan gamp 'da ni – Andy Lee, oedd hefyd y chware 'da band o Birmingham o'r enw Spookytooth. Roedden ni wedi chware mewn gig yn y Northern Art College y nos Sadwrn cyn 'ny ac yn ein hole yn Llunden erbyn hyn. Ond roedd Solfach yn galw eto ac, ar y ffordd, fe alwodd Gary, Andy a fi heibio i'r BBC yng Nghaerdydd i recordio caneuon newydd.

Yn ystod y sesiwn recordio, fe ges i alwad ffôn 'da fy mam yn dweud bod fy mam-gu, Blodwen (neu 'Mam'), oedd erbyn hyn yn hen ac yn ffwndrus iawn, ar fin marw gartre yn Solfach. Gofynnodd i mi ddod gartre gan ei bod hi'n gofyn am "Michael bach". Helion ni'n pac yn gloi, tyrru i gar Austin estate Gary, a gyrru fel cath i gythrel am Solfach. Roedd Mam yn gorwedd yn ei gwely, yn pwyso ar bentwr o obenyddion, ac roedd golwg wan, lwydaidd arni. Roedd hi'n amlwg ar farw. Doedd hi ddim mewn unrhyw boen, ac roedd hi'n hanner cysgu.

Fe wnaeth hi f'adnabod i ar ei hunion a thrial ei chodi'i hun o le roedd hi'n gorwedd.

"Pwy yw'r bois hyn sy 'da ti?" medde hi.

"Cerddorion. Ni wedi bod yn whare yn y BBC," meddwn inne. A chan sylweddoli'n sydyn fod mab arwr Dada, y paffiwr Tommy Farr, chredech chi fawr, yn sefyll yn ei stafell wely hi, dyma fi'n dweud, "Dyma Gary, mab Tommy Farr."

Daeth 'na ryw olwg ryfedd dros ei wyneb hi. "Nage Tommy Farr ymladdodd yn erbyn y Black Bomber yn y Yankee Stadium?"

"Ie," meddwn inne. "Hwnnw. Chi'n cofio?"

Symudodd Gary mlaen ac estynodd hi 'i llaw yn llegach ac ynte'n ei dal hi'n dyner. Wedyn fe wenodd hi a dweud, "Feddylies i rioed y cawn i'r pleser," saib, "o ysgwyd llaw mab Tommy. Fydde William Henry wrth ei fodd yn gwylio'ch tad yn ymladd. Fe oedd y mwya." Saib. "Rydw i'n falch iawn o gwrdd â chi." A dechreuodd Gary lefen y glaw. Roedd e'n ddyn emosiynol iawn.

Y funud honno, fe gyrhaeddodd Doctor Gillam. Gweles i fe'n stopo tu fas yn ei hen Morris Minor du. "Mae'r doctor 'ma, Mam," meddwn i. "Fydd rhaid i fi a'r bois fynd nawr." Fe ganon ni i gyd yn iach, i gyd wedi'n synnu braidd ac wedi'n llorio 'da'r cyfarfyddiad rhyfedd a thrist yma.

Weles i rioed mohoni'n fyw wedi hynny; bu hi farw dridie'n ddiweddarach. Ro'n i 'nôl yn Llunden 'da Gary erbyn hynny, ac, unweth eto, fe yrron ni fel cath i gythrel am Solfach, ond roedden ni'n rhy hwyr, a bu hi farw chwarter awr cyn i ni gyrraedd. Roedd Bet yno, a dau o f'ewythrod i oedd hefyd yn ffans Tommy Farr mawr ac i gyd fel geifr ar d'rane o gwrdd â'i fab e. Medde Gary am Mam, "I'd do anything for a woman like that."

Arhoses i yn Solfach ar gyfer angladd Mam yn y capel bychan bach, Penuel, lle ganed Dada. Cafodd hi 'i chladdu yn y fynwent tu ôl i'r capel 'da William Henry. Bu Mam yn fam i mi – y fenyw syml ddiaddysg honno, oedd wedi gweithio'n galed gydol ei hoes, geni saith o blant, ac wedi bod yn ddigon caredig i ofalu amdana i pan o'n i ar farw, fy nyrsio i a'm magu fel ei phlentyn ei hun. Roedd hi a William Henry ill dau erbyn hynny yn eu chwe dege, ac roedd hi'n angel. Dwedodd Bet wrtha i'n ddiweddarach fod Mam wedi marw'n dawel. "Aeth hi i gysgu – doedd dim poen." Fe'i claddon nhw hi 'da chroes fach arian ro'n i wedi'i rhoi iddi'r tro dwetha gwrddon ni, wedi i mi 'i phrynu ym Mhortobello Road yn Llunden.

Toc wedi angladd Mam, fe ddaeth llythyr gan fam Tessa. Roedd Tessa wedi'i rhyddhau o Garlands, a bellach yn aros yn nhŷ ei rhieni yn

Cumwhinton ar bwys Carlisle. Roedd hi am wneud trefniade i Tessa ddod i Solfach i weld y plant, ac felly rai dyddie wedyn fe drefnes i gwrdd â hi oddi ar drên Carlisle yng Nghaerdydd, lle ro'n i'n gweithio ar raglen i'r BBC. Doedd dim llefeleth 'da fi beth i'w ddishgwl ac felly fe gadwes i stafell ddwbwl yn y Central Hotel, chydig lathenni o'r orsaf. Do'n i ddim wedi'i gweld hi ers o leia chwe mis, ond ro'n i wedi bod yn sgrifennu ati'n rheolaidd yn yr ysbyty ac wedi cael ambell ateb – ar ffurf llunie grotésg 'da nodiade hurt mewn sgrifen fechan fach gan mwya. O'r braidd y gallwn eu darllen nhw. Roedd y nodiade hyn yn debyg iawn i lythyr heb ei bostio ro'n i wedi cael hyd iddo fe tra o'n i'n gwagio Caerforiog, a hwnnw hefyd wedi'i sgrifennu yn y sgrifen fân fân 'ma ac wedi'i gyfeirio at un o ddrygis Milffwrd fydde'n mynychu 'nhŷ i pan o'n i bant yn gweithio. Roedd hi'n amlwg bod 'da Tessa berthynas rywiol 'da fe.

Felly, fe es i'r Orsaf Ganolog i gwrdd â'i thrên hi am hanner awr wedi pedwar. Arhoses i ar y platfform ar bwys pwll y stâr fel na chollwn i mohoni. Prin ro'n i'n gallu credu 'i bod hi'n dod ar ôl yr holl gyfnod cythryblus. Cyrhaeddodd y trên ac, yn sydyn, roedd y platfform yn heigio o bobol, ond hyd yn oed wedi iddyn nhw ddechre chwalu, do'n i dal ddim yn gallu gweld Tessa yn unman. Wedyn, fel roedd y trên yn gadael, fe ges i gip ar rywun oedd yn edrych fel merch fach tua deuddeg oed, â chôt fawr frethyn amdani ac yn cydio'n dynn mewn *holdall* bach. Do'n i ddim yn ei nabod hi i ddechre, ond Tessa oedd hi, yn edrych fel plentyn bach ar goll – wedi'i gadael ac yn aros i rywun ei hachub. Fe wyddwn i ar unweth nad oedd pethe'n iawn.

Rhois i gusan iddi a mynd â'i *holdall* hi. Roedd hi'n edrych yn syfrdan ac yn ddryslyd. Cydies i yn ei braich hi a'i harwain at y fynedfa. O'r braidd roedd hi i'w gweld yn fy nabod i.

"How are you?"

"I'm better, so they say, but I have to take these tablets – tranquillizers."

"How long have you been taking these tablets?"

"Oh, a long time now, and I've had a lot of electric shock treatments too."

Roedden nhw wedi mynd â'r gwynt o'i hwyliau hi, wedi torri'i chrib hi'n gyfan gwbwl ac wedi'i thawelu hi i'r carn. Bwres i olwg yn ôl i'r bore hwnnw pan gollodd arni ei hun yng Nghaerforiog – roedd e i'w weld oes yn ôl. Cofiwn yn fyw yr egni aruthrol roedd hi'n ei gynhyrchu. Roedd hon o mlaen i'n ferch hollol wahanol. Cyn y pwl sgitsoffrenig, roedd Tessa'n berson diflewyn-ar-dafod – yn ymosodol, hyd yn oed; roedd y person oedd yn cerdded wrth f'ochor i nawr fe 'se hi wedi llithro 'nôl i gyflwr diniwed fel plentyn. Fe gerddon ni law yn llaw i'r gwesty a mynd lan i'r stafell. Ro'n i wedi prynu ffrwythe a blode, ac roedd rhywun yn y gwesty wedi'u rhoi nhw mewn powlenni o gwmpas y stafell. Roedd golwg braf ar y lle – bron fel 'se rhywun yn byw yno.

"Would you like some fruit? Are you hungry?"

Cymerodd hi afal a dechre'i fwyta fe'n ara, a finne'n gwylio o gadair freichie yr ochor draw i'r stafell. "Yes, I'm quite hungry." Roedd ei llais hi fel 'se fe'n dod o'n bell bell bant.

"We'll go to a restaurant," meddwn i.

"No," yn gynhyrfus. "I'm not used to people. The train was awful! All those people pushing and shoving. I'd rather stay here. Can we have something here?"

"I'll order some food when the kitchen opens."

"That will be fine," medde hi.

Es i draw at y teledu, ac erbyn i mi godi rhaglen a throi 'mhen, roedd hi wedi cwympo i gysgu ar y gwely, a'r gôt ferch fach amdani o hyd. Roedd hi'n edrych mor ifanc a ches i sgytwad wrth ei gweld hi felly.

Eisteddes i yno yn ei gwylio hi'n cysgu am tua hanner awr, ac yna es i lawr i far y gwesty. Roedd angen diod arna i. Falle bod Tessa wedi cael sgytwad o fod mas yn y byd mawr ar ôl profiad mor drawmatig, a'r daith wedi bod yn hir. Ddylsen nhw ddim bod wedi'i rhoi hi ar y trên – doedd hi ddim yn barod, ac roedd angen cynefino arni. Ro'n i'n falch ei bod hi mas o'r ysbyty, ond tybed oedden nhw wedi'i rhyddhau hi'n rhy fuan?

Roedd llythyr y seiciatrydd yn dweud yn bendant fod ei thriniaeth hi ar ben. Dechreues i bendroni, 'Ydi hi'n tebol i fod yn fam? Ydi'r driniaeth wedi methu?' Doedd dim modd gwybod!

Pan fydde rhywun yn cael ei anfon i ysbyty meddwl o dan y ddeddf iechyd meddwl (oedd yn golygu bod meddyg wedi diagnosio salwch meddwl, y diagnosis yma wedi cael ei ddilysu gan feddyg arall, a'r gorchymyn i anfon y claf i ysbyty wedi'i lofnodi gan y ddau feddyg), ychydig iawn o reolaeth fydde 'da'r teulu agos dros y sefyllfa. Yn y bôn, yr ysbyty oedd â rheolaeth lawn, ac roedd y gyfraith yn eu cefnogi nhw. Yr ysbyty hefyd oedd yn rheoli natur triniaeth y claf, a'r teulu'n cael eu cau mas o bethe ac yn gorfod dibynnu ar ddarne o wybodaeth gan staff yr ysbyty o ran cyflwr a hynt y claf.

Gorffennes i 'niod a mynd yn 'nôl lan llofft. Roedd Tessa'n dal i gysgu ac ro'n i'n falch o hynny. Cysgodd hi am ddwyawr wedyn, ac roedd hi'n hanner awr wedi wyth erbyn iddi ddihuno. Edrychodd o gwmpas y stafell ac arna inne'n iste'n y gadair; doedd hi'n nabod dim.

"Tessa, it's me – Meic. We're in Cardiff, at the Central Hotel."

Dwedodd, rhwng ei dannedd, ei bod hi'n credu taw yn Cumwhinton oedd hi o hyd, a'i bod hi ar ei chythlwng. Doedd hi ddim wedi bwyta drwy'r dydd; doedd dim arian 'da hi!

"We'll go down to the restaurant," meddwn i.

Doedd dim llefeleth 'da fi beth alle hi'i fwyta; llysieuwraig facrobiotig oedd hi pan aeth hi i'r ysbyty. Roedd stafell fwyta'r gwesty'n fawr ac yn dawel, ac fe ofynnon ni am omlede a photel o Chardonnay. Alle Tessa ddim yfed alcohol, medde hi, oherwydd y moddion, felly fe ofynnodd hi am sudd ffrwythe a phigo bwyta'i homled a'i llysie, tato wedi'u berwi a salad. Roedd hi'n edrych fel 'se hi wedi'i thawelu, a doedd dim llawer o sgwrs 'da hi. Doedd hi ddim wedi sôn un gair am y plant.

"We'll go to Solva tomorrow to see Betty and the kids," meddwn i o'r diwedd.

"Oh, the children," medde hi'n wag. "How are they?"

"Looking forward to seeing you," atebes i. Ro'n i'n ciniawa 'da dieithryn.

Fore trannoeth, roedden ni ar y trên yn anelu am y gorllewin. Yn ystod y daith rhy gyfarwydd o'r hanner hon, di-ddweud oedd Tessa o hyd. Ro'n i wedi prynu cylchgrone iddi ac fe ddarllenodd hi'n dawel heb edrych fel 'se fawr o ddiddordeb 'da hi. Prin yr edrychodd hi drwy'r ffenest a wnaeth hi'r un sylw fel yr âi'r daith rhagddi. Ro'n i'n tybio iddi gymryd ei moddion ar ôl brecwast; roedd hi wedi cael bàth ac wedi aros yn y stafell molchi am beth amser.

"My mother says I shouldn't live in Wales any more," medde hi'n dawel cyn bo hir. "They've sorted out a house for me in Carlisle."

Dyma'r sylw annibynnol cynta iddi 'i yngan ers iddi gyrraedd y diwrnod cynt. A dweud y gwir, dyma'r unig eiriau pwysig roedd hi wedi'u hyngan wrtha i ers iddi golli arni chwe mis ynghynt.

"Will you be happy to live there?" meddwn i.

"Oh, yes. Besides, there'll be my parents and Jolyon. And the children."

Roedd hi'n amlwg fod pobol eraill wedi bod yn cynllunio heb fod yn ddigon cwrtais i ymgynghori â mi o gwbwl! Doedd Tessa ddim i'w gweld yn ddigon tebol y diwrnod hwnnw i ysgwyddo'r cyfrifoldeb o ofalu am ddwy ferch fach. Gwawriodd arna i'n sydyn 'mod i wedi fy nghau mas o'r cynllunie ar gyfer dyfodol agos ein plant ni.

"Who is sorting out this house in Carlisle?" gofynes i'n dawel.

"Oh, Mummy, Dido and Dr Graham," oedd ei hateb hi.

Yn sydyn, dyna orsaf Hwlffordd, ac fe weles i dacsi'r hen Mrs Lunn yn aros wrth i ni groesi'r bont.

"Helô, Meic! I'r fferm, ife?" Gwenodd Mrs Lunn ar Tessa. "Haven't seen you for a long time."

Doedd Tessa ddim fel 'se hi'n ei nabod hi.

"It's Mrs Lunn, the taxi lady," porthes inne.

"Oh, yes. I think I can remember," oedd yr ateb, er nad ydw i'n credu bod ganddi fath o gof am Mrs Lunn, oedd wedi'i gyrru hi droeon lawer.

"Nage," meddwn i wrth y ddynes tacsi. "Allech chi'n gyrru ni i dŷ mam yn Solfach Uchaf?"

Eisteddodd Tessa yn y cefen a minne yn y tu blaen; hithe'n ddistaw yr holl ffordd a minne'n sgwrsio 'da Mrs Lunn. Fe rolion ni lawr rhiw Solfach a thros y bont gerrig gul a lawr y Stryd Fawr heb unrhyw adwaith gan Tessa. Bydde'n rhaid i mi fynnu sgwrs 'da Dr Gillam.

Gollyngodd y tacsi ni yn nhŷ fy mam. Roedd Betty'n ein disgwyl ni. Agorodd drws y ffrynt a dyna lle roedden nhw – Bethan ym mreichie fy mam, a Wizzy'n rhedeg tuag aton ni 'da Nofus yn ei hymyl hi. Llamodd Wizzy i 'mreichie i a dechreuodd y ci neidio ar Tessa, yn amlwg yn falch o'i gweld hi. Gwenodd Tessa wên ara, a gwthio'r ci cynhyrfus i lawr. Roedd hi'n edrych fel 'se hi'n falch o weld ei merched wedi'r holl amser, ond roedd rhywbeth ar goll; roedd hi ymhell o'r fan hyn. Eisteddon ni yn y parlwr yn yfed te. Roedd Bethan ar lin Tessa yn chware 'da hi. Babi tawel fu Bethan erioed – bob amser yn hapus a byth yn llefen llawer, ac yn hawdd ei phlesio. Roedd fy mam yn y gegin yn hwylio pryd o fwyd ac yn clebran fel melin bupur trwy'r drws agored. Doedd Tessa byth wedi tynnu'i chôt merch ysgol, a ddaeth o law yr Uchel Fam, ac a gâi ei botymu'n glòs i'r gwddwg fel dillad gwarchod, fel petai hi'n agored i niwed hebddi.

"Dyw hi ddim yn iawn," medde fy mam yn bryderus wedi i Tessa fynd lan llofft. "Be ddiawl maen nhw wedi'i neud iddi? Wnaiff hyn fyth mo'r tro!"

Ro'n inne wedi sylwi bod rhych dwfn ar ei thalcen, oedd fel bwlch dwfn rhwng ei llygaid. Tybies falle taw'r driniaeth sioc drydan achosodd e achos gan nad oedd e yno o'r blaen. Erbyn craffu, roedd ei hwyneb hi wedi heneiddio, ond bod golwg fel merch fach arni, a rhyw dinc plentynnaidd swil i'w llais hi hyd yn oed.

Roedd hi'n braf bod gartre eto, yn enwedig yn nhŷ fy mam, ac ro'n i'n edrych ymlaen at ei choginio rhagorol hi. Roedd Tessa'n iste'n dawel mewn cadair freichie'n wynebu'r teledu. Stafell hir oedd lolfa fy mam, yn mynd o'r dwyrain i'r gorllewin, 'da thân agored a ffenestri mawr ar bob pen. Roedd y ffenest gefen yn wynebu gardd hir oedd yn mynd lawr at goedwig Llanunwas a'r coed tal oedd yn nythfa i frain swnllyd iawn. Edryches drwy'r ffenest honno heb wybod beth i'w ddweud. Y cwbwl glywn i oedd y cloc ar y silff ben tân a chrawcio croch cannoedd o frain. Roedd e'n sŵn cyfarwydd ac, yn rhyfedd iawn, fe dawelodd e fi. Codes i'r awyr ar adennydd yr adar a'r cymyle.

Roedd Tessa wedi rhoi'r gore i'r deiet macro llysieuol tra oedd hi yn yr ysbyty, gan ei bod hi wedi gorfod bwyta ta beth oedd ar y fwydlen. Fe fwytaon ni gino rhost anferth – un o gryfdere mawr Betty – a minne mewn dwys fyfyrdod, a fy mam, oedd yn gallu siarad fel melin glep, yn parablu i lenwi bwlch a allase'n hawdd fod wedi bod yn ddistawrwydd annifyr.

Yn ddiweddarach, fe aethon ni i weld Dr Gillam a'r teulu. Roedden nhw'n falch o weld Tessa; roedden nhw'n hoff iawn ohoni erioed. Roedd Dr Gillam, fel arfer, yn ochelgar a'r cwbwl ddwedodd e oedd y bydde'n cymryd peth amser iddi ymgodymu â'r byd mawr. Holodd e hefyd pa foddion roedd hi'n eu cymryd ac roedd e i'w weld yn fodlon ar y therapi cyffurie. Roedd hi'n amlwg nad oedd e moyn cael ei dynnu i mewn, a, ta beth, nid ei glaf e oedd hi bellach.

Fe fydde'n rhaid i fi gyd-fynd â'r cynllun yma i ailgartrefu Tessa a'r plant yn Carlisle. 'Sen i'n dadle'n ei erbyn e, fe fydde mwy fyth o drafferth a chynnen! Ond, yn gynta, fe fydde'n rhaid i fi fynd lan 'na i weld yn gwmws beth oedd yn cael ei drefnu.

Roedd mam Tessa – menyw hunanol a myfïol dros ben – wedi golchi'i dwylo o helyntion ei merch ers blynydde i bob pwrpas, ac erioed wedi dangos fawr o ddiddordeb mewn bod yn fam. Doedd 'da Ruth gynnig i fi chwaith – nac i'r Cymry. Roedd rhestr o'r hil ddynol 'da hi, medde Tessa wrtha i unweth, 'da'r Saeson ar y brig a'r Cymry, y Gwyddelod a'r bobol dduon ar y gwaelod. Doedd dim gobaith mwnci 'da fi gyda ffasgydd fel hi! Ta beth, yn ôl Ruth, fi oedd yn gyfrifol am yr holl strach!

Roedd teithio i Carlisle wastad yn codi ofn arna i. Do'n i rioed wedi teimlo bod croeso i mi a byddwn i'n ysu am gael mynd oddi yno. Roedd Tessa wastad wedi teimlo 'run peth – er ei bod hi'n hoff iawn o'i thad ac ynte'n hoff ohoni hi. Ond prin roedd e gartre, gan ei fod e bant yn gweithio fel peiriannydd mewn gwahanol ranne o Affrica. Ta beth, fe gychwynnon ni ar y trên am Carlisle rai dyddie'n ddiweddarach, a gadael y plant yn Solfach 'da Bet. Aethon ni mewn tacsi o orsaf Carlisle i dŷ rhieni Tessa, oedd ar bwys lôn wledig ym mhentre Cumwhinton tua thair milltir i'r de o Carlisle. Hen sgubor o frics coch wedi'i ailwampio'n fwthyn hyfryd oedd e, a safai yng nghanol perllan a gardd dwt. Garddio oedd hobi Ruth, ac roedd ganddi ddawn at dyfu pethe.

Dwedwyd wrtha i yn ffroenuchel bod tŷ cyngor wedi'i gadw ar gyfer Tessa, a hwnnw ar stad newydd gerllaw, ac y câi hi symud yno unrhyw bryd. Soniwyd dim gair am lle ro'n i'n mynd i fyw; roedd Ruth wedi 'nhorri i mas o'r sgript yn ddidostur a do'n i ddim yn rhan o'r cynllun. Ond ro'n i'n becso mwy am ddyfodol y plant, oedd wedi treulio'r rhan fwya o'u hoes yn Solfach. Trefnes i gwrdd â Dr Graham – seiciatrydd Tessa, a'r unig berson alle gynnig atebion i mi. Neu felly ro'n i'n tybio.

Roedd Dr Graham – dyn trwsiadus mewn dillad gwledig o frethyn a chrys siec Viyella cynnil a sgidie cryfion brown – yn nabod Tessa er pan oedd hi'n blentyn. Roedd e o ddifri moyn ei helpu hi ac yn meddwl bod y driniaeth wedi bod yn llwyddiannus. Dwedodd wrtha i ei bod hi'n sgitsoffrenig cronig oedd yn gwrthsefyll therapi cyffurie. Ro'n i'n gwbod hynny'n iawn. Dwedodd eu bod nhw wedi rhoi cynnig ar gyffurie newydd, cryfach. Doedd yr wybodaeth yma'n fawr o galondid i mi (a dweud y lleia!). Dwedodd hefyd fod ganddi duedd hunanladdol gref iawn. Roedd hyn yn sioc; doedd Tessa rioed wedi dangos unrhyw arwydd o hyn, ar wahân i gwympo oddi ar gefen ceffyle! Ro'n i wastad wedi credu bod ganddi reddf gref iawn i oroesi. Holodd e fi am y plant – lle roedden nhw ac yn y blaen. Ddwedodd e heb flewyn ar dafod fod sadrwydd meddyliol Tessa yn y dyfodol yn dibynnu i radde helaeth ar y plant. Casgles inne, o'r sgwrs unochrog iawn yma, y bydde Tessa – 'sen i'n penderfynu ei gadael hi, ac yn mynd â'r plant i 'nghanlyn – yn y pen draw yn ei lladd ei hun. Rhoddodd hyn gryn sgytwad i fi. Roedd y mater hunanladdol 'ma – na wyddwn i ddim amdano – yn ddigon drwg ta beth!

Drannoeth, aethon ni i weld cartre newydd Tessa, oedd ar stad wledig braf 'da llawer o goed llwyfen, ffawydd ac ynn yn tyfu ym mhobman. Roedd 'na afon lydan, fas yn rhedeg o gwmpas ei hymyl. Tŷ newydd oedd e – yn dŷ modern nodweddiadol 'da dwy stafell wely, lawnt o'i flaen ac iard gefen fach 'da murie o'i chwmpas. Roedd braidd yn bell o ganol Carlisle, ond roedd siope a thafarn ar y stad ei hunan. Lle tawel, heddychlon, gwledig, yn ôl pob golwg.

Gadewes i Tessa 'da'i mam, yn cynllunio i symud i'r tŷ newydd, a theithies i ar y trên yn ôl i Gaerdydd, lle roedd 'da fi bethe i'w gwneud. Yn ddiweddarach, a minne 'nôl yn Solfach, trafodes i'r sefyllfa 'da fy mam – cyn-nyrs o'r hen deip, oedd â ffydd llwyr mewn meddygon. Roedd hi'n rhy hen i fagu dau o blant, ac un ohonyn nhw'n fabi. Ro'n i'n deall ei sefyllfa hi ac yn gwerthfawrogi'r holl help llaw roedd hi wedi'i roi i fi hyd hynny. Y peth gore o dan yr amgylchiade felly fydde cyd-fynd â 'chynllun Carlisle', a gobeithio'r gore! Er 'mod i'n teimlo'n wangalon, fe wyddwn i bellach fod fy mherthynas i a Tessa ar ben yn ôl pob tebyg. Ond un gobeithiol fues i erioed.

Roedd y Tessa wreiddiol wedi marw i bob pwrpas, ond fe alle pethe newid! Dieithryn oedd y ferch honno ro'n i wedi cwrdd â hi mor ddiweddar oddi ar y trên yng Nghaerdydd, ond hi oedd fy nghariad a mam fy mhlant. Ond yng Nghaerdydd roedd fy ngwaith a 'nyfodol i, a byddai cymudo o Carlisle yn amhosib. Felly fe benderfynes i adael i'r plant fynd i fyw 'da'u mam yn Carlisle. Roedd e'n benderfyniad tyngedfennol i mi – ac yn un y byddwn i'n edifar amdano fe, Duw a'm helpo i!

Pennod 18

Yng Nghlorian Amser

A dyna sut y cychwynnodd beth ro'n i'n meddwl fydde pennod ola fy mherthynas i a Tessa. Drwy drosglwyddo'r plant i'w gofal hi, ro'n i'n meddwl 'mod i wedi selio tynged ein bywyde ni fel teulu. Ond ro'n i'n anghywir: nid felly y digwyddodd hi, ac roedd llaw tynged wedi rhannu cardie rhyfedd i ni.

Cyrhaeddodd tad Tessa dŷ fy mam yn Solfach yn ei hen Daimler coupé hoff. Roedd Tessa 'da fe, ac yn edrych fel 'se hi wedi gwella'n arw o ran bod ei hymateb hi i'r plant yn fwy normal. Roedd yr hen agwedd ryfedd a phell 'na rwy wedi trial ei disgrifio wedi mynd, a mwy o fywyd ynddi. Yn lle bod yn ddi-fraw ac yn ddi-ffrwt, roedd hi'n fwy cadarnhaol a mwy ynghanol pethe, ac roedd hi'n amlwg ei bod hi'n gwneud ei gore i fyw yn y byd mawr unweth eto. Cododd fy mam a finne law arnyn nhw wrth iddyn nhw yrru bant er na allwn i ddim peidio â meddwl tybed beth wnawn i nesa!

Roedd digonedd o gigs a gwaith arall 'da fi ar y gweill. Ro'n i newydd gael comisiwn gan Wilbert Lloyd Roberts, pennaeth Cwmni Theatr Cymru ar y pryd, i sgrifennu anterliwtie cerddorol ar gyfer fersiwn Cymraeg o *Le Malade imaginaire – Y Claf Diglefyd* – y bydde'r cwmni'n ei ymarfer cyn bo hir. Ro'n i wrth fy modd hefyd gyda'r syniad o berfformio Pulchinello – y croesan claf o gariad, oedd yn addas ddigon o gofio fy sefyllfa i ar y pryd. Felly, fe deithies i ar y trên i Fangor i ddechre ymarfer.

Do'n i ddim wedi cwrdd â Wilbert Lloyd Roberts o'r blaen. Cyn-gynhyrchydd drama gyda'r BBC oedd Wilbert, a'i freuddwyd oedd sefydlu cwmni drama Cymraeg cenedlaethol. Toc wedi i fi gyrraedd, ces i 'nghyflwyno i aelode'r cast – y rhan fwya ohonyn nhw ond newydd adael y coleg, ac eraill, fel Meredydd Edwards, Gaynor Morgan Rees a Iona Banks, yn troedio'r llwyfan ers peth amser. I mi y daeth y dasg o ddysgu'r actorion ifanc oedd yn y corws i ganu'r caneuon yn yr anterliwtie cerddorol oedd wastad yn rhan bwysig mewn comedi gan Molière. Roedd yr actorion ifanc hyn – Dafydd Hywel, Sharon Morgan, Dyfan Roberts, Marged Esli ac eraill – yn gorfod gwisgo fel mintai o sipsiwn, er bod rhai ohonyn nhw'n perfformio rhannau eraill hefyd – fel meddygon, er enghraifft. Roedd Owen Garmon ynte yn aelod o'r cast. Y diweddar Mrs Stanley o Hen Golwyn oedd meistres y gwisgoedd. Bu'n gweithio yn y theatr ers pan oedd hi'n ifanc ac roedd hi yn ei chwe dege hwyr bryd hynny. Roedd Mrs Stanley'n gymeriad tan gamp, yn llawn anecdote am y theatr a straeon digywilydd.

Roedd Wilbert wedi'i sodro'i hun yng nghanol llond gwlad o ddawn – roedd Nesta Wyn Jones yn gynorthwy-ydd cynhyrchu, ac roedd Alan Cook hefyd yn gweithio yno. Fe allwn i sgrifennu llyfr am y daith yna, ond digon yw dweud iddi fod yn llwyddiant aruthrol ac yn glod i bawb a oedd yn rhan ohoni.

Ac yna, yn gwbl ddirybudd, dyma gerdyn yn cyrraedd o Texas. Roedd Carol-Ann Maw, fy hen gariad roc a rôl, yn glanio yn Heathrow drannoeth. Doedd 'da fy mam erioed fawr o feddwl ohoni – roedd hi'n sicr fod Carol-Ann yn wrach – a finne wastad yn gorfod gwneud yn fach o'r garwriaeth. 'Se hi'n gwybod be oedd yn mynd ymlaen, fe fydde hi wedi mynd yn gachfa go iawn.

Y noson wedyn, ro'n i'n iste yn y clwb yn yfed 'da ffrind neu ddau o'r BBC pan ddaeth galwad ffôn gan Carol-Ann; roedd hi yng Nghyncoed. Gyrrodd un o ferched y BBC – Helen Pritchard – fi lan yn ei Triumph Spitfire coch, a dyna lle gweles i Carol-Ann, yn cerdded yng ngardd rosod hen dŷ. Ar yr awyren, roedd hi wedi cwrdd â hen foi oedd yn byw yno ac ynte wedi'i gwahodd hi i aros. Serch hynny, symudodd hi i'r Sunbury lle ro'n i'n aros y noson honno, a dyma ailgychwyn y garwriaeth – ac felly hefyd y syrcas cyffurie.

Ro'n i moyn cynhyrchu fy record fy hun ers ache – ac un i Heather Jones hefyd. Wyddwn i ddim sut i fynd o'i chwmpas hi ar y pryd, ond ro'n i wedi dod i ddeall tipyn go lew pan o'n i'n recordio yn Llunden a hefyd drwy weithio i'r BBC yng Nghaerdydd. Fe benderfynon ni ryddhau'r recordie hyn i gyd-daro â'r Eisteddfod Genedlaethol yn Rhydaman, a dyna fu. Cadwodd fy hen ffrind, Gareth Wyn Jones, amser rhydd yn un o stiwdios y BBC yng Nghaerdydd, a daeth Bill Lovelady lan o Aberteifi i chware'r gitâr. Cafodd rhai o'r tracie'u recordio yn Central Sound, Llunden. Roedd 'Mynd i Bala ar y cwch banana' yn un, gyda Heather a Geraint Jarman yn canu cyfeiliant iddo. Gwerthwyd pob un copi o'r recordie hyn ac maen nhw'n anodd eu cael nawr – felly, os oes un 'da chi, mae e'n werth tua £50 y copi erbyn hyn!

Teithiodd Carol-Ann a finne lawr i Rydaman yn Jaguar Ronnie Williams. Roedd Ryan a Ronnie wedi cadw neuadd ar gyfer eu sioe ac wedi gofyn i fi wneud sbot bob nos yr wthnos honno. Roedden nhw wedi hurio band cyfeilio 'da Noddy Gape a John Tyler yn yr adran rhythm, a gofynnes i'r hen ffrinde 'ma chware 'da fi hefyd. Roedd Martin D 28 hardd 'da fi ar y pryd, ac roedd Carol-Ann, mor hael ag erioed, wedi prynu hen Gibson i fi mewn siop yn San Francisco. Roedd y sioeau'n grêt – y neuadd dan ei sang bob nos nes ei bod hi fel sawna yno, a finne'n gorfod perfformio'n noeth at fy nghanol!

Arhosodd Carol-Ann a fi mewn pabell fechan yn ymyl hen babell fyddin anferth Dewi Pws a'r Tebot Piws a'r Dyniadon Ynfyd Hirfelyn Tesog, oedd, fel dwedais i o'r blaen, yn griw o feddwon lloerig. Bob nos, fe fydden nhw'n cynnal clamp o barti ar ôl i'r tafarne gau. Roedd y peth yn horlics! Un noson, fe gafon ni hyd i foi ifanc yn gorwedd yn anymwybodol ar y borfa tu fas i'n pabell ni. Roedd e'n feddw gaib, a dim amdano fe ond crys-T a jîns, ond roedd y gwallgofied wedi'i drochi mewn cwrw a seidir, a hyd yn oed wedi piso drosto fe. Dyna i chi lanast! Roedd e'n rhynnu ac yn diodde gan oerfel. Roedd yn rhaid i Carol-Ann a fi ei dwymo fe, ac felly fe aethon ni ag e i'n pabell fach ni a'i ddodi fe mewn sach gysgu. Roedd ei ddannedd e'n clecian. Yn ddiweddarach, fe ddaethon ni'n ffrindie. Mae e'n ffotograffydd proffesiynol ac yn gynghorydd sir yng Nghaernarfon nawr, a hefyd yn gitarydd eitha da: Gerallt Llywelyn.

Ar noson ola sioe Ronnie a Ryan, es i mas am chydig o awyr iach ac i oeri dipyn. A dyma ferch o Aberteifi ro'n i wedi ei ffansïo erioed yn llamu arna i. Erbyn i Carol-Ann ddod i chwilio amdana i, roedden ni'n lapswchan yn wyllt! Drannoeth, a hithe'n ddiwrnod ola'r Eisteddfod, ffarweliodd Carol-Ann a finne am y tro ola. Fe alla i weld yr olygfa hyd heddiw: Carol-Ann yn cerdded yn ara lawr yr hewl i gyfeiriad Abertawe, yn cario'r hen gitâr Gibson, a minne a'r Martin yn ei chychwyn hi i'r gogledd i gyfeiriad yr A40. Weles i rioed mohoni wedyn, ond rai blynydde'n ddiweddarach, a finne'n ymweld â fy mam yn Solfach, rhoddwyd llythyr post awyr o America yn fy llaw i.

"Fyddwn i ddim yn ateb hwnna," medde Bet.

"Pam? Be sy ynddo fe?"oedd f'ateb i. Fe wyddwn i ei bod hi wastad yn stemio fy llythyre i'w hagor nhw – roedd hynny'n dipyn o jôc.

"Mae 'na docyn awyren yna," medde hi.

"Gan bwy mae e?"

"Y witsh Americanes 'na!" sgrechodd fy mam. "Ac mae hi'n priodi yn North Carolina!"

"Grêt," medde fi. "'Da phwy?"

"Sai'n blydi gwbod, ond mae hi moyn ti 'na!"

"Sgwn i pam," medde fi, gan dwlu'r llythyr heb ei agor i'r tân. A dyna'i diwedd hi.

Roedd 1970 yn flwyddyn a hanner, yn dda ac yn ddrwg. Ac mae'n debyg taw *Y Claf Diglefyd* oedd yr uchafbwynt.

Roedd fy mherthynas i 'da Warner Brothers – ro'n i, yn gyfreithiol, yn dal i fod dan gytundeb iddyn nhw – yn prysur fynd o ddrwg i waeth. Roedd 'Sammy' Samwell wedi symud i'r Unol Daleithie a phorfeydd brasach, glasach, ac, erbyn hyn, roedd 'da fi lawer mwy o ddiddordeb yn y byd cerddorol yng Nghymru, oedd yn dechre dangos ei botensial a'r

Adeg Eisteddfod Rhydaman, 1970

gigs yn dod yn fflyd.

Ym Mangor roedd yr Eisteddfod yn 1971, a gofynnodd Wilbert Lloyd Roberts i mi gynhyrchu sioe roc yno. Doedd 'run sioe felly wedi'i gwneud yn Gymraeg o'r blaen, a honno wedi'i chynhyrchu'n broffesiynol, felly roedd hi'n dipyn o her. Yn neuadd fawr y coleg technegol ar Lôn Ffriddoedd y bydde'r sioe'n cael ei llwyfannu. Ro'n i'n rhan ohoni o'r cychwyn cynta. Fe benderfynon ni hurio'r Tebot Piws, Y Dyniadon, Y Diliau, Heather Jones a minne. Roedd 'na fand tan gamp yn ne Cymru o'r enw James Hogg 'da Rob Ashong yn chware'r gitâr fas a *slide* a John Lloyd yn chware'r drymie. Penderfynes eu hurio nhw fel band y tŷ.

Yn ystod cyfnode cynllunio'r sioe, ro'n i'n gweld isie fy mhlant fwyfwy. Ro'n i wedi bod yn paratoi ar gyfer hyn, ond allwn i ddim peidio â becso amdanyn nhw drwy'r amser ac roedd hynny'n mynd â fy meddwl i. Fe fyddwn i'n sgrifennu at Tessa'n rheolaidd ond roedden nhw i gyd i'w gweld mor bell bant. Yn fuan wedyn, fe ges i lythyr gan Tessa yn dweud ei bod hi'n canlyn 'da gweithiwr amaethyddol ifanc oedd wedi gofyn iddi hi 'i briodi fe. Bydde hyn yn f'ymbellhau inne oddi wrth y plant fwy fyth a phenderfynes i deithio i Carlisle i weld be oedd yn mynd mlaen ac i fod 'da'r plant.

Roedd tŷ Tessa'n lân ac yn dwt ac aeth y plant yn ddwl pan welon nhw fi. Dwedodd Tessa wrtha i am y boi ifanc oedd moyn ei phriodi hi a dwedodd 'i bod hi'n cloffi rhwng dau feddwl achos ei bod hi'n unig 'da dim ond y plant yn gwmni; doedd dim ffrindie 'da hi yn Carlisle. Rhoddodd hyn fi mewn picil, a chymres i gam byrbwyll arall a gofyn iddi hi 'mhriodi i! Roedd Tessa ar ben ei digon a dwedodd ei bod hi moyn fy mhriodi i erioed ta beth! A dyna ben arni!

Dwedes wrthi y bydde'n rhaid iddi hi ddod i Gaerdydd i fyw ac y cawn i hyd i dŷ i ni yno, a chytunodd hithe ar hynny. Roedd hi wedi danto yn Carlisle, lle doedd dim byd byth yn digwydd. Roedd Tessa'n hoffi adloniant, yn enwedig tafarne, clybie a llefydd dawnso, ac ychydig iawn o hwyl fel 'ny oedd iddi hi lan 'na. Cychwynnes i am Gaerdydd ar ôl diwrnod neu ddau a mynd i chwilio am dŷ. Ces un i'w rentu yng Ngogledd Llandaf – yn 16 Evansfield Road. Roedd y tŷ ar bwys yr orsaf ac ar un o'r prif ffyrdd bysys, ac roedd e hefyd o fewn pellter cerdded i'r BBC ar lan arall yr afon yn Llandaf, a dim ond stepen lawr yr hewl oedd stiwdios HTV ym Mhontcanna.

Roedd Tessa'n awyddus i briodi cyn gynted ag y gallen ni, ond dim ond chydig wythnose oedd tan y sioe fawr yn Eisteddfod Bangor. Felly, dyma ni'n penderfynu priodi ym Mangor yn ystod yr Eisteddfod. Fe gafon ni stafell yn hen Westy'r Castell, ar bwys yr eglwys gadeiriol (ro'n i'n nabod y rheolwr yn lled dda), a threfnes i ni briodi yn swyddfa gofrestru Bangor. Ro'n i'n gyfeillgar iawn 'da Hywel Gwynfryn ar y pryd, ond dwedodd wrtha i nad oedd e am fod yn was priodas achos bod pawb yn gofyn iddo ac y dylwn i roi cyfle i ffrind arall. Felly fe ffonies i Nick Golding yn Norwich. "Sure," medde fe. "Fucking marvellous!" Ffonies i fy mam hefyd, ond roedd teimlade cymysg 'da hi. Wedi'r cyfan, roedd hi wedi diodde loes gwallgofrwydd Tessa ac roedd hi'n garcus ac yn ansicr.

Roedd dwy sioe 'Sachlian a Lludw' dan eu sang. Roedd yr ymarferion wedi mynd yn dda ond doedd run ohonon ni'n gwbod be i'w ddishgwl; doedd neb wedi cynhyrchu sioe fyw fel hyn o'r blaen 'da rigie goleuo a system sain broffesiynol. Doedd dim achos becso o gwbwl – roedd pawb yn canmol i'r cymyle. Prin y galle'r perfformwyr symud ar y llwyfan yn ystod y diweddglo gan i'r gynulleidfa dyrru i'r llwyfan, a aeth yn ferw gwyllt o ddawnswyr yn chwyrlïo a phawb yn canu nerth esgyrn eu penne; doedd neb erioed wedi gweld y fath beth yng Nghymru o'r blaen! Roedd Wilbert ar ben ei ddigon o weld llwyddiant ei fenter gynta ym myd roc a rôl, ac roedd y perfformwyr i gyd yn gwbod eu bod nhw'n rhan o gynhyrchiad oedd yn torri tir newydd.

Cyrhaeddodd diwrnod y briodas. Roedd cast y sioe wedi cael gwahoddiad, pob copa walltog, ynghyd â llu o ffrindie eraill, a bydde'r neithior yn stafell ddawnso Gwesty'r Castell. Ddiwrnod heulog braf oedd hi, ac roedden ni'n aros mewn swît lle roedd y Brenin George y Pumed wedi aros ryw dro; roedd 'na horwth o blac mawr pres wedi'i sgriwio i ben y gwely yn cyhoeddi'r peth.

Cyrhaeddodd fy mam mewn car ac aethon ni i gyd ling-di-long lawr i'r swyddfa gofrestru. Gofalodd gwraig a merch Wilbert Lloyd Roberts am y plant. Roedd Tessa mewn ffrog hir osgeiddig iawn o satin llwydfelyn ac arian 'da sgidie'n cyd-fynd. Ro'n i mewn siwt dridarn ddu, ac roedd Hywel a Nick Golding mewn llwyd gole a theis blodeuog. Wedyn, fe aethon ni i'r Castell lle steddon ni wrth y bwrdd a chael cinio tri chwrs 'da llwythi o siampên a gwin coch. Cyrhaeddodd rhieni Tessa, a synnu o weld gwychder y digwyddiad. Ar ben hynny roedd awyrgylch yr Eisteddfod. Tynnodd Hywel fi o'r neilltu wedi i ni fwyta a chynnig talu'r bil am y bwyd yn lle anrheg briodas. Dyna'r math o foi yw e, chware teg iddo fe.

Yn ddiweddarach, daeth y bandie ar y llwyfan. Y Dyniadon oedden nhw, mewn cotie â chwt a dici bôs. Fe ddechreuon nhw 'da cherddoriaeth siambr a gwnaeth hyn gryn argraff ar fam Tessa, sy'n hen drwyn. Doedd dim syniad 'da hi taw tynnu coes roedden nhw nes iddyn nhw chware 'Eine Kleine Nachtmusik', a gyflymodd yn raddol nes ei fod e'n cael ei chware fel cath i gythrel. Daeth y diweddglo pan daflodd un o'r ffidleried ei ffidil a chodi styllen olchi o dan ei sêt a dechre'i cholbo hi 'da ambarél. Wedyn, dechreuodd gweddill y band weiddi a sgrechen a thwlu'u hofferynne i'r awyr a dawnso fel criw o dderfished.

Roedd 'na dwr o bobol yn gwylio trwy'r dryse dwbwl mawr gwydyr, felly dwedes i wrth y landlord am adael iddyn nhw ddod i mewn; roedd hi am fynd yn barti! Roedd y lle yn llawn dop, a phawb yno – hyd yn oed Syr T H Parry-Williams a'r Fonesig Amy! Rhaid bod hyn oll yn ormod i rieni Tessa, a adawodd yn gynnar a gyrru'n syth 'nôl i Carlisle, ond rafiodd y parti yn ei flaen. Yn fuan, dyma Tegwyn Huws, rheolwr y gwesty, a'i siwt siec liwgar a'i locsys clust anferth, yn llamu at y meicroffon dan weiddi, "Mae'r siampên am ddim!" Chostiodd y neithior 'na ddim dime goch y delyn i fi! Pan oedd y lysh yn dod i ben, aeth Huw Ceredig, â phwced rew o gwmpas a chasglu pentwr o arian, a'r peth nesa roedden nhw'n llusgo cesys o gwrw i mewn a'u pentyrru ar ganol y llawr. Aeth unrhyw un oedd yn gallu canu neu daro tonc ar y llwyfan. Dyna un o'r partïon gore a mwya digymell fu. Gwnaeth Hywel Gwynfryn druan ei ore glas i fod yn rhyw fath o lywydd, ond erbyn hynny roedd pawb yn chwil gaib ac yn mwynhau'u hunain ormod i falio 'run botwm corn am wedduster. Yn anffodus, ddigiodd Nick Golding, y gwas priodas, am fod pawb yn siarad Cymraeg ac fe yrrodd e bant wedi llyncu mul. Des i wybod yn nes ymlaen ei fod e'n ffansïo Tessa a'i fod e, yn ystod y neithior, wedi gofyn iddi fynd bant 'dag e. "Can't do that, Nick," medde Tessa. "I've only just got married, but I'll certainly keep the offer in mind!"

Yn ddiweddarach y noson honno, digwyddodd rhywbeth hyfryd. Roedd gweddillion y parti'n dal i yfed yn lolfa'r preswylwyr, ac roedd hi'n amser cau. Doedd dim estyniad 'da barre Bangor, a hanner awr wedi deg oedd amser cau bryd hynny. Roedd yr heddlu'n gadarn ar hyn, ac felly roedd y stryd gul gyferbyn â'r eglwys gadeiriol yn heigio o feddwon oedd moyn mwy o lysh, ond oedd wedi'u twlu mas o'r tafarne. Aeth hi'n sgarmes a sŵn gwydyr yn torri. Roedd yr heddlu'n colli rheolaeth ar y sefyllfa. Wrth i Heather, Tessa a finne wylio'r miri o ffenest lan llofft yn y gwesty, medde Heather, "Dere i ni fynd lawr i ganu iddyn nhw." Syniad gwych. I lawr â ni i'r dyrfa 'da'n gitare. Safon ni ar y wal isel sydd o gwmpas yr eglwys gadeiriol a chanu a chware i'r dyrfa am awr. Roedd hi'n anfarwol! Aeth y meddwon yn fud wrth i ni ganu, heb ddim meics a dim ond dau gitâr acwstig. Fe gafon ni gymeradwyaeth aruthrol a daeth pennaeth yr heddlu aton ni wedyn i ddiolch i ni.

Pan ddihunes i y bore wedyn yng ngwely George V, roedd Tessa yn ei dyble gan boen yn ei bola. Ffones i am ambiwlans, ac aethpwyd â hi i'r ysbyty. Roedd peritonitis arni hi a chafodd lawdriniaeth ar unweth. Erbyn hyn, roedd fy mam wedi gyrru gartre ar ôl y parti, felly ro'n i ar fy mhen fy hun 'da'r plant. Roedd yr Eisteddfotwyr wedi gadael y dre gan mwya ac roedd Bangor yn rhyfedd o dawel. Fe fydde'n rhaid i fi aros 'da'r plant nes bod Tessa'n ddigon da i deithio nôl i Carlisle. Ffones fy mam, a chytunodd hi i deithio 'nôl i Fangor i moyn y plant a mynd â nhw gartre i Solfach. Yn y cyfamser, symudes inne i stafell ratach yn un o randai'r gwesty.

Roedd y llawdriniaeth yn llwyddiant. Roedden ni wedi mynd â hi i'r ysbyty mewn union bryd cyn i'r gwenwyn gwaed gael amser i ledaenu. Fe'i rhyddhawyd hi o'r ysbyty cyn pen yr wthnos a daeth 'nôl i'r gwesty. Fydde hi ddim yn ddigon da i deithio am o leia wthnos eto, a dyna'n mis mêl gwylie haf ni'n draed moch. Roedd hi'n dal i fod mewn cryn dipyn o boen ac wedi cael papur doctor am boenladdwyr a thabledi cysgu. Gorffwysodd Tessa yn y gwesty am y rhan fwya o'r wthnos wedyn ac roedd hi i'w gweld yn gwella'n gloi. Ond un noson, fe ddihunes i tua hanner awr wedi tri. Roedden ni'n cysgu mewn pâr o welye ac roedd 'na diwb neon pŵl uwchben y basn molchi. Sylwes ar unweth fod gwely Tessa'n wag a'r cynfase a'r blancedi wedi'u twlu. Chwilies amdani a'i gweld yn sefyll â'i chefen ata i ar bwys y basn molchi, a'i gŵn nos amdani. "Are you OK?" medde fi'n dawel. Dim ateb, fel 'se hi heb glywed fy llais i. Wedyn, dyma fi'n clywed rhywbeth yn clecian a chodes o'r gwely i weld be oedd hi'n ei wneud. Sŵn y tabledi cysgu oedd y clecian, a hithe'n eu llyncu nhw fesul dyrned. Roedd y botel wag o boenladdwyr yn gorwedd yn y basn a'r botel dynnes i o'i llaw hi'n hanner gwag. Ro'n i'n synnu ei bod hi'n dal ar ei thraed. Gwnes iddi gerdded ar draws yr iard at y ffôn yn y cyntedd. Ro'n i wedi clywed bod yn rhaid i chi gadw pobol sydd wedi gorddosio ar ddi-hun ac yn symud. Felly tra oedd yr ambiwlans ar ei ffordd unweth eto, fe wnes iddi gerdded o gwmpas y gwesty gan weiddi yn ei chlust hi a'i hysgwyd hi. Erbyn i'r ambiwlans gyrraedd roedd hi'n llipa a bron â syrthio i gysgu.

Ro'n i wedi cael sgytwad difrifol unweth eto ac roedd y nyrsys yn yr ysbyty yn grac. Doedd 'da nhw ddim cynnig i bobol oedd yn gorddosio ar dabledi. Aethon nhw â hi bant yn gloi i bwmpio'i stumog a dweud wrtha i am ddod 'nôl yn y bore gan fod yn rhaid iddyn nhw 'i chadw hi i mewn dros nos i gadw llygad arni.

Drannoeth, dyma 'na ddyn pryderus iawn yn cyrraedd yr ysbyty. Roedd Tessa'n iste ar ei gwely yn llefen yn wyllt. Pan welodd hi fi, fe grefodd hi arna i i fynd â hi oddi yno. Roedd nyrs a meddyg tywyll ei groen yn gwneud eu gore glas i'w thawelu hi ond doedd dim yn tycio. Dwedodd y meddyg Pakistani wrtha i ei bod hi, yn ôl pob tebyg, yn diodde iselder ar ôl y llawdriniaeth a'u bod nhw'n dishgwl i seiciatrydd gyrraedd unrhyw funud. Ro'n i'n gwbod bod peryg iddyn nhw ddod i wbod am ei thriniaeth hi yn ysbytai meddwl Caerfyrddin a Garlands ac y bydde hynny'n golygu ei hanfon hi 'nôl i mewn. Felly fe drefnes iddi gael ei rhyddhau i 'ngofal i a thorri f'enw ar y ffurflenni fel y dylid.

Aethon ni 'nôl i'r gwesty mewn tacsi, ac fe'i rhois hi yn y gwely. Dechreuodd hi dawelu a chrefu am fy maddeuant i a diolch i mi am arbed ei bywyd hi! Gofynnes i pam roedd hi wedi llyncu'r holl dabledi 'na, ond doedd hi ddim yn gwbod nac yn cofio gwneud! Roedd fel 'se hi wedi bod yn cerdded yn ei chwsg neu mewn rhyw fath o lesmair. Drannoeth, daeth meddyg i'w harchwilio a dweud ei bod hi'n gwbwl ddianaf ac y câi'r pwythe o'r llawdriniaeth ar ei bola hi ddod mas cyn hir. Penderfynes i fynd â hi lawr i Gaerdydd lle gallai hi gael ei chefen ati yn y Sunbury.

Ffones fy mam a gofyn iddi hi gadw'r plant.

Pennod 19

Ar yr Aelwyd

Cafodd Tessa'i chefen ati'n gloi; un gorfforol gryf fu hi rioed yn sgil cael ei magu yn yr awyr iach a'i chariad oes at geffyle. Arhosodd y plant 'da mam yn Solfach ac aeth Tessa ar y trên i Carlisle i roi trefn ar ei phethe yno ac i hwylio ar gyfer mudo i Gaerdydd. Lloges inne fan fudo a gyrrwr, ac fe yrron ni lan i Carlisle i nôl Tessa a'i thrugaredde.

Roedd y tŷ yn Evansfield Road yn fach. Tŷ un-ffrynt 'da ffenest fae, a thair stafell a chegin gefn lawr llawr a gardd hir yn arwain at lôn gefn a'r orsaf reilffordd. Lan llofft, roedd 'na stafell fawr yn ffrynt y tŷ 'da gole da o ddwy ffenest fawr. Y tu cefn, yn arwain oddi ar landin hir, roedd dwy stafell wely eto a stafell molchi fach 'da thŷ bach. Roedd y cyntedd lawr llawr yn eitha hir yn arwain at y gegin, ac roedd 'na dŷ bach mas. Doedd y tŷ ddim wedi'i foderneiddio. Ddau neu dri drws lan, roedd 'na siope a siop gemist a siop fetio 'da banc Barclays gyferbyn a thafarn, y Railway Hotel, yn union dros y ffordd. Roedd e'n lle cyfleus, braf i fyw a dim ond gwaith chwarter awr ar y bws o'r dre – llai ar y trene oedd yn mynd bob hanner awr – ac fe allen ni gerdded i'r dre ar hyd llwybr halio ar bwys afon Taf, tro hardd i'w ryfeddu trwy gaeau Pontcanna a gerddi Sophia i galon y ddinas.

Cyrhaeddodd y celfi gyda hyn. Doedd dim llawer ta beth; dwi'n credu taw'r unig ddarn mawr oedd soffa leder hen fel pechod roedd Tessa'n gallu'i chofio ers bore'i hoes, roddodd rhieni Tessa i ni. Roedd Big John Tyler wedi cael ysgariad eto – am y milfed tro dyn a ŵyr – ac fe brynon ni welye ganddo fe a'i gyn-wraig oedd yn gweithio yn y BBC ac yn mynd i'r clwb yn rheolaidd.

Ar y llawr gwaelod roedd 'na ddau le tân – un yn y stafell ffrynt a'r llall yn y stafell fwyta; roedden ni'n dau'n dwlu ar dân agored. Daeth y plant lan o Solfach 'da fy mam oedd yn awyddus i weld ein hen dŷ newydd ni, oedd yn ole iawn ac yn cael digon o awyr iach. Ro'n i wrth fy modd. Es i ati i wneud bwrdd bwyd a dwy fainc; prynes i goed pin a chelfi a'u cwpla o fewn tridie. Gwnes i'r stafell ganol yn stydi a gweithdy yn un, ac roedd yno ddesg a recordydd tâp rholyn-i-rolyn a system stereo Akai. Roedd 'na grugyn o silffoedd llyfre yn y cilfache a ffenest Ffrengig yn arwain i'r ardd. Dyna'r cartre cynta i ni fyw ynddo fe ers y dyddie dedwydd yng Nghaerforiog.

Galwodd John Morgan draw a 'nghyflogi i i wneud cyfres arall o *John Morgan at 10.30* ar gyfer HTV. Ro'n i wedi gwneud un gyfres o'r blaen heb drafferth. Cyn hir, fe fydde Wizzy'n ddigon hen i fynd i'r ysgol; aeth hi i'r ysgol Gymraeg – un o'r rhai cynta yn ne Cymru, sef Ysgol Bryntaf yng Ngabalfa, dim o ffordd lawr yr hewl. Roedd popeth fel 'se'n dod i drefn yn ddeche.

Roedd hen gyfaill i fi, Charles Oliver Bethal – un o hen griw'r Moulders Arms – newydd ddod 'nôl wedi cyfnod hir yn Majorca lle bu'n rhedeg bar ymhlith pethe eraill 'da dau hipi o America – Charlie Sprague a Larry Tahune, o Maine a Boston, yn y drefn honno. Hanai'r ddau ohonyn nhw o deuluoedd cefnog iawn ond roedd eu ffordd o fyw a'u hymddygiad nhw wedi digio'u teuluoedd ac roedden nhw wedi cael eu hanfon i Ewrop ar lwfanse i ymbwyllo. Glasenw Sprague oedd 'Charlie the Whore' a 'Boracho' oedd Tahune, ar ôl y slang Sbaeneg am feddwyn. Roedd 'Charlie Puta' yn treulio'r rhan fwya o'i amser yn yr hwrdy uwchben un o'u hoff farre nhw yn Palma. Un tro, pan gyrhaeddodd eu lwfanse nhw, roedden nhw wedi mynd i gyment o ddyled yn y bar, medde Tahune, "Fuck me, that's heavy bread, how much is the bar worth?" Ceiniog a dime oedd hynny iddyn nhw, ac felly fe anfonodd Charlie – oedd hefyd wedi etifeddu arian mawr ar ôl marw'i dad – gartre am arian a daeth y bar bychan a'r hwrdy uwch ei ben e dan reolaeth newydd. Ond pharodd hyn fawr o dro; doedd 'da'r heddlu lleol fawr o feddwl o'u steil nhw ac yn y diwedd dyma nhw'n eu cau nhw lawr yn ffroen gwn a rhoi gorchymyn alltudio deuddeg awr. Daeth Charlie i Gaerdydd a phrynu clwb yn St Mary's Street o'r enw Les Connoisseurs. Yr enw cyffredin arno fe oedd 'Good-time Charlie's elephant's graveyard'.

Newydd agor oedd Canolfan Celfyddydau Chapter, mewn hen ysgol yn Nhreganna, a bydde'r holl ffrîcs, llawer ohonyn nhw'n hipis blewog, yn tyrru yno. Roedd tua phedwar neu bump o glybie gwerin yng Nghaerdydd hefyd a chlwb barddoniaeth roedd Pete Finch yn ei redeg o'r enw 'No Walls'. Roedd Caerdydd yn ferw gwyllt y dyddie hynny ond yn dal i fod yn hen ffasiwn ac wedi mynd â'i phen iddi, yn enwedig lawr yn y docie a'r ardaloedd ar ymylon canol y ddinas – hynny yw, Grangetown, Treganna, Adamsdown, Cathays a Rhâth. Doedd Caerdydd ddim wedi newid fawr erbyn dechre'r saith dege ac roedd hi'n debyg iawn i'r hyn ro'n i'n ei gofio o'm dyddie fel myfyriwr ryw ddegawd ynghynt. Roedd y farchnad awyr agored ar Mill Lane ar ei hanterth, ac felly hefyd y New Moon Club – y clwb R&B gore yng Nghymru, os nad ym Mhryden. Roedd 'The Moon' yn lle i'w gofio!

Daeth Bara Menyn – fi, Heather a Geraint – at ein gilydd unweth eto ar gyfer rhaglen deledu yn Nulyn. Hedon ni mas o faes awyr Caerdydd a, chyn pen dim, dyna lle roedden ni yn yr Abbey Guest House ar Mary Street, tu ôl i Swyddfa Bost O'Connell Street. The Chieftains oedd y band parhaol ar y rhaglen, ac un o'r rhaglenni 'cartrefol' hynny oedd hi, a'r set 'run peth â stafell de yng nghefen gwlad Lloegr 'da byrdde, celfi cegin fferm a llieinie bordydd *gingham* siec coch a gwyn.

Cwrddes i â chanwr baledi o'r enw Al O'Donnell oedd hefyd yn gweithio fel cynlluniwr i Telefis Eireann, ac aeth â fi i Slattery's Bar yn Cable Street lle roedd e'n canu ac yn chware'r gitâr mewn clwb gwerin mewn seler. Holes am y gerddoriaeth 'go-iawn' – hynny yw, cerddoriaeth Wyddelig draddodiadol, oedd yn gwbwl offerynnol – ar y pryd, a dwedodd y bydde'n 'nghyflwyno i gerddorion a fyddai'n mynd â fi i The Pipers' Club. Cymanfa gyfrin ydi hon o rai o ffidleried, pibyddion a chanwyr acordion gore Iwerddon ac, ar y pryd, fe gâi ei chynnal mewn adeilad oedd wedi lled fynd â'i ben iddo mewn gyli cul yng ngogledd Dulyn. Doedd dim croeso i gitare ar y pryd – roedden nhw'n cael eu hystyried yn anhraddodiadol a doedd dim lle iddyn nhw mewn canu gwerin Gwyddelig go iawn. Ro'n i'n ddigon pwyllog i adael f'un i yn y gwesty. Doedd dim alcohol yno chwaith, ac felly eisteddes i ar focs ar bwys tanllwyth o dân coed yn gwrando ar wahanol ffidleried tra oedd grŵp o tua phymtheg neu ugen o chwaraewyr offerynne o bob lliw a llun yn stribedu jigs a rîls drwy'r nos. Roedd y bobol aeth â fi yno mewn Morris Minor du i gyd yn cario bocsys du cyfrin (ag offerynne cerdd ynddyn nhw). Fe ddiflannon nhw i gyd i'r stafell *ceilidh* a mas â fi gyda'r wawr heb y syniad lleia lle ro'n i. Dim ond dau berson dwi wedi cwrdd â nhw erioed sydd wedi bod yn y Pipers' Club a hwythe ddim yn Wyddelod.

Toc wedi'r daith i Ddulyn, fe ges i wahoddiad i chware yn Voss, cyrchfan sgïo yn Norwy. Roedd hyn yn golygu hwylio o Newcastle i Bergen, lle cwrddes i â'r trefnydd – boi ifanc o'r enw Arild Vernasse – ac fe deithion ni ar y trên i'r mynydde. Mis Mawrth oedd hi, roedd hi'n dywydd mawr, a'r mynydde'n uchel, y llynnoedd yn anferth, a llond gwlad o eira. Mewn clwb jazz roedd y gig ond, yn y pen draw, chware yn nhai pobol oedd fy hanes i trwy gydol yr amser. Roedd pobol Norwy'n frwdfrydig iawn dros y byd mawr; doedd fawr ddim i'w weld yn digwydd yn Voss, a'r tywydd mor ddychrynllyd fel nad oedd neb yn sgïo hyd yn oed.

Hedes i gartre ar ôl tridie gan 'mod i wedi dechre gwneud y gyfres *John Morgan at 10.30* unweth eto. Cychwynnodd yr awyren o faes awyr Bergen, sydd yng nghanol mynydde uchel digon i godi gwallt eich pen chi, ac wedyn glanio yn Stavenger lle roedd rhaid i ni newid awyrenne a lle cawson ni wahoddiad i'r cwt nwydde di-doll. Prynes i siampên a photel o wisgi Old Crow i John Morgan, a jyrsi Norwyaidd hardd o wead llaw i fi'n hunan. 'Nôl yn Lloegr, cwrddes i ag Endaf Emlyn oedd yn gweithio fel cyflwynydd ar y pryd. Ro'n i'n rhuthro trwy orsaf Paddington a dyna

O flaen tafarn y Cambrian yn Solfach, 1972

Fi, Tessa a Bethan yn Evansfield Road, Caerdydd yn 1972

lle roedd e, ac fe deithion ni 'da'n gilydd i Gaerdydd, lle roedd car yn aros i fynd â fi i stiwdio HTV. Cyrhaeddes i o fewn trwch blewyn.

Dyna'r gynta o ddwy daith i Norwy. Gwylie gweithio oedd yr ail, a ches i wahoddiad i fynd â Tessa a'r crotesi. Arhoson ni mewn caban sgïo yn uchel yn y mynydde, ond, unweth eto, fe wnaeth hi dywydd mawr a dwi heb eto gael y cyfle i sgïo i lawr mynydd yn Norwy!

Yn ôl yng Nghaerdydd, roedd canolfan farchogaeth wedi agor ar bwys stiwdios HTV ym Mhontcanna. Fe ymunon ni a bydden ni'n mynd am dro ar gefen ceffyl yno ddwyweth yr wythnos. Roedd Tessa i'w gweld yn normal a doedd dim arwydd y bydde hi'n colli arni eto. Fel y sonies eisoes, roedd hi'n giamster 'da pheiriant gwnïo ac yn gynlluniwr dillad tan gamp. Fe glywon ni fod meistres y gwisgoedd – y ddiweddar Dorothy Hodge – angen cynorthwy-ydd arall, ac fe gafodd Tessa'r swydd. Roedd popeth i'w weld yn iawn. Roedd y ddwy ferch yn Ysgol Bryntaf erbyn hyn a'r tŷ'n gysurus ac wedi'i ddodrefnu'n dda. Roedd Tessa a finne'n dal i fod yn llysieuwyr mwy neu lai ac roedd blodfresych 'da chaws yn un o'n hoff fwydydd ni. Fe brynon ni feics a bydden ni'n mynd ar eu cefne nhw lawr llwybr halio'r afon Taf i'r stiwdios ym Mhontcanna.

Fe fydden ni'n yfed yn yr Old Arcade a'r Horse and Groom yn Womanby Street, oedd yn dafarn Wyddelig ar y pryd a ffrind i mi'n ei rhedeg – Vaughne Davies, oedd yn gamblwr o fri. A dweud y gwir, roedd hi fel 'se pob copa walltog yn y dafarn honno yn dipyn o gamblwr, ac roedd 'na siop fetio'n union gyferbyn. Byddai Charlie Bethal yn mynd trwy'i bethe yn yr Horse and Groom wedi noson yn ei glwb Les Connoisseurs. Roedd 'na lawer o yfed trwm a bydde'r rhan fwya o bobol clwb y BBC hefyd yn mynd i glwb Charlie ar ôl i'r bar gau. Roedd clwb Charlie ar agor tan ddau o'r gloch y bore. Fe gaech chi wneud fel fynnech chi yno, a bydde Charlie'n cyflogi stripwyr drwy asiantaeth ym Mryste. Dechreuodd yr hipis fynychu'r lle hefyd ac roedd y lle'n heigio o gyffurie.

Roedd tafarn y Conway ym Mhontcanna yn fan cyfarfod arall. Bydde pŵer o Gymry Cymraeg yn mynd yno, a thipyn go lew o bobol y cyfrynge, beirdd ac artistied. Roedd Conway Road wedi mynd â'i phen iddi yr adeg honno, gyda llawer o'r tai mwy wedi'u hailwampio'n stafelloedd byw a chysgu a chymuned o frodorion Caerdydd yn byw yn y tai llai. Fe welech chi blant yn chware pêl neu'n sgipio yn y stryd ac roedd awyrgylch naturiol a chartrefol yno. Ar un adeg, perllan Marcwis Bute oedd yr ardal yna o gwmpas tafarn y Conway; dyna pam fod cymaint o hen goed ffrwythe'n tyfu yn y gerddi. Mae'r rhan fwya wedi mynd nawr wrth i'r ardal gael ei gorddatblygu. Mae ambell i ffrind 'da fi sy'n byw yno o hyd, a bellach mae hi'n faestref ar frig y farchnad.

Ar daith i Lunden cafodd Wizzy fochyn cwta. Tra o'n i yn swyddfa Warner Brothers yn New Oxford Street, aeth Tessa, Wizzy a Bethan 'da hen ffrind coleg i fi, Angela Morgan, i ffair ysgol yn Hampstead. A 'nôl â nhw 'da mochyn cwta mawr blewog mewn bocs pren. Wythnos wedyn, 'nôl yng Nghaerdydd, dyma Louli, fel roedd Wizzy'n ei galw hi, yn geni chwe mochyn cwta arall. Daliodd hyn i ddigwydd am rai blynydde a minne'n gorfod mynd â nhw lawr i'r stondin anifeilied yn y farchnad ganol lle caen nhw'u gwerthu i gaethwasiaeth am hanner coron yr un. Mae Wizzy'n dwlu ar anifeiliaid erioed – yn enwedig ceffyle. Y dyddie 'ma mae hi'n bridio merlod sioe, yn ogystal â chŵn Weimaraner.

Penderfynes i recordio f'albwm cynta o ganeuon newydd. Cadwes i amser stiwdio yn Central Sound a chael gafael ar ddau gerddor trwy Peter Swales, oedd yn dal i weithio yn swyddfa'r Rolling Stones yn Maddox Street. Graham Smith oedd enw'r drymiwr a Paul Martinez oedd ar y bas. Canodd Pete y llif cerddorol ar un trac, a recordiwyd yr albwm drwyddo mewn deuddydd. *Gwymon* oedd ei enw ac roedd un o'r caneuon, 'Merch o'r Ffatri Wlân', yn gân a sgrifennais i yn Saesneg ar gyfer rhaglen John Morgan. Tua'r adeg yma y dechreues i arbrofi 'da chaneuon, a'u trosi nhw o Saesneg i Gymraeg a'r ffordd arall. Roedd hon yn adeg doreithiog iawn i mi o ran cyfansoddi caneuon. Sgrifennes i farwnad hefyd i fy Wncwl Syd oedd yn gweithio fel saer yn Eglwys Gadeiriol Tyddewi.

Roedd Tom Davies, newyddiadurwr fu'n gweithio ar *The Times* a'r

Observer, wedi dod 'nôl i fyw yng Nghaerdydd. Roedd e newydd lofnodi cytundeb i sgrifennu nofele 'da tŷ cyhoeddi mawr, ac roedd 'da fe 'i raglen gelfyddyde wthnosol ei hun ar HTV – *Nails*. Comisiynwyd y gerdd farwnad hir sgrifennes i i Wncwl Syd gan gynhyrchydd y rhaglen – neb llai na fy hen ffrind, Gareth Wyn Jones. 'The Dewsland Rake' oedd enw'r darn. Bydde John Tripp, bardd o Gaerdydd ac aelod o'r Academi Gymreig, oedd yn un o'm ffrindie ar y pryd ac yn yfwr ac yn chwedleuwr o fri, hefyd yn cyfrannu i'r rhaglen.

Roedd y diweddar Ray Smith, yr actor, oedd yn byw yn Ninas Powys, hefyd yn aelod o'n clwb yfed ni. Yn Llunden roedd e'n gweithio gan mwya, a bydde fe'n mynd ar daith yn aml 'da gwahanol gwmnïe theatr. Fe weles i fe unweth yn chware Henry II 'da Iona Banks fel y frenhines, yn Theatr y Grand yn Abertawe. Roedd Ray yn actor dawnus iawn ac roedd llais anhygoel 'da fe, yn debyg iawn i Richard Burton.

Roedd Rhydderch Jones wedi prynu tŷ yn Heol Hir, Llanisien, oedd wastad yn llawn actorion o ogledd Cymru oedd wedi cyrraedd Caerdydd yn un haid i chwilio am glod a golud ar y teledu. Rhydderch oedd un o aelode mwya blaenllaw'r clwb slochian, oedd yn symud rhwng clwb y BBC, yr Horse and Groom, y Conway, Clwb Charlie a chlybie Cyril Clark yn y docie. Yn eitha aml, ac yn enwedig ar ôl rhaglen, fe fydde Rhydd yn gwahodd pawb 'nôl i'w dŷ yn Heol Hir am bartïon ffwrdd-â-hi lle bydde'n rhaid i bawb wneud ei bwt, drwy ganu cân neu falle darllen cerdd neu adrodd stori. Roedd y lle'n ferw creadigol, wedi'i fegino gan mwya gan alwyni o lysh a chyrri Vindaloo! Dyddie difyr.

Gorffennwyd albwm *Gwymon* a'i ryddhau ar label Dryw ac fe ddaeth e'n enwog iawn. Cerddoriaeth ddawns oedd amryw o'r tracie ac roedden nhw'n gaffaeliad mawr i Rhydderch oedd, fel cynhyrchydd *Disc a Dawn*, wedi newid fformat y sioe i'w gwneud hi'n debycach i *Top of the Pops*. Fel sonies i eisoes, roedd 'da fe chwilen yn ei ben am gael merched i ddawnso mewn sgyrts mini. Fel roedd hi'n digwydd, *Gwymon* fydde'r albwm ola i mi 'i recordio am rai blynydde. Roedd newid mawr ar y gorwel, yn ddiarwybod i mi – chredech chi fyth!

Ar y llawr cynta, uwchben ac ar ochor dde Arcêd y Castell yn High Street, y swatiai Les Connoisseurs – neu Clwb Charlie, fel roedden ni'n ei alw fe. Roedd drws ar ben y stâr ar y chwith yn agor i gyntedd bach, ac wedyn drws brethyn coch tywyll yn arwain i'r clwb – un stafell fawr 'da bar hir ar y dde a phwt o lawr dawns bach pren. Yn edrych dros y stryd roedd 'na ffenestri mawr oedd wastad wedi'u cuddio gan lenni melfed coch tywyll hyd at y llawr. Roedd y carped yr un lliw a'r lle'n dywyll 'da gole pŵl. Roedd 'na stafell ochor, oedd yn wreiddiol yn stafell wisgo ar gyfer y stripwyr, ond a oedd bellach yn llawn fflwcs. Chwaraewr recordie dau ddec oedd yn cyflenwi'r gerddoriaeth. Bydde Clwb Charlie ar agor o ganol dydd tan dri, ac o ddeg y nos tan ddau o'r gloch y bore, neu nes bod y meddwon ola'n gadael. Yn y pnawn, roedd Charlie'n cynnig cino dynion busnes – stêc neu leden a sglodion – a bydde'r stripwyr yn perfformio tra oedd y cwsmeried yn bwyta. Mynychai llawer o griw yfed canol y ddinas y lle hefyd.

Gyda'r nos, roedd hi'n wahanol; fe gaech chi wneud fel mynnech chi a châi pwy bynnag fynnai fynd yno. O ganlyniad, criw cymysg oedd cwsmeried Charlie – yn hipis, dynion busnes, newyddiadurwyr, pobol teledu, actorion, beirdd, artistied a phuteinied. Doedd dim rheole gwerth sôn amdanyn nhw, doedd hi ddim fel 'se neb yn cadw llygad ar ymddygiad pobol, ac roedd 'na ambell i finotor yn llechu o gwmpas y cilfache tywyll a llychlyd. Roedd Clwb Charlie'n fy llygad-dynnu i'n arw, a ddylswn i ddim fod wedi treulio cyment o amser na gwario cyment o arian yno – fe aethai'n gast drwg.

Roedd ymddygiad Tessa yn ystod y cyfnod yma yn normal – neu felly ro'n i'n credu – ac roedd hi'n cael hwyl ar ei swydd fel gwisgwr yn HTV. Bydde hi'n mynd ar leoliad yn eitha aml, yn gweithio fel gwisgwr wardrob ar ddramâu teledu. A dyna pryd y cychwynnodd y newidiade eto, ac mae'n rhaid taw dyna pryd y cychwynnodd yr hel dynion. Tanosodiad, a dweud y lleia, yw dweud bod 'na lawer o gyboli ymhlith pobol deledu!

Ffilmio ar gyfer John Morgan at 10.30 *yn 1972*

Ffilmio ar y gribyn yn Solfach ar gyfer rhaglen ddogfen adeg eisteddfod Hwlffordd, 1972

Roedd Tessa wedi mynd i ogledd Cymru tra oedd hi'n gweithio ar un o'r operâu sebon ac roedd y criw'n aros mewn gwesty braf yn Amwythig ro'n i'n eitha cyfarwydd ag e. Gan ei bod hi'n cael ei phen-blwydd hi un diwrnod yn ystod y ffilmio penderfynes i daro i'w gweld hi, mynd â hi am gino a rhoi blode ac anrheg iddi. "What the fuck are you doing here?" dig oedd y croeso ges i. Ro'n i'n nabod y gwallgofrwydd yn ei hwyneb hi, ond arhoses i am ginio, a dyn mewn cryn benbleth a phryder ddaliodd y trên ola 'nôl i Gaerdydd. Roedd hi'n amlwg yng nghanol carwriaeth arall.

O'r adeg honno mlaen, aeth bywyd yn Evansfield Road o ddrwg i waeth. Bydde Tessa bant yn aml a minne'n gorfod treulio mwy a mwy o amser yn gofalu am y plant. Yn amlach na heb, os oedd Tessa a fi mas yng Nghlwb Charlie neu'n rhywle arall yn ystod yr orie mân, fe fydde hi'n pallu dod sha thre 'da fi ac yn codi twrw os o'n i'n gwrthwynebu. Roedd hi'n gallu codi twrw i ryfeddu o grotes bum troedfedd a sgidie seis tri am ei thraed! Mynd sha thre i 'ngwely byddwn i, ac ambell waith, ddôi hi ddim gartre tan bedwar neu bump o'r gloch y bore – ddim o gwbwl weithie. Fe wyddwn i na fydde hi fawr o dro'n colli arni dan y math hyn o bwyse. A dyna fu wrth gwrs.

Roedd hon yn sefyllfa beryglus i'r ddau ohonon ni o ran gwaith. Wn i ddim hyd heddiw pwy oedd ei chariadon hi; y cwbwl wn i yw taw pobol deledu oedden nhw – pobl HTV yn ôl pob tebyg, a'r rhan fwya ohonyn nhw'n ddynion priod. Roedd mwy nag un dyn yn bendant yn rhan o'r hwyl a'r sbri – tri neu bedwar, mae'n debyg. Beth oedd yn fy mecso i oedd bod byd teledu'n fyd milain; mae'r rheini sy'n siglo'r bad dan wg a dydyn nhw'n para fawr o dro. Roedd cael artist adnabyddus fel ro'n i ar y pryd yn crwydro o gwmpas yn gofyn cwestiyne annifyr wrth drial cael hyd i'w wraig yn beth annifyr i'r rheolwyr ymhlith eraill, a, chyn bo hir, fe gafodd Tessa flaen esgid. Doedd Dorothy Hodges – meistres y gwisgoedd, oedd yn un o fy ffrindie gore i – ddim moyn colli Tessa, ond fe wyddai hi fel hen law ym myd teledu y byddwn i'n deall. Wyddai neb o'r bobol yn HTV fod Tessa'n sgitsoffrenig cronig ardystiedig, neu fydde hi byth wedi cael y swydd yn y lle cynta. Y cwbwl gallwn i ei wneud oedd aros am yr hyn oedd yn anochel. Allwn i wneud dim dros y leming 'ma oedd yn rhuthro am y clogwyn uchel. Roedd fy ngwaith inne'n diodde, ac, ym myd teledu, mae 'na gwt hir o bobol wastad yn aros eu cyfle i gamu i le rhywun arall os ydyn nhw'n credu na fydd hi ddim gwaeth arnyn nhw!

Doedd y ffaith ei bod hi wedi cael blaen esgid o'i swydd yn newid dim ar ffordd Tessa o fyw. Roedd hi'n dal i fynd i yfed a hel clybie 'da bois y byd adloniant. Tua'r adeg 'ma y cefais fy nghyflwyno i ferch ifanc y dwedodd hi oedd yn dod i fyw yn ein stafell sbâr ni, ac a fydde'n rhoi help llaw 'da'r plant – yn gwarchod ac yn y blaen. Yn ymarferol, fe olygai hyn y galle Tessa ddiflannu'n amlach ac am gyfnode hirach, a dyna'n union ddigwyddodd. Wyddwn i ddim lle roedd hi hanner yr amser a bydde'r ferch hon yn tin-droi o gwmpas y tŷ yn yfed coffi ac yn chware recordie. Wedyn, fe fydde'r 'warchodwraig' a Tessa'n diflannu 'da'i gilydd a 'ngadael i ar fy mhen fy hun 'da'r plant. Roedd hyn yn effeithio nid yn unig ar fy mywyd cymdeithasol i, ond hefyd ar fy ngwaith, fy sgrifennu, fy mheintio a 'nghyfansoddi.

Un nos Sul, cyhoeddodd Tessa eu bod nhw'n mynd i'r clwb gwerin yng Nghanolfan Celfyddydau'r Chapter yn Nhreganna ac y bydde'n rhaid i mi warchod. Roedd Tessa a'r ferch bellach yn rhyw fath o 'eitem', neu felly roedd hi'n ymddangos i mi. Dwi ddim yn credu 'u bod nhw'n lesbiaid; roedd mwy o ddiddordeb 'da nhw mewn bachu dynion. Roedd y ferch yn dipyn o gantores werin amatur a llais dymunol 'da hi heb fod yn annhebyg i un Joan Baez. Roedd 'na lwyth o Joanies a Bobbies ar hyd y lle y dyddie hynny. Ro'n i'n plygu i'r drefn hurt hon, wedi blino, yn grac ac yn rhwystredig drwy'r amser.

Cyrhaeddodd Pat gartre'n hwyr, heb Tessa, a cholles i fy limpyn y noson honno. Roedd hyn yn mynd mlaen ers dros flwyddyn ac ro'n i wedi hen ddanto. O'i hanfodd, dwedodd y ferch wrtha i lle roedd Tessa – roedd hi wedi mynd gartre 'da myfyriwr ifanc oedd yn canu yn y clwb gwerin. Llwyddes i gael y cyfeiriad o groen y ferch a lawr â fi mewn tacsi gan ddweud wrth y gyrrwr tacsi oedd yn fy nabod i fod rhywbeth rhyfedd ar fin digwydd!

Yn Kings Road yn Nhreganna roedd y tŷ, a dwedes i wrth y gyrrwr am aros amdana i, cyn i mi dorri i mewn trwy chwalu ffenest yn rhacs jibidêrs. Es i lan i ben yr ail stâr lle roedd stafell y myfyriwr, agor y drws a chynne'r gole. A dyna Tessa a Romeo yn noethlymun yn y gwely. Llamodd Tessa ata i gan sgrechen a phoeri, a thrial gwneud cyment o niwed ag y galle hi. Ond fe'i tafles i hi o'r neilltu a chydio yn y crwt, oedd wedi dychryn drwyddo, gerfydd ei wddw. Roedd Tessa ar fy nghefn i erbyn hyn, yn brathu ac yn pwno. Gallaswn i'n rhwydd fod wedi taflu'r myfyriwr trwy ffenest y llawr ucha, oedd ar agor led y pen, ond, yn lle hynny, tafles i e 'nôl ar y gwely, gafael yn Tessa a'i rhoi hi dros f'ysgwydd a chythru lawr y stâr. Roedd hi'n cadw sŵn ac yn dihuno pobol. Beth welodd y gyrrwr tacsi, oedd yn gwenu o glust i glust, ond dyn dig yn cario menyw ddicach fyth, a honno'n borcyn, dros ei ysgwydd. Agorodd e'r drws a thafles i hi'n grwn i gefen y tacsi. "Home, James," meddwn i, a ngwynt yn fy nwrn, yn dal i drial ffrwyno 'ngwraig dafotrwg, a honno'n brathu ac yn poeri!

Pan gyrhaeddon ni gartre, es i'n syth i'r gwely gan adael Tessa a'r lojer yn y lolfa. Rhaid 'mod i wedi cysgu fel twrch; roedd cael gwared â'r holl rwystredigaeth a thyndra heb ladd na niweidio neb yn ddifrifol yn teimlo'n grêt ac yn werth chweil. Ond pan ddihunes i, ro'n i'n bwldagu 'da'r mwg oedd yn llenwi'r stafell wely. Roedd Tessa wedi rhoi'r dillad gwely ar dân tra o'n i'n cysgu. Lwc mwnci oedd i mi lamu mas mewn pryd i ddiffodd y tân. Roedd y gwallgofrwydd yn ei ôl. Gadawodd y lojer ar frys, ac roedd pethe'n edrych yn ddu. Y bore hwnnw, ffonies i fy mam a mynd â'r plant lawr i Solfach.

⋆ ⋆ ⋆

Ar y pryd, ro'n i'n gweithio ar gyfres ddrama hanesyddol – rhyw fath o gyfres antur debyg i *Robin Hood* roedd Patrick Dromgoole yn ei chynhyrchu ar gyfer HTV; *Arthur of the Britains* oedd ei henw hi ac roedd hi'n cael ei ffilmio yng Ngwlad yr Haf. Codwyd set arbennig ym mherfeddion coedwig yn ne-orllewin Lloegr, ar ffurf pentre o Oes yr Haearn, 'da chytie to gwellt a phalis polion pren o'u cwmpas, yn debyg i bentre go iawn. Y Celtied yn erbyn y Sacsonied a'r Norsmyn oedd byrdwn y peth, ac roedd 'na gryn dipyn o actorion enwog yn cymryd rhan – Brian Blessed, Hillary Dwyer, Oliver Tobias ac eraill. Dyna'r tro cynta i mi actio mewn cyfres ddrama deledu. Roedd llinelle 'da fi hyd yn oed. Ro'n i'n cael blas ar wisgo lan fel rhyfelwr Celtaidd a bod yn gerddor llys y Brenin Arthur. Fe ges i hefyd fy nghomisiynu i gynllunio a saernïo offeryn cyn-hanesyddol â thanne, wedi'i seilio ar y crwth Cymreig. Cadwodd y gyfres fi'n brysur ac oddi cartre'r rhan fwya o'r wthnos; ond roedd y cyflog yn dda a'r bilie'n cael eu talu. Roedden ni i gyd yn aros mewn gwesty crand ym Mryste o'r enw The Unicorn. Serch hynny, ro'n i'n ei chael hi'n anodd canolbwyntio; roedd y ddrama ar yr aelwyd gartre'n mynd â fy meddwl i, a dweud y lleia.

Roedd Hillary Dwyer yn gampus ac yn galondid mawr i mi. Newydd wahanu 'da'i gŵr oedd hi, ac roedden ni'n gallu rhannu profiade yng nghornel cae soeglyd yng Ngwlad yr Haf tra o'n i'n rhoi gwersi canu iddi. Fe wnaethon ni gryn dipyn o slochian hefyd – boddi'n gofidie, ddwedwn ni. Roedd hi'n groten wych ac yn actores ddisglair.

Un noson, ro'n i wedi danto yn y gwesty ac felly es i mewn tacsi trwy genlli o law i Glwb Charlie yng Nghaerdydd. Pan gerddes i drwy'r drws, roedd 'na drais torfol wrthi'n digwydd, yn cynnwys Gwyddeles bryd tywyll eitha pert oedd yn gorwedd ar ganol y llawr dawns, a beirdd, actorion a bois BBC eitha adnabyddus yn ymosod arni. Roedd Charlie'n meddwl ei fod e'n hwyl fawr o ddiogelwch ei gadarnle tu ôl i'r bar. Eisteddes inne ar stôl wrth y bar, a 'nghefen at y cywestach, gan yfed potel neu ddwy o gwrw Almaenig tra oedd gwesteion Charlie'n eu diffygio'u hunain yn Iwerddon.

Es i gartre i dŷ gwag. O leia roedd y plant yn ddiogel yn Solfach –

Ffilmio eto ar gyfer John Morgan at 10.30

fydde Tessa ddim yn ffwlffachan 'da fy mam; roedd arni ofn Bet trwy'i thin a mas am ryw reswm. Y bore wedyn, es i'r Horse and Groom lle roedd y trais torfol yn destun sgwrs mawr ymhlith y slotwyr a'r gamblwyr. Yn sydyn, agorodd y drws, ac i mewn â'r Wyddeles bert oedd wedi'u diddanu nhw mor ddifyr y noson cynt. Roedd siwt felfed werdd smart amdani, a sane gwyrdd main a sgidie sodle uchel lleder gwyrdd. Aeth y stafell yn annifyr o dawel a'r ferch yn mynd o'r naill ddyn at y nesa yn gofyn yn dawel i bob un ohonyn nhw am Jameson's mawr. Roedd hi'n hollol swrrealaidd. Wrthododd neb mohoni, ac, ymhen tipyn, mas â hi trwy'r drws â gwên fach ddireidus ar ei hwyneb. Roedd y math hyn o remp yn beth digon cyffredin yng Nghlwb Charlie. Serch taw dyn syber oedd Charlie, wedi cael addysg dda, canolwr rygbi aflednais oedd e yn y bôn. Roedd ei anrhydedd, ei onestrwydd a'i hygrededd e fel dyn busnes a pherchennog clwb yn amheus, a dweud y lleia.

Erbyn hyn, roedd y seiciatryddion ar wartha Tessa, oedd wedi ystyried, o drobwll ei gwallgofrwydd rywfodd, taw'r rheitiaf peth fydde mynd i ysbyty meddwl yr Eglwys Newydd ohoni'i hun. Tafliad carreg oedd e o'n cartre ni yn Evansfield Road. Yn Solfach roedd y crotesi o hyd, ac roedd y tŷ wedi mynd yn llety dros dro i rai o'r dihirod digartre o Glwb Charlie. Roedd Larry Tahune, un o fêts Charlie o Majorca, yno; Charlie Sprague, oedd yn dawel ond yn beryglus; Roger, gyrrwr Charlie (y 'Minister of Transport'); a Tom, dyn o'i go, oedd yn defnyddio'r lle fel estyniad o Glwb Charlie, y siop fetio a'r Horse and Groom. Am wn i bod yn rhaid iddyn nhw fyw yn rhywle. Byddai gwehilion bohemaidd rhyngwladol, drygis, alcoholics, pimps, puteinied, pyrfyrts a phrydyddion i gyd yn dod i ben eu taith yn Evansfield Road fel roedd gweddillion fy mywyd teuluol inne'n syrthio am fy mhen i fel lludw Dresden. Seinie cwadroffonig ym mhob stafell, merched tinboeth porcyn yn prancio ym mhob man, *ponchos* o Fecsico, bŵts o Texas, peote, asid, amyl nitrad, *speed*, sacheidie o fariwana a channoedd o alwyni o win, rym, wisgi a jin.

Daeth Tessa mas o'r ysbyty mewn beth oedd yn teimlo fel blynydde, ond yn ddim ond ryw dri neu bedwar mis, mewn gwirionedd. Ro'n i wedi bod yn mynd i sesiyne therapi grŵp yn yr ysbyty oedd yn golygu bod y seiciatrydd, y claf (Tessa) a finne mewn stafell yn sôn am 'Y broblem'. Roedd Tessa 'nôl ar foddion trwm unweth eto. Dwedodd y meddyg eu bod nhw'n gwneud eu gore i gael hyd i gyffur fydde'n ei sadio hi; dwedes i wrthyn nhw nad alcohol oedd e'n sicr, er bod hynny'n gwneud y tro i mi fel arfer!

Doedd hyn yn dda i ddim i neb. O leia roedd Tessa'n ddiogel yn yr Eglwys Newydd, a'r plant yn ddiogel 'da fy mam yn Solfach, ac ro'n inne'n weddol ddiogel cyn belled â bod Tessa dan glo a chyn belled â 'mod i'n trial anwybyddu'r parti oedd ar fynd o fore gwyn tan nos yn fy nhŷ i! Ro'n i'n wan iawn, yn ddryslyd ac yn agored i niwed. Roedd yn rhaid i mi gael ffordd mas o'r cawl gythrel hyn! Beth allwn i ei wneud dan yr amgylchiade gwallgo hyn? Doedd diawl o bwys gan neb; ro'n i yng nghanol ynfytion – neu felly roedd hi'n ymddangos. Tybed o'n inne'n gwallgofi??

Pennod 20

Achub Capten y Mary Celeste

Es i weld y meddyg yn Heol yr Eglwys, yr Eglwys Newydd – yr un a anfonodd Tessa i'r ysbyty meddwl, ac a oedd yn feddyg teulu arnon ni hefyd fel roedd hi'n digwydd. Ces i sgwrs eitha hir 'da fe y bore hwnnw a dweud wrtho fe fod arna i ofn 'mod i'n colli arni, bod fy nerfe wedi'u dryllio ac yn y blaen. Gofynnodd oedd llawer o ffrindie 'da fi, a dwedes i fod, ond nad oedden nhw'n galw draw yn amal iawn bellach oherwydd yr holl helyntion. Doedd e ddim moyn rhoi papur i mi am valium a dwedodd taw'r peth doetha fydde mynd mas 'da ffrindie am beint. Sonies i ddim wrtho fe am Glwb Charlie a'r Horse and Groom, nac am yr ynfytion yn fy nhŷ i. Ond, ar y pryd (a hithe'n haf), roedden nhw wedi penderfynu ymfudo i froydd brafiach yn ne Sbaen, ac roedd y tŷ'n wag heblaw amdana i; roedd y systeme sain cwadroffonig yn fud.

Ro'n i'n dal i fynd i'r ysbyty'n rheolaidd, a dwedodd y seiciatrydd wrtha i y bydde Tessa wedi sadio digon i ddod sha thre dros y Sul cyn hir. A hithe ar un o'r ymweliade hyn, fe ddihunes i eto un bore a'i chael hi'n anodd anadlu. Unweth eto, roedd y stafell wely'n llawn mwg du a Tessa wedi cynne coelcerth ar ganol y llawr. Roedd hi wedi dechre bwrw trwyddi y noson honno – hysteria, gweiddi gwyllt, bygwth trais ac yn y blaen. Mynd i'r gwely wnes i, ar ôl ffaelu dod i gysylltiad â'r meddyg, a dihuno i gael y tŷ ar dân. Des i wybod yn ddiweddarach ei bod hi wedi casglu fy hoff ddillad i – fy hat a 'mŵts i a'r jyrsi a brynes i yn Norwy – a, thrwy gymorth pethe eraill hawdd eu llosgi, fel *eau de Cologne* a phersawr, llwyddodd i gynne tân. Es i draw i'r blwch ffôn ar bwys y Railway Hotel a ffonio'r frigâd dân gynta, wedyn y meddyg. Erbyn i mi fynd nôl i'r tŷ, roedd un o'n cymdogion ni'n trial diffodd y fflame 'da bwcedeidie o ddŵr, tra oedd Tessa'n sgrechen ac yn rhafro ac yn chwerthin yn hysteraidd ar ben y stâr. Cyrhaeddodd y meddyg a'r dynion tân bron yr un pryd a thra oedd y meddyg yn certio Tessa, oedd yn dal i rafro, lan yr hewl i'r ysbyty yn ei Triumph Spitfire coch, dyma'r dynion tân – dynion mawr trwm mewn dillad trwsgwl – yn ymosod ar y fflame. Roedd y stafell wely a phen y stâr wedi'u dinistrio'n gyfan gwbwl. A finne hefyd.

Rhaid 'mod i wedi gorwedd ar y carped brethyn gwyrdd yn y stafell ffrynt lawr llawr – lle roedd Nansi Richards, telynores Maldwyn, a'i ffrind Edith Evans, telynores Eryri, wedi chware 'da'r plant mewn dyddie mwy heddychlon – am wthnos neu falle bythefnos. Ro'n i wedi colli golwg ar amser, a'r cwbwl dwi'n ei gofio yw hwntro i'r gegin gefen o bryd i'w gilydd am ddiod o ddŵr ac i'r tŷ bach am bisiad. Doedd 'da fi ddim cof pryd ro'n i wedi byta ddwetha ta beth; doedd dim bwyd yn y tŷ ers ache, a do'n i ddim ffit i fynd i siopa. Roedd y ffôn, y nwy a'r trydan wedi'u diffodd a'u datgysylltu, allwn i ddim dweud ers pryd. Un diwrnod, fe orweddes i ar lawr, a dyna ni. Roedd y llawr cynta wedi'i ddinistrio. Allwn i ddim dod at fy nghoed. Doedd dim ots am ddim bellach; roedd plymio'n sydyn i'r tywyllwch wedi fy llorio i. Doedd dim dydd na nos, dim gole yn fy mywyd i; ro'n i wedi cwympo i bydew tywyll, dwfwn ac yn ffaelu'n deg â dringo mas i'r gole. Bob hyn a hyn, fe glywn i'r twll llythyre'n clepian ond ro'n i'n ffaelu ymateb. Chlywes i mo gnocer y drws – llong hwylie bres ro'n i wedi'i gosod pan symudon ni i'r tŷ – yn curo. Yn ddiweddarach, dwedodd rhai o'm ffrindie eu bod nhw wedi galw draw, ond heb gael ateb er iddyn nhw guro dro ar ôl tro, ac wedi iddyn nhw weld bod y tŷ'n dywyll y tu ôl i lenni wedi'u tynnu, bant â nhw gan feddwl falle 'mod i wedi mynd i Sbaen 'da'r lleill.

Roedd y gwaith rheolaidd ro'n i wedi bod yn ddigon lwcus i'w gael 'da'r BBC a HTV wedi mynd yn hesb. Ro'n i'n gaeth i fy amgylchiade. Y cwbwl oedd gofyn i mi 'i wneud, mewn gwirionedd, oedd agor y drws a cherddded mas i'r haul, ond roedd gweithred mor syml yn drech na mi. O'r braidd y gallwn i fy llusgo fy hun oddi ar y llawr a chripad ar hyd y pared i gael diod o ddŵr ac i biso. Ambell waith, fe fyddwn i'n iste ar y tŷ bach – wn i ddim am ba hyd – mewn rhyw fath o lesmair neu freuddwyd ryfedd. Do'n i'n teimlo dim, ac roedd hyd yn oed y reddf fwya sylfaenol i oroesi wedi hen ddiflannu. Do'n i'n teimlo na gwres nac oerfel; do'n i'n teimlo dim. Doedd dim goleuade na gwres yn y tŷ ac ro'n i'n rhy wan i falio. Yn y cyfamser, y tu fas, roedd bywyd yn mynd yn ei flaen hebdda i.

Rhaid 'mod i wedi cwympo pan es i am bisiad neu ddiod un diwrnod neu noson, achos fe ddihunes i a theimlo 'mhen yn dost, ac fe allwn i flasu gwaed yn fy ngheg hefyd. Rhaid 'mod i wedi cwympo'n drwm ac wedi torri fy wyneb ar lawr teils coch y cyntedd neu'r gegin. Ond o leia ro'n i'n teimlo rhywbeth – y teimlad cynta ers ache. Cyffyrddes i â'r clwy ar fy nhalcen – roedd 'na lawer o waed wedi ceulo ar fy wyneb i. Yna, fe glywes i'r llong hwylie bres – roedd rhywun wrth y drws. Gorweddes i lle ro'n i ar y carped, yn aros i ta pwy oedd 'na fynd bant – ro'n i wedi bod trwy hyn o'r blaen – ond aeth y curo yn ei flaen, ac wedyn fe glywes i lais yn galw trwy'r twll llythyre – llais menyw. Roedd arna i ofn; do'n i ddim moyn i neb fy nghael i fel hyn.

Wn i ddim, hyd heddiw, sut y llusges fy hun at y drws ffrynt, lle ces i'n hunan yn sefyll ar bentwr o lythyre a chylchlythyre. Fe allwn i weld siapie cam dau berson trwy'r paen gwydr barugog yn y drws. "Meic! Meic! Agorwch y drws!" gwaeddodd rhywun trwy'r twll llythyre. O'm hanfodd, fe agores i'r follten a throi nobyn pres y clo Yale. Boddwyd y cyntedd gan heulwen ddigon i'ch dallu chi ac fe allwn i weld dwy amlinell wedi'u fframio yn y drws agored.

Y peth nesa dwi'n gofio yw iste ar y soffa yn y lolfa, a rhywun wedi tynnu'r llenni trymion fel bod y stafell yn llawn gole, a dwy ferch yn siarad â mi. Ro'n i'n ffaelu amgyffred dim – ro'n i moyn cripad bant i gwato. Yn sydyn, roedd un o'r merched ar ei glinie yn f'ymyl i, roedd ei llaw hi ar fy mraich i, a dwi'n credu 'i bod hi'n gofyn i mi beth oedd wedi digwydd ac o'n i'n iawn. Ro'n i'n ffaelu ateb; ro'n i'n teimlo'n bell i ffwrdd – y tu hwnt i gyrraedd rywfodd. Y gwir amdani, mae'n debyg, oedd 'mod i'n siang-di-fang; rhaid 'mod i'n drewi fel ffwlbart a golwg y fall arna i, 'da thyfiant wythnose o flew ar fy wyneb, fel anifail gwyllt.

Roedd y merched yn gweithio ar gyngerdd roedd Meredydd Evans o'r BBC yn ei drefnu yn Theatr y Sherman. Bnawn Sul oedd hi, ac roedd un o'r perfformwyr wedi tynnu 'nôl yn sydyn. Doedd neb wedi 'ngweld i ers ache, a'r ffôn wedi'i ddatgysylltu, felly roedd Merêd wedi hala'r ddwy ferch lan i'r tŷ i weld a fyddwn i'n fodlon canu yn y sioe y noson honno. Roedd pawb yn y theatr eisoes yn ymarfer y pnawn hwnnw. Clywes i fy llais fy hun fel 'se fe'n bell i ffwrdd, yn gwneud fy ngore i ddweud wrthyn nhw na allwn i yn fy myw berfformio, ond diolch am y gwahoddiad. Roedden nhw'n ceisio fy mherswadio i i fynd 'da nhw i'r Sherman, ac wedyn bant â nhw gan ddweud y bydden nhw 'nôl ymhen yr awr.

Roedd fy mhen i'n troi. O'n i wedi bod yn breuddwydio? Oedd rhywun wedi bod 'ma? Roedd y llenni wedi'u tynnu – ai fi oedd wedi gwneud hynny? Fe allwn i wynto mwg Golden Virginia yn yr awyr a chofies i fod un o'r merched wedi rholio mwgyn, ac roedd blwch llwch ar lawr 'da dau neu dri stwmpyn ynddo fe. Rywfodd, fe ysgytiodd yr ymweliad fi mas o'r twll du ro'n i wedi bod yn byw ynddo fe ers Duw a ŵyr pryd.

Es i'r gegin yn simsan a golchi 'ngwyneb. Doedd y cwt ar fy nhalcen i ddim yn ddifrifol ond roedd e wedi gwaedu cryn dipyn. Estynnes i rasel a sebon a dechre siafo. Beth welwn i yn drych oedd wyneb bod dynol. Es i lan llofft, cael hyd i dywel yn y cwpwrdd crasu, mynd i'r stafell molchi oedd heb losgi, tynnu fy holl ddillad mochedd a sefyll yn y bàth 'da'r ddau dap ar agor led y pen, yn molchi 'da sebon a gwlanen. Wedyn, es i'r stafell wely ffrynt, oedd heb ei difrodi, i gael crys glân, jîns, sane a sgidie. Des o hyd i dun o fins yng nghwpwrdd y gegin, ei hagor a'u bwyta nhw'n oer. Roedd y lle fel tŷ Jeroboam. Ro'n i'n teimlo fel tynnu'r llenni ac encilio eto, ond, ar hynny, fe gurodd y llong bres rat-tat-tat uchel, penderfynol, ac fe wyddwn i rywfodd na fydde fe'n peidio nes i mi agor y drws.

Dyna lle roedd y ddwy ferch eto, yn syllu arna i ac yn gwenu. Roedden nhw'n ymddwyn fel 'se dim byd o'i le ac ro'n i'n synnu nad oedden nhw'n sôn dim am yr olwg ffiaidd oedd arna i y tro cynt, oedd nawr wedi newid yn llwyr. 'Beth yw eu sgâm nhw?' oedd y cwestiwn aeth yn ofnus drwy 'mhen. O'n i'n dal i freuddwydio?

"Cerwch i nôl eich gitâr. Fydd yn rhaid i ni 'i siapo hi – maen nhw'n disgwyl amdanoch chi yn y Sherman."

Doedd dim gitâr 'da fi – roedd e wedi'i werthu ers ache, fel popeth arall o unrhyw werth. "Sdim gitâr 'da fi," meddwn i.

"Gewch chi fenthyg un yn y theatr – mae 'na ddigonedd lawr 'na," medde un o 'ngwaredwyr i. "Cerwch i'r car."

A dyma Siân – y fyrra o'r ddwy – yn ein gyrru ni i'r Sherman, a Gwenllïan, y ferch dala, yn iste yn y tu blaen a minne'n y cefen. Ro'n i'n teimlo fel seren bop yng nghefn limo. Do'n i ddim wedi gweld strydoedd Caerdydd ers ache. Roedd gyrru trwy Landaf a Phontcanna yn swrrealaidd, a'r caeau'n ymestyn lawr at afon Taf a'r coed uchel yn y parc yn ddail gwyrdd llachar â lliw copor drostyn nhw yn yr haul.

Peth da taw dydd Sul oedd hi. Y dyddie hynny, roedd dydd Sul yn y ddinas yn dawel, â bron dim traffig ac ychydig iawn o gerddwyr; 'se hi'n ddiwrnod ganol wthnos, fe fyddwn i wedi cael pwl pryder fel pan o'n i'n gaeth i valium. Ro'n i'n teimlo rhywfaint o agoraffobia, ond dim byd rhy ddifrifol. Ro'n i'n teimlo fel 'sen i wedi cymryd asid hanner awr ynghynt, a wyddwn i ddim ai drychiolaethe annifyr ynte trip clir braf fydde'n dilyn.

Ro'n i wedi chware'n y Sherman o'r blaen felly ro'n i'n nabod yr adeilad. Ffindon ni'n ffordd i'r stafell werdd lle ces i groeso mawr gan Merêd, oedd bob amser yn fawrfrydig, yn foesgar ac yn gyfeillgar. Ces i gynnig diod, ond fe wrthodes i – Duw a ŵyr beth fydde alcohol wedi'i wneud i 'nghyfansoddiad bregus i. Gofynnes i am sudd oren a brechdan a chael blas arnyn nhw.

Dwi ddim yn cofio pwy oedd yno i gyd – roedd fy mhen i yn rhywle arall y diwrnod hwnnw – ond roedd Siân a Gwenllïan wedi dewis aros 'da fi fel gofalwyr, a rhoddodd hynny beth hyder i mi. Daeth rhywun â gitâr i mi a chilies i gornel i weld a allwn i ei chware o hyd; do'n i ddim wedi cyffwrdd gitâr ers misoedd, ond ro'n i'n dal i allu taro tant. Daeth cwpwl o bobol draw am sgwrs, a gofyn shwt o'n i a lle ro'n i wedi bod. Ro'n i'n teimlo'n annifyr.

Aeth yr ymarfer yn dda. Canes i dair cân i 'nghyfeiliant fy hun ar y gitâr, ac roedd Merêd yn y stalie yn curo dwylo nerth esgyrn ei freichie ac yn gweiddi i 'nghalonogi fi. Doedd 'na ddim gwynt yn fy hwylie i a rhaid ei fod e'n berfformiad tila iawn. Roedden nhw fel 'sen nhw'n gwbod 'mod i wedi bod trwy ryw helynt ac yn fy nhrin i â gofal. 'Nôl yn y stafell werdd – oedd nawr yn prysur lenwi 'da pherfformwyr eraill – daeth teimlad sy'n ddierth iawn i mi drosta i, ac roedd arna i ofn mynd ar y llwyfan. Aeth alaw'r Brawd James trwy 'mhen i, "Ie, pe rhodiwn ar hyd glyn cysgod angau". Ac atgofion am fachgen yng nghôr eglwys St Aidan, Solfach, amser maith yn ôl; Harbour House; Blodwen a William Henry yn mynd lan y rhiw i'r eglwys bob nos Sul ar biliwn motobeic BSA 500 brawychus Wncwl Hayden. Felly beth yw ofn, a be dwi'n ei ofni? Diolchais dan fy ngwynt i'r ddwy ferch hardd 'ny oedd, yn ddiarwybod iddyn nhw, wedi fy halio i mas o bwll tywyllwch. Ac, yn sydyn, dyna lle ro'n i – 'nôl ar dir y byw. Ar ôl y cyngerdd, gyrrodd fy Samaried i sha thre a chysges mewn gwely am y tro cynta ers misoedd. Drannoeth, fe godes i a dechre glanhau'r tŷ. Ro'n i'n teimlo fe 'se rhyw swyn drwg wedi'i dorri.

Es i ar y bys 24 i'r dre, dod oddi arno fe ar bwys y castell a chroesi'r hewl i'r Horse and Groom. Gwthio'r drws gwydyr lliw, a gweld nad oedd dim wedi newid, a'r criw arferol yn yfed wrth y bar. Ro'n i wedi newid, ond sylwodd 'run ohonyn nhw. Ro'n i'n teimlo'n dawelach fy meddwl. Codes i beint o chwerw a chopi o'r *Sporting Life*. Roedd hi'n ddechre'r tymor rasio ar y gwastad, a'r ods yn dda ar geffyle dwy a thair blwydd oed. Cynllunies i fet Yankee – chwe dwbwl, tri threbl, a bet gynyddol – ac, erbyn hanner awr wedi tri'r pnawn, ro'n i wedi ennill £2,500 ac ro'n i 'nôl yn y ras, yn gwrando ar yr un hen falu cachu gan bwdrod, puteinied a hocedwyr canol y ddinas fel 'sen i'n breuddwydio.

'Pwy sy'n real – fi te nhw?' aeth drwy 'mhen i. Maes o law, fe es i lawr i'r orsaf a mynd mewn tacsi i Hwlffordd. Roedd arna i rywbeth i fy mam ac i 'mhlant; ro'n i wedi bod mas o'r ras ers gormod o lawer ac roedd yn rhaid i mi wneud iawn am bethe.

'Nôl i heulwen Solfach, cyn i ddrewdod twristiaeth gyrraedd. Roedd Betty'n iawn, a'r merched hefyd. Bydde'n rhaid i mi fynd 'nôl i Gaerdydd i gweirio'r difrod tân cyn y gallen nhw ddod gartre ac ailgychwyn yn yr ysgol, ac roedd Tessa dan glo yn Ysbyty Eglwys Newydd o hyd; bydde gofyn delio â hynny hefyd. 'Nôl yng Nghaerdydd, fe ges i afael ar adeiladwyr o Iwerddon fydde'n mynychu'r Horse and Groom a daethon nhw lan yn syth i glirio'r difrod. Cyn pen wthnos, roedd y tŷ 'nôl fel arfer, a'r sbwriel wedi'i gertio bant. Gofynnes am gael ailgysylltu'r ffôn, y trydan a'r nwy, ac roedd eitha celc 'da fi o hyd.

Dechreues fynd i weld Tessa eto, ac, erbyn hyn, roedd hi'n dechre ymateb i'r driniaeth yn yr ysbyty. Dwedodd y meddygon wrtha i y bydde hi'n barod i ddod gartre pan ddôi'r plant 'nôl o Solfach, ac y bydde eu cael nhw gyda hi yn lles mawr. Ro'n i'n byw mewn gobaith, ond allwn i ddim peidio ag ame popeth ddwedon nhw.

Cafodd Tessa 'i rhyddhau o'r ysbyty yn eitha buan wedi i mi ddod â'r plant 'nôl i Gaerdydd ddiwedd gwylie'r haf. Fe allwn i weld yn syth nad oedd popeth yn iawn ac na fydden nhw fyth dragywydd. Wyddai'r plant ddim byd am broblem eu mam ac roedden nhw'n berffaith fodlon yn mynd i'r ysgol bob dydd. Roedd Tessa i fod i gymryd y moddion roedd yr ysbyty'n eu hargymell a, chyn belled ag y gwyddwn i, roedd hi'n gwneud hynny. Ro'n i'n teimlo fel nyrs a mam faeth, ond yn dal i wneud gigs. Dechreuodd Tessa fynd mas i'r llefydd arferol ac, ambell waith, fe fydden ni'n mynd mas 'da'n gilydd, ond 'mod i'n teimlo fel 'sen i'n actio. Roedd y wefr wedi mynd, a chyda hynny yr awydd i'w helpu hi. Doedd arna i ddim angen Tessa yn fy mywyd bellach, a bydde'n well i ni'n dau wahanu a mynd ein ffyrdd ein hunain. Ond be am y plant?

Un noson fe ddes i sha thre ar ôl gwneud gig yng ngogledd Cymru.

Roedd hi'n hwyr, a'r tŷ'n dywyll ac yn rhyfedd o dawel. Pan es i lan llofft, roedd gwelye'r plant yn oer ac yn wag, ac felly hefyd wely Tessa (roedden ni'n cysgu mewn stafelloedd ar wahân). Ro'n i wedi blino'n lân ac fe ddechreues i gynhyrfu braidd, ond doedd dim byd i'w wneud am hanner awr wedi un y bore, felly es i'r gwely a chysgu. Yn y bore, roedd y ffôn yn fud a dim gair gan Tessa. Ffonies i'r meddyg teulu, a ddwedodd wrtha i taw claf allanol oedd Tessa o hyd, am a wyddai fe. Dwedodd wrtha i y bydde fe'n holi yn yr ysbyty, a ffoniodd fi 'nôl i ddweud, o'u rhan nhw, ei bod hi wedi'i rhyddhau a taw gartre y dyle hi fod. Ffoniais i'r ysgol, a chael gwbod nad oedd y merched yno. Ffonies i ffrindie, ond doedden nhw ddim wedi gweld Tessa, ac felly ffonies i'r heddlu a riportio 'u bod nhw ar goll.

O'r diwedd, daeth dau blismon draw a gofyn y cwestiyne arferol. Oedd ffrae wedi bod? Oni alle hi fod wedi mynd i aros 'da ffrindie? Ddim hyd y gwyddwn i. Dim nodyn? Dim byd. Dwedon nhw wrtha i am aros lle ro'n i ac y bydden nhw'n trial cael hyd iddyn nhw. Roedd fy nghalon i'n suddo'n gloi ac ro'n i'n gwylltu! Y cwbwl allwn i ei wneud oedd sefyll yn fy unfan yn y tŷ, yn aros i'r ffôn ganu – UFFERN DÂN!!!

Ar fore'r trydydd diwrnod, curodd rhywun ar y drws. Ac yn sefyll ar y rhiniog, roedd hipi ganol-oed yn gwisgo cafftan brodwaith llaes, llawer o fwclis a gwallt Affro. Ro'n i wedi'i gweld hi yng nghlwb gwerin Canolfan Celfyddydau'r Chapter ac yng Nghlwb Charlie, ond do'n i rioed wedi bod yn ei chwmni hi. Roedd giang o bobol fohemaidd gelf-a-chrefftus yn gwmni iddi bob amser, a bydde hithe'n eu gyrru nhw o gwmpas mewn hen fan Morris Traveller gwyn. Roedden nhw'n yfed o gwmpas y dre byth a hefyd, a byddwn i wastad yn meddwl tybed beth oedd eu perthynas nhw â'i gilydd. Roedd hon yn hŷn o beth dipyn na'r gweddill.

Dwedodd y fenyw taw Pat Newman oedd ei henw hi, ei bod hi'n nabod Tessa a'i bod hi wedi dweud wrthi yn y clwb gwerin y dydd Sul cynt ei bod hi'n ffaelu byw 'da fi bellach. Felly roedd hi wedi cynnig 'lloches' i Tessa a'r plant yn y tŷ mawr ar Heol Albany lle roedd hi'n byw.

Gwyllties inne, a buan y daeth hi'n amlwg nad oedd dim syniad 'da hon am wir natur y sefyllfa nac am broblem iechyd meddwl Tessa. Roedd Tessa wedi creu rhyw chwedl fawr a hithe wedi casglu o hynny bod 'da ni ryw fath o broblem briodasol y galle cyfarwyddwr priodasol neu weithiwr cymdeithasol ei datrys. Dwedodd y fenyw wrtha i fod Tessa wedi dweud wrthi nad oedd hi moyn i mi ddod ar ei chyfyl hi na'r plant, ac y bydde hi'n galw'r heddlu sen i'n mynd i'w thŷ hi. Wedyn, aeth hi 'nôl i'w char a gyrru bant. Roedd yn rhaid i fi ffonio'r heddlu i ddweud wrthyn nhw y caen nhw stopo chwilio am fy nheulu, a dyna fu. Ro'n i'n benwan, a phan ffonies i fy mam yn Solfach, roedd hithe'n benwan hefyd.

'Gan bwyll. Castie llwynog piau hi, Meic.' A dyna'r unig ffordd i ddelio â'r broblem. Ro'n i bron yn sicr fod Tessa'n achos colledig, a'i bod hi'n anochel y bydde'n rhaid i ni wahanu; allwn i ddim godde mwy ohoni, ac roedd hi'n edrych yn debyg y bydde'n rhaid i fi ollwng fy ngafael ar y plant hefyd. Ro'n i'n meddwl bod hynny'n wallgo, ond o leia ro'n i *yn* meddwl yn rhesymegol – rhywbeth fydde wedi bod yn amhosib fis ynghynt.

Penderfynes i sleifio i blith criw Pat Newman o feddwon bohemaidd a cheisio cael gwybodaeth fewnol. Roedd hyn yn hawdd gan eu bod nhw'n mynychu'r un ogofâu lladron ag y byddwn inne cyn iddi fynd yn gachfa. O'r diwedd, fe ges i'r wybodaeth ro'n i moyn. Hipi ganol-oed oedd Pat Newman, fel ro'n i'n ame; roedd hi'n briod 'da phen-cogydd llong o ddocie Caerdydd oedd wedi ymddeol ac a oedd nawr yn ddyn glanhau ffenestri, ac roedd 'da nhw dri o blant yn eu harddege cynnar. Doedd y bywyd strêt roedd hi a'i gŵr yn ei fyw ddim yn ddigon da ganddi, ac roedd hi'n trial cael ysgariad trwy hel ei thraed mewn tafarne, clybie a llefydd eraill 'da phobol fwy 'diddorol' gyda'i giang o ynfytion anwes.

Roedd hi newydd symud i gwt mewn cae yn Aberllydan ger Bae Sain Ffraid yn Sir Benfro. Roedd comiwn o hipis yn sgwatio yno mewn hen gabane gwylie a charafane roedd dropowts o Loegr wedi'u codi rhwng y ddau ryfel. Rhaid bod Aberllydan yn ben draw'r byd bryd hynny, ac yn lle da i deimlo'n rhydd ynddo. Mae e 'run peth nawr, mwy neu lai, ond ei fod e'n llawer mwy twristaidd. Roedd y gymuned yma o ddropowts mwy modern (fersiwn y saith dege) ugen mlynedd o flaen Teithwyr yr Oes Newydd, ac roedd 'na grŵp sefydlog o bobol debyg iawn fydde'n byw ar nawdd cymdeithasol a dwgyd a delio cyffurie. Dropowts o ddinasoedd yn Lloegr oedd naw deg y cant ohonyn nhw ac roedd llawer ohonyn nhw wedi bwrw'u tymor yn y carchar.

Byw yno fu hanes Pat Newman a'i phlant – a Tessa a 'mhlant inne'n gwmni iddyn nhw. Ar un wedd, roedd hyn yn beth da gan fod 'da fi deulu a ffrindie yn yr ardal fydde'n trosglwyddo gwybodaeth i mi. A dweud y gwir, wncwl i mi ar ochr fy nhad-cu oedd berchen y cae, ond doedd e byth yn cael rhent, felly roedd e'n trial anfon y sgwatwyr i ffwrdd. Gwyddwn inne na fydde hyn yn para'n hir, ac roedd hynny'n codi 'nghalon i.

Un diwrnod benderfynes i fynd am dro i Solfach. Roedd y byd cerddorol yn eitha di-ffrwt ar y pryd a minne'n chware fawr ddim – oedd yn beth diflas, a heb fod o lawer o les i'r cyfri banc chwaith. Es i bysgota 'da ffrind; fe fydden ni'n gwneud hynny'n eitha amal, ac yn mynd gyda'r llif ar draws y bae mewn dingi pedair troedfedd ar ddeg oedd yn cael ei yrru 'da rhwyfe a motor allanol. Ambell waith, fe fydden ni'n glanio yn Aber Bach, lle mae perthynas sefydlog rhwng y bobol a phobol Solfach. Fe fydden ni'n mynd â'n hofferynne cerdd ac yn aros yn y Castle Hotel yn Aber Bach am ddiwrnod neu ddau, neu fwy. A'r diwrnod hwnnw, fe ddalion ni grugyn o fecryll – dros dri chant – a chynigies i fynd â nhw i gae'r hipis i borthi'r pum mil. A dyna sut ro'n i am gael gweld y plant.

Roedd plant mân 'da'r rhan fwya o'r bobol oedd yno, a bydden nhw'n rhedeg o gwmpas yn noeth, yn chware ac yn cael hwyl yn yr haul, tra oedd eu rhieni nhw'n smygu hashish neu'n tripio ar LSD. Dyna sut roedden nhw'n byw, a doedd y bobol leol yn cymryd dim sylw ohonyn nhw'n swatio yn y cae tu ôl i'r coed. Dim ond Tessa weles i. Roedd hi'n byw mewn carafan 'da rhyw gyn-droseddwr o Aberdaugleddau, oedd yn datŵs o'i gorun i'w sawdl, ac roedd y plant lan yng nghaban Pat Newman y rhan fwyaf o'r amser ro'n i yno. Gadawodd Al a finne ar ôl pedwar diwrnod; roedd y sefyllfa tu hwnt i fy rheolaeth i ta beth. Roedd Tessa wedi cael gorchymyn gwarchodaeth ar gyfer y plant y tu ôl i 'nghefen i – Duw a ŵyr be ddwedodd hi amdana i wrth yr ustusied! Felly 'nôl â fi i Gaerdydd i lyfu 'mriwie a gwneud fy ngore i gynllunio rhyw fath o ddyfodol na allwn i mo'i weld heb y plant ynddo fe.

Un pnawn Sadwrn, ro'n i wrthi'n cael diod neu ddau 'da Rhydderch Jones yng nghlwb y BBC pan agorodd y drws yn sydyn, a 'ngwaredwyr i – Siân a Gwenllïan – yn hyrddio drwyddo. Roedden nhw wedi cael diferyn neu ddau yn barod, yn ôl eu golwg nhw. "'Dach chi'n cael hwyl, genod?" gofynnodd Rhydd dan wenu. Roedden nhw wedi bod ar y sbri y noson cynt a chudyn o'r ci a'u cnoes wedi arwain at ddiferyn neu ddau eto. Roedd Sian wedi cael clec yn ei Mini a'r slobs wedi mynd â nhw i swyddfa ganolog yr heddlu.

"Mae hyn yn ddiflas," medde Siân.

"Dim o'r fath beth," medde Gwenlli. "Dydan ni ddim wedi cael digon i yfed eto! Tyd i ni 'i miglo hi. Awn ni drwy'r drws ffrynt, ac mi a' i i'r dde a cher ditha i'r chwith, ac mi welwn ni'n gilydd yng nghlwb y BBC!" (Lloches!)

Fe dreulion ni weddill y diwrnod yn yfed, wedyn mewn tŷ bwyta ac wedyn yng nghlwb Cyril Clark yn y docie.

"Meic, man, will you do somethin' about your friends?"

"What's happening, Cyril?"

"Man, they too much! Fuckin' on my furniture and spewing on de carpet!" Do'n i rioed wedi sylwi ar y math 'na o ymddygiad; roedd hi'n rhy dywyll o lawer yng nghlwb Cyril, a do'n i'n nabod neb ar draws lled y stafell hyd yn oed! Ond fe geisies i 'i gysuro fe fwy nag unwaith. "It's that Selwyn man, he de culprit!" Digonedd o ganu, dawnso a phrancio oedd piau hi y noson honno ac fe feddwon ni'n chwil ulw gaib. Dihunes i yn y bore gyda haul digon i'ch dallu chi'n dod drwy ffenestri'r stafell wely, a merch ddierth yn cysgu'n sownd wrth fy ochor i. Es i lawr i wneud coffi. Gwenllïan oedd y ferch yn y gwely.

Roedd Gwenllïan yn rhannu fflat mewn atig fach yn Rawden Place ar bwys pont Treganna, heb fod ymhell o ganol y ddinas. Fe ddaethai i Gaerdydd i chwilio am waith ar ôl graddio rai blynydde cyn hynny ym Mhrifysgol Bangor. Gradd mewn hanes oedd 'da hi. Roedden ni'n cyd-daro i'r dim ac yn cael blas mawr ar gwmni'n gilydd, a chyn bo hir, ro'n i mewn cariad eto! Roedd Gwenllïan yn ferch dan gamp ac yn gwneud y cawl gore ro'n i wedi'i flasu ers marw fy mam-gu, ac mae hynny'n dipyn o ddweud. Ac roedd 'da hi berthnase yn Solfach – disgynyddion yr hen Gapten Prance, morwr mawr ei barch oedd yn byw yn Solfach ers talwm.

Fe sonion ni lawer am deithio, yn enwedig i Lydaw, gwlad roedd hi'n ei nabod yn eitha da. Roedd syniade 'da fi ers peth amser am fynd i fyw a chware cerddoriaeth yn Llydaw, ac roedd hi'n dweud yr hoffe hithe ddod hefyd. Ymhen tipyn, fe gytunon ni fod hyn yn beth naturiol i'w wneud, ac fe werthes i bopeth oedd o unrhyw werth yn y tŷ yn Evansfield Road. Erbyn hynny, roedd yr Americanwyr, Sprague a Tahune, 'nôl o Sbaen a'r parti wedi ailgydio. Roedden nhw i gyd yno eto, a Charlie, oedd wedi mynd yn fethdalwr, yn sgwatio yn y clwb ac wedi hoelio'r drws i atal beilïod rhag dod mewn i adfeddiannu'r lle. (Roedd 'na fynediad cudd lle bydde'r hipis a ffrindie eraill yn dod â bwyd a diod iddo fe.) Doedd Evansfield Road ddim yn lle i fod ynddo fe bellach, felly fe rois i'r allweddi iddyn nhw a mynd i aros yn Rawden Place 'da Gwenlli a Siân.

Y noson cyn i ni fynd i Lydaw (ro'n i wedi cadw tocynne i ni ar y llong o Plymouth i Roscoff ar gyfer y noson wedyn), fe aethon ni i siopa yn y dre am rai pethe angenrheidiol – pabell fach, pethe gwersylla, yn cynnwys dwy gyllell ac agorwyr poteli a chorcsgriws ac yn y blaen. Roedd y *Western Mail* wedi cyhoeddi erthygl arna i y diwrnod hwnnw 'da llun ohona i'n iste y tu fas i'w swyddfa nhw, o dan y pennawd 'Fed up and off to Brittany'.

Yn ddiweddarach y noson honno, yn ystod pryd o fwyd ffarwelio yn nhŷ bwyta Angelo's yn West Bute Streeet, daeth dau slob mewn iwnifform ar ein gwartha ni. "Someone wants to see you at the station," medden nhw. Ro'n i'n ffaelu deall pam roedden nhw'n ymyrryd â ni; roedden ni'n aros yn ddigon heddychlon i gael ein bwyd yn Angelo's lle roedden nhw'n ein nabod ni a ninne'n gwsmeried rheolaidd.

"I'm not going to Central. We haven't done anything. What's it all about?"

"Oh, no," meddai slob rhif un. "Just round the corner in the James St nick."

Fel roedden ni wiriona, fe aethon ni gyda nhw mewn car heddlu. Doedd dim hawl 'da nhw i'n dal ni – twyll oedd e. Gynta cerddon ni drwy ddrws y swyddfa, fe weles i'r pwyllgor croeso – llabwst hyll o sarjant dwylath a WPC lesbaidd a dau beth arall mewn iwnifform. A dyma nhw'n dechre ymosod arna i, yn gwbwl ddirybudd, a'r ddau slob o'r car oedd tu ôl i ni yn ymuno 'da nhw. Ro'n i'n eu hymladd nhw, a Gwenlli'n gofalu am y WPC oedd wedi syrthio, cyn iddi gicio'r tarw o sarjiant yn ei geillie. Llwyddes inne i ymryddhau a rhedeg mas o swyddfa'r heddlu a'i chythru hi lawr James Street, a hithe'n tua chanol nos. Ro'n i wedi blino ac am fynd i'r gwely! "Uffern dân, mae hyn yn hurt bost! Lle mae Gwenlli?" meddwn i dan fy ngwynt. Rhois i'r gore i redeg a chythrodd haid o slobs dig iawn ynddo i a'm llusgo 'nôl i'r lle plismyn mewn gefynne.

Twlodd y slobs fi i gell, wedyn rhwygo fy nillad i gyd oddi arna i a 'nghuro i'n ddu las – pedwar i un, y cachwrs! Gallwn i glywed Gwenllïan yn y gell nesa yn sgrechen ar y slobs ac yn cico'r drws yn chwilfriw. Roedd hi wedi cael ei restio ar brotestiadau Cymdeithas yr Iaith a doedd dim cariad na pharch 'da hi at yr heddlu! Yn ddiweddarach, aethpwyd â ni i'r celloedd dwnjwn dan swyddfa ganolog yr heddlu yn ymyl Llys yr Ynadon, lle buon ni dan glo dros nos. Erbyn hyn ro'n i wedi ffonio fy nghyfreithiwr yn Hallinans ac, erbyn chwech o'r gloch y bore, roedd Ray Vidler, Martin Prowel a John Curran yn edrych yn syn arna i rhwng y barre.

Tu fas i swyddfeydd y Western Mail *yng Nghaerdydd yn ystod fy wythnos olaf yng Nghymru cyn gadael am Lydaw yn 1974*

Wizz, Bethan a Bet yn Solfach tua 1974

“Be ddiawl wyt ti’n ei neud ma? Ro’n i’n meddwl dy fod ti wedi mynd i Lydaw!”

“Fel arall roedd y slob yn meddwl,” oedd f’ateb i.

Cyhuddodd yr heddlu ni o fod ag arfe ymosodol yn ein meddiant – sef y cyllyll poced roedden ni wedi’u prynu y diwrnod cynt. Fe gafon ni’n cyhuddo o wrthsefyll restiad ac o ymosod ar yr heddlu wrth iddyn nhw gyflawni eu dyletswyddau. Aethon ni o flaen ein gwell am hanner awr wedi deg y bore. John Blackburn Gittings (o Lincoln Hallinans) gynrychiolodd fi, a gwrthodwyd yr holl achosion yn fy erbyn i, a ches i’r gyllell yn ôl! Rywfodd, fe gafwyd Gwenllïan – oedd yn cael ei chynrychioli gan ei brawd – yn euog, ar y sail ei bod hi wedi mynd â’r bagie ’nôl i’r fflat ond heb adael y gyllell, roedd hi wedi’i hanghofio, a bod honno’n dal i fod wedi’i lapio mewn bag papur yn ei phoced. ‘Dyna i chi gyfiawnder Pryden,’ meddylies, a ninne’n cerdded mas o’r llys ac yn plymio ar ein penne i’r dafarn agosa. Mae ’ngheg i wastad yn mynd yn sych grimp mewn llysoedd – yr adrenalin sy’n gyfrifol, siŵr o fod.

Rhai orie wedyn, fe aethon ni ar long Brittany Ferries yn Millbay Docks, Plymouth, a bant â ni, gan hwylio i’r nos ar ein ffordd i Roscoff – a rhyddid.

Dau glasur am y byd pop Cymraeg . . .

Y BLEW A BUDDUGOLIAETH GWYNFOR
Dafydd Evans
Dyddiaduron gonest a dadlennol sylfaenydd Y Blew a mab Gwynfor – llyfr unigryw, amlochrog yn llawn difyrrwch a dwyster.
Cyfres Cofiannau'r Lolfa
0 86243 672 9
£12.95

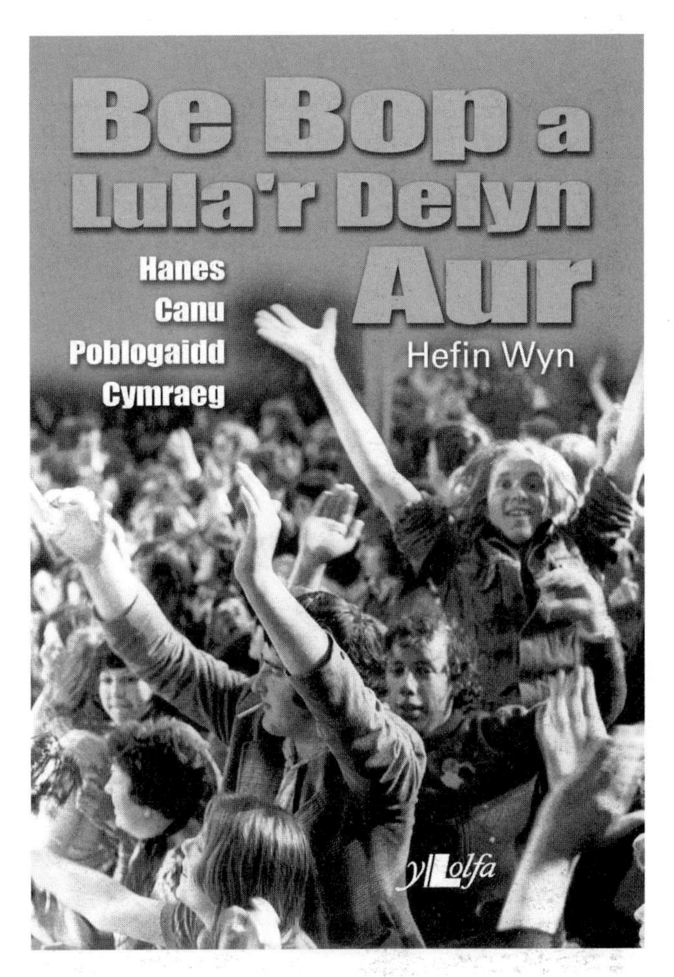

BE BOP A LULA'R DELYN AUR

Hefin Wyn

Campwaith cynhwysfawr sy'n adrodd stori dechreuadau'r byd pop yn llawn; dewiswyd ar gyfer rhestr fer Llyfr y Flwyddyn 2002.

"...astudiaeth o fedrusrwydd a thrylwyredd anghyffredin"

– Meredydd Evans

0 86243 634 6

£14.95

Am restr gyflawn o lyfrau'r wasg, mynnwch gopi o'n Catalog newydd, rhad – neu hwyliwch i mewn i'n gwefan

www.ylolfa.com

i chwilio ac archebu ar-lein.

TALYBONT CEREDIGION CYMRU SY24 5AP
e-bost ylolfa@ylolfa.com
gwefan www.ylolfa.com
ffôn (01970) 832 304
ffacs 832 782